Anne Gruneberg   Béatrice Tauzin

Comment vont les affaires ?

Cours de français professionnel
pour débutants

HAC**H**ETTE *Livre*
Français langue étrangère
58, rue Jean-Bleuzen, 92170 VANVES
http://www.fle.hachette-livre.fr

Couverture : Peplum

Conception graphique et réalisation : Anne-Danielle Naname

Illustrations : Zaü

Secrétariat d'édition : Véronique Duchemin

Recherche iconographique : Anny-Claude Médioni

Cartographie : Hachette Éducation, F. Magalhaes, P. Valentin,

Photogravure : Tin Cuadra

Pour découvrir
nos nouveautés,
consulter notre catalogue
en ligne, contacter
nos diffuseurs,
nous écrire, rendez-vous
sur Internet :
www.fle.hachette-livre.fr

ISBN : 2-01-155144-7

© Hachette Livre 2000, 43, quai de Grenelle, 75905 Paris Cedex 15

Ce cours a été adapté de l'œuvre radiophonique produite et réalisée par RFI, *Comment vont les affaires ?* 1, dont les auteurs sont : Sophie Corbeau, Chantal Dubois, Michel Danilo, Jean-Luc Penfornis

Les examens de français des affaires et des professions

Les examens de français des affaires et des professions testent
l'aptitude à utiliser le français dans plusieurs domaines
de la vie professionnelle et à des niveaux différents

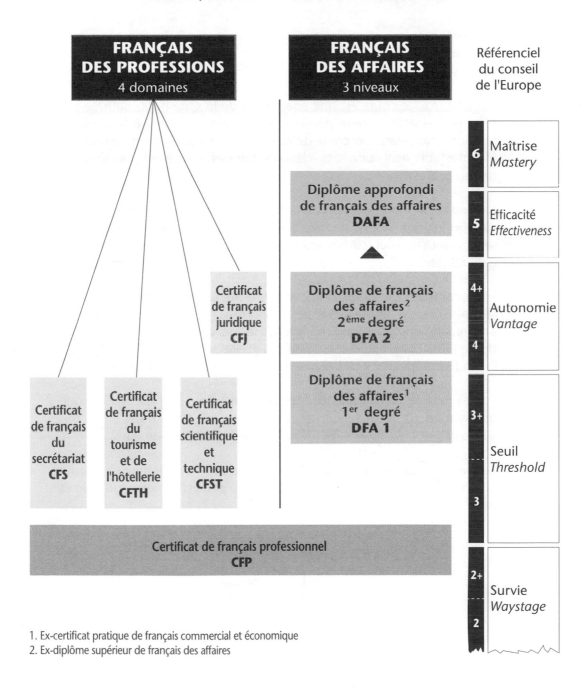

FRANÇAIS DES PROFESSIONS
4 domaines

FRANÇAIS DES AFFAIRES
3 niveaux

Référenciel
du conseil
de l'Europe

6 Maîtrise *Mastery*

Diplôme approfondi
de français des affaires
DAFA

5 Efficacité *Effectiveness*

Certificat
de français
juridique
CFJ

Diplôme de français
des affaires[2]
2ème degré
DFA 2

4+

Autonomie *Vantage*

4

Certificat
de français
du
secrétariat
CFS

Certificat
de français
du
tourisme
et de
l'hôtellerie
CFTH

Certificat
de français
scientifique
et
technique
CFST

Diplôme de français
des affaires[1]
1er degré
DFA 1

3+

Seuil *Threshold*

3

Certificat de français professionnel
CFP

2+

Survie *Waystage*

2

1. Ex-certificat pratique de français commercial et économique
2. Ex-diplôme supérieur de français des affaires

Avant-propos

Original, nouveau et complet, *Comment vont les affaires ?* est un cours de français qui s'adresse à un public de débutants en situation professionnelle.

Original, car ce cours est une adaptation de la série radio diffusée par RFI ; une attention toute particulière est ainsi accordée à la compréhension orale, dans un contexte de vie en entreprise, ce qui constitue incontestablement une des clés d'échanges réussis et efficaces au niveau professionnel.

Nouveau, car il propose, parallèlement à ce contexte, des situations de vie quotidienne : « ravi de faire votre connaissance ; en déplacement ; rendez-vous… » et se présente dès lors comme un cours pratique généraliste.

Enfin complet, car l'approche communicative adoptée prend aussi en compte l'aspect linguistique de l'apprentissage, et s'appuie sur une progression et un contenu solide et classique, ainsi que sur un équilibre des quatre compétences langagières ; elle se décline également de façon ludique grâce à des activités axées sur les savoir-faire.

Toutes ces caractéristiques en font la première étape privilégiée d'une préparation au nouveau Certificat de Français Professionnel (CFP) mis au point par la Chambre de Commerce et d'Industrie de Paris.

Souhaitons qu'avec cet outil, le français, plus que jamais, s'affirme comme langue de travail et de qualification professionnelle agréable et utile.

Guilhène MARATIER-DECLETY
Directrice des Relations Internationales/Enseignement
Chambre de Commerce et d'Industrie de Paris

Sommaire

Tableau des contenus

Unité	Vie professionnelle	Communication	Grammaire
1	**Vie professionnelle** Organisation du travail Fonctions dans l'entreprise **Vie quotidienne** Identité (pièces d'identité, état-civil…) Professions et métiers **Culture** L'Europe, les pays européens et les différentes nationalités Comment se présenter dans une entreprise française	**Communication** • Saluer • Se présenter • Présenter quelqu'un • Dire sa profession • Dire sa nationalité	**Grammaire** Les présentatifs *c'est, voici/voilà* Les articles définis Les possessifs de 1re et 2e personnes Sensibilisation au genre et au nombre La phrase affirmative simple Le verbe *être* Les verbes du 1er groupe Les verbes pronominaux (1re approche - *s'appeler*)
2	**Vie professionnelle** Commerce et produits Circuits de distribution **Vie quotidienne** Types de commerces Produits de toilette **Culture** Les formes du commerce Le comportement des Français (achats)	**Communication** • Saluer (suite) • Tutoyer et vouvoyer • Montrer et présenter des objets • Poser des questions • Compter de 0 à 20	**Grammaire** Les présentatifs *c'est/ce sont* *il y a* Les articles indéfinis Les nombres (de 1 à 20) Les démonstratifs Sensibilisation au genre et au nombre (suite) L'interrogation avec l'intonation et *est-ce que…, qui est-ce…, qu'est-ce que…* Le verbe *avoir* Les verbes du 1er groupe (suite)

3	**Vie professionnelle**
	Voyages professionnels
	Salons et congrès
	
	Vie quotidienne
	Voyages et moyens de transport
	Gare, aéroports…
	
	Culture
	Les gares parisiennes
	Les aéroports de Paris
		Communication
		• Dire que ça va ou
		  que ça ne va pas
		• Parler au téléphone :
		  répondre,
		  faux numéro,
		  si l'on entend mal…
		• Situer dans l'espace
		  (villes et pays)
			Grammaire
			Les contractions *au* et *aux*
			Les prépositions de lieu *à, en* (villes et pays),
			dans, chez
			Les pronoms toniques (avec révision des
			pronoms sujets)
			L'interrogation avec *qu'est-ce que…* et *où…*
			La négation avec *ne… pas*
			Les réponses avec *oui* et *si*
			
			Les verbes *aller* et *faire*
			Sensibilisation au futur proche

4	**Vie professionnelle**
	Renseignements téléphoniques
	Note de service
	Adresses et numéros de téléphone
	
	Vie quotidienne
	Ville et transports urbains
	(métro, bus, RER)
	
	Culture
	Les transports urbains
		Communication
		• Parler au téléphone :
		  demander des
		  renseignements,
		  épeler, faire une
		  réservation
		• Chercher et
		  indiquer un chemin
		• Remercier
			Grammaire
			Les nombres (de 20 à 60)
			La localisation : *près, loin, à droite, à gauche,
			tout droit, en face…*
			ici, là, là-bas
			L'interrogation avec *où* (suite),
			comment et *combien*
			
			Les verbes *vouloir* et *pouvoir*
			Le conditionnel de politesse

5	**Vie professionnelle**
	Horaires de travail et week-ends
	Pause-déjeuners
	
	Vie quotidienne
	Invitations et rendez-vous
	Repas : déjeuner, dîner…
	Vins et fromages de France
	
	Culture
	Les vins et fromages de France
	Le temps de travail
		Communication
		• Parler au téléphone :
		  « c'est de la part
		  de… », répondeur
		  automatique
		• Situer dans le temps
		  (le jour et l'heure)
		• Dire qu'on aime ou
		  qu'on n'aime pas
		• S'excuser
		• Exprimer la certitude
		  ou l'incertitude
			Grammaire
			Le pronom *on*
			Les indéfinis *autre* et *tout*
			L'interrogation avec *quand, quel, quelle, quels,
			quelles*
			Les adverbes *aujourd'hui, hier, demain*
			Les adjectifs qualificatifs *bon, excellent, mauvais…*
			L'intensité avec les adverbes *très* et *beaucoup*
			L'heure
			
			avoir + faim/soif…
			Les verbes du 2e groupe
			Sensibilisation au passé composé

Tableau des contenus

Unité	Vie professionnelle	Communication	Grammaire
11	**Vie professionnelle** Voyages professionnels (suite) : abonnement (taxis et aéroport) Factures à régler **Vie quotidienne** Argent et chèques Taxis en ville Sorties et spectacles **Culture** Les sorties	**Communication** • Demander de faire et de ne pas faire • Faire des suppositions • S'exclamer • Rédiger des formules de correspondance commerciale	**Grammaire** La restriction avec *ne... que* La négation avec *ni... ni* L'impératif négatif Le futur simple Le conditionnel
12	**Vie professionnelle** Traitement du courrier Lettres et télécopies Erreurs et excuses **Vie quotidienne** Courrier : lettres, cartes postales, cartes de vœux... Fêtes et célébrations Jours fériés en France **Culture** Fêtes, célébrations et jours fériés Lettre commerciale	**Communication** • Donner des ordres et des instructions (suite) • S'excuser (suite) • Utiliser des mentions et des formules dans la correspondance commerciale (suite)	**Grammaire** L'emploi de *chaque* Les indéfinis *chacun, chacune* L'obligation (récapitulatif) : *avoir à..., il y a... à..., il faut...* L'impératif (suite) Le passé composé
13	**Vie professionnelle** Sous-traitance Chaîne de production (machines, conditionnement, emballage) Embauche **Vie quotidienne** Éducation et formation Universités et grandes écoles en France Chômage **Culture** Le système éducatif Les pratiques de recrutement Les contrats de travail	**Communication** • Décrire un fonctionnement • Raconter des événements passés • Rédiger un rapport • Rédiger un *curriculum vitæ* et une lettre de motivation	**Grammaire** Les pronoms COD La localisation dans le temps : *avant, pendant, après* et emploi de *quand* et *dans...* Le but et la cause (révision) Le passé composé (suite) : forme négative
14	**Vie professionnelle** Banque Négociations Comptes et opérations bancaires Prêts **Vie quotidienne** Argent (suite) : modes de paiement, cartes de crédit, distributeurs de billets **Culture** L'Euro : les différents moyens de paiement Les pays de l'UEM	**Communication** • Raconter des événements passés (suite) • Exprimer la surprise et l'étonnement • Formuler des souhaits	**Grammaire** Les pronoms COD (suite) et COI L'interrogation indirecte La forme passive L'imparfait Les différentes valeurs de l'imparfait et du passé composé L'impératif affirmatif et négatif (suite)
15	**Vie professionnelle** Envoi de courrier en nombre Adresse en Cedex **Vie quotidienne** Bureau de tabac (achat de cartes et de timbres) La Poste (opérations postales) Les Télécom **Culture** La Poste et les Télécom	**Communication** • Décrire le déroulement des actions • Mettre en garde	**Grammaire** L'emploi de *déjà, encore* et *plus* Révision de *toujours* et *jamais* Le passé composé des verbes pronominaux

Sommaire

Tableau des contenus

Unité	Vie professionnelle / Vie quotidienne / Culture	Communication	Grammaire
1	**Vie professionnelle** Organisation du travail Fonctions dans l'entreprise **Vie quotidienne** Identité (pièces d'identité, état-civil…) Professions et métiers **Culture** L'Europe, les pays européens et les différentes nationalités Comment se présenter dans une entreprise française	**Communication** • Saluer • Se présenter • Présenter quelqu'un • Dire sa profession • Dire sa nationalité	**Grammaire** Les présentatifs *c'est, voici/voilà* Les articles définis Les possessifs de 1re et 2e personnes Sensibilisation au genre et au nombre La phrase affirmative simple Le verbe *être* Les verbes du 1er groupe Les verbes pronominaux (1re approche - *s'appeler*)
2	**Vie professionnelle** Commerce et produits Circuits de distribution **Vie quotidienne** Types de commerces Produits de toilette **Culture** Les formes du commerce Le comportement des Français (achats)	**Communication** • Saluer (suite) • Tutoyer et vouvoyer • Montrer et présenter des objets • Poser des questions • Compter de 0 à 20	**Grammaire** Les présentatifs *c'est/ce sont* *il y a* Les articles indéfinis Les nombres (de 1 à 20) Les démonstratifs Sensibilisation au genre et au nombre (suite) L'interrogation avec l'intonation et *est-ce que…, qui est-ce…, qu'est-ce que…* Le verbe *avoir* Les verbes du 1er groupe (suite)

3	**Vie professionnelle**
	Voyages professionnels
	Salons et congrès
	
	Vie quotidienne
	Voyages et moyens de transport
	Gare, aéroports…
	
	Culture
	Les gares parisiennes
	Les aéroports de Paris
		Communication
		• Dire que ça va ou
		  que ça ne va pas
		• Parler au téléphone :
		  répondre,
		  faux numéro,
		  si l'on entend mal…
		• Situer dans l'espace
		  (villes et pays)
			Grammaire
			Les contractions *au* et *aux*
			Les prépositions de lieu *à, en* (villes et pays),
			dans, chez
			Les pronoms toniques (avec révision des
			pronoms sujets)
			L'interrogation avec *qu'est-ce que…* et *où…*
			La négation avec *ne… pas*
			Les réponses avec *oui* et *si*
			
			Les verbes *aller* et *faire*
			Sensibilisation au futur proche

4	**Vie professionnelle**
	Renseignements téléphoniques
	Note de service
	Adresses et numéros de téléphone
	
	Vie quotidienne
	Ville et transports urbains
	(métro, bus, RER)
	
	Culture
	Les transports urbains
		Communication
		• Parler au téléphone :
		  demander des
		  renseignements,
		  épeler, faire une
		  réservation
		• Chercher et
		  indiquer un chemin
		• Remercier
			Grammaire
			Les nombres (de 20 à 60)
			La localisation : *près, loin, à droite, à gauche,
			tout droit, en face…*
			ici, là, là-bas
			L'interrogation avec *où* (suite),
			comment et *combien*
			
			Les verbes *vouloir* et *pouvoir*
			Le conditionnel de politesse

5	**Vie professionnelle**
	Horaires de travail et week-ends
	Pause-déjeuners
	
	Vie quotidienne
	Invitations et rendez-vous
	Repas : déjeuner, dîner…
	Vins et fromages de France
	
	Culture
	Les vins et fromages de France
	Le temps de travail
		Communication
		• Parler au téléphone :
		  « c'est de la part
		  de… », répondeur
		  automatique
		• Situer dans le temps
		  (le jour et l'heure)
		• Dire qu'on aime ou
		  qu'on n'aime pas
		• S'excuser
		• Exprimer la certitude
		  ou l'incertitude
			Grammaire
			Le pronom *on*
			Les indéfinis *autre* et *tout*
			L'interrogation avec *quand, quel, quelle, quels,
			quelles*
			Les adverbes *aujourd'hui, hier, demain*
			Les adjectifs qualificatifs *bon, excellent, mauvais…*
			L'intensité avec les adverbes *très* et *beaucoup*
			L'heure
			
			avoir + faim/soif…
			Les verbes du 2e groupe
			Sensibilisation au passé composé

Unité	Vie professionnelle	Communication	Grammaire
16	**Vie professionnelle** Commandes et conditions de paiement Crédit et remises **Vie quotidienne** Consommation et qualité des produits **Culture** Internet Les commandes et les conditions de paiement	**Communication** • Faire des requêtes • Négocier • Refuser (suite) • Formuler des hypothèses	**Grammaire** Les pronoms relatifs *qui* et *que* L'hypothèse avec *si* + présent et *si* + imparfait L'auxiliaire *être* avec les verbes de mouvement
17	**Vie professionnelle** Facturation et problèmes de paiement **Vie quotidienne** Assurances Problèmes de circulation Problèmes de santé **Culture** Les prestations sociales	**Communication** • Décrire une situation • Caractériser quelqu'un • S'expliquer, se justifier • Prendre en note une lettre commerciale	**Grammaire** Les pronoms relatifs *dont* et *où* Le participe passé comme adjectif Le plus-que-parfait Le conditionnel passé L'hypothèse avec *si* + plus-que-parfait La ponctuation
18	**Vie professionnelle** Réunions de travail Lancement d'un nouveau produit Promotion **Vie quotidienne** Médias Publicité **Culture** Les médias et la grande distribution La publicité Exemple d'une campagne publicitaire	**Communication** • Analyser un problème • Proposer des solutions • Donner son avis	**Grammaire** Les indéfinis *tout* (suite), *quelque* et *certain* La comparaison (révision) La comparaison de quantité Le futur et le futur proche (révision) Le subjonctif
19	**Vie professionnelle** Droits des salariés Bulletin de paie Syndicats et grève **Vie quotidienne** Activités sportives **Culture** Le sport et les événements sportifs Les syndicats	**Communication** • Exprimer son point de vue (suite) • Manifester son désaccord • Marquer le doute	**Grammaire** Les pronoms toniques (révision) Le pronom *en* Le discours indirect L'impératif (révision) La valeur des temps (révision) Le subjonctif (suite)
20	**Vie professionnelle** Ventes à l'exportation Attitude commerciale PME et PMI **Vie quotidienne** Différences culturelles et multiculturelles Tourisme culturel Festivals **Culture** Les grandes manifestations culturelles L'interculturel	**Communication** • Faire des critiques • Exprimer sa déception • Convaincre (suite) • Organiser un discours	**Grammaire** Le pronom *y* L'emploi de *même* et *comme* La concordance des temps dans le discours rapporté (suite) Le discours rapporté (suite) L'emploi des modes

① ② ③ ④ ⑤ ⑥ ⑦ ⑧ ⑨ ⑩ ⑪ ⑫ ⑬ ⑭ ⑮ ⑯ ⑰ ⑱ ⑲ ⑳

Ravi de faire votre

Apprendre à...
- Saluer
- Se présenter
- Présenter quelqu'un
- Dire sa profession
- Dire sa nationalité

Écoutez et trouvez la photo correspondant au dialogue.

↹ 1 Au bureau

— Bonjour, Jean !
— Ah ! Salut, Pierre. Je te présente Nadine Lavigne, mon assistante.
— Je suis ravi de faire votre connaissance, mademoiselle.

Qui salue...

...Jean ? ; ...Pierre ? ; ...Nadine Lavigne ?

Bonjour...

Complétez.

1. Jean dit : « Salut, Pierre ». ➡ Pierre dit : « ... »
2. Jean présente Nadine à ... ➡ Il dit : « Je te ... »
3. Pierre dit à Nadine : « Je ... de faire votre connaissance. »

Trouvez la bonne situation

Qui sont-ils ?

Choisissez la bonne réponse.

	situation 1	2	3
Il est directeur commercial.			Edward Lattour
Il est chauffeur.		Carlos Medina	
Il est douanier.		✓	
Elle est responsable des ventes.			Md. Bouedru
Elle est assistante.	Nadine Lavigne		

Où sont-ils ?

Choisissez la bonne réponse.

	situation 1	2	3
Il est sur la route.		✓	
Ils sont dans un hall d'entreprise.	✓		
Ils sont dans un aéroport.			✓

connaissance

2 À la douane [dwan]

— Contrôle d'identité. Vos papiers, s'il vous plaît.
— Voilà mon passeport.
— Vous êtes monsieur Molina ?
— Oui, c'est ça. Je m'appelle Carlos Molina.
— D'accord, c'est bon. Merci.

Il est...

Choisissez la bonne réponse.

1. Monsieur Molina est : ☐ chauffeur.   [dwa-nje]
☐ douanier.
☐ policier.

2. Monsieur Molina dit : ☐ Je suis monsieur Molina.
☐ Je m'appelle Carlos Molina.
☐ Je suis chauffeur.

3 À l'aéroport

— Bonjour, vous êtes monsieur Rivière ?
— Oui. Bonjour, monsieur.
— Je suis Édouard Laffont, le directeur commercial ; et voilà madame Bourdin, responsable des ventes.
— Ah, très bien ! Enchanté.

Il/Elle s'appelle...

Repérez.

1. Le nom du voyageur.   ➡ Il s'appelle... .
2. le nom de l'homme.   ➡ Il s'appelle... .
3. Le métier de l'homme.   ➡ Il est ... .
4. Le nom de la femme.   ➡ Elle s'appelle... .
5. Le métier de la femme.   ➡ Elle est ... .

mots

les personnes :
• l'homme (n. m.)
• la femme (n. f.)
• monsieur (n. m.)/M.
• madame (n. f.) /Mme
• mademoiselle (n. f.) /Mlle

les métiers/ les professions :
• l'assistante (n. f.)
• le chauffeur (n. m.)
• le directeur commercial (n. m.)
• le douanier (n. m.)
• le policier (n. m.)
• le/la responsable des ventes (n. m./f.)

les pièces d'identité
(les papiers) :
• la carte d'identité (n. f.)
• le passeport (n. m.)
• le permis de conduire (n. m.)

Qui dit quoi ?

Choisissez la bonne réponse.

	Jean	Pierre	M. Rivière
— Enchanté.			✓
— Bonjour, Jean !		✓	
— Je te présente Nadine Lavigne.	✓		
— Bonjour, monsieur.			✓
— Je suis ravi de faire votre connaissance.		✓	
— Salut, Pierre.	✓		

N.B. est ouvrier
[Ɛ-tu-vRi-je]

 1. Écoutez et faites correspondre.

M. Lefort ● ● ingénieur
Mme Martin ● ● professeur
Mlle Pelletier ● ● médecin
M. Bourdon ● ● ouvrier *[wri-je]*
Mme Sollers ● ● informaticienne

● ● canadienne
● ● belge
● ● français
● ● suisse
● ● française

in
[Ɛ̃]

Le verbe « être »

au présent

Pour la conjugaison du verbe « être »,
voir la page 178.

Exemples :
Je suis français.
Elle est responsable des ventes.

> « vous êtes » = plusieurs personnes
> ou une seule personne : « vous » de
> politesse.

Comment dire

● Pour saluer :
— Bonjour, monsieur/madame/...
— Salut !
● Pour se présenter :
— Je m'appelle...
— Je suis...
● Pour présenter quelqu'un :
— Je te*/vous* présente...
— Voilà...
— C'est...
(* te : amical - **vous** : formel)
● Pour répondre :
— Enchanté(e).
— Je suis ravi(e) de faire votre
connaissance.

---

2. Complétez.

• *Vous êtes dans une entreprise française.*
— **La secrétaire de direction :** Bonjour, monsieur. Vous êtes monsieur … ?
— **Vous :** …
— **La secrétaire de direction :** Je suis ravie de faire votre connaissance.
— **Vous :** …

[Kô-tRôl-di-dâ-ti-te]
1 2 3 4

• *Vous êtes à la douane. Vous avez une carte d'identité.*
[dwane]
— **Le douanier :** Contrôle d'identité. Vos papiers, s'il vous plaît.
— **Vous :** …
— **Le douanier :** Vous êtes … ?
— **Vous :** …

[Ɛ̃-fɔR-ma-ti-sjɛ̃]

3. Présentez-vous à leur place.

1. Paul Picard - informaticien - français.
2. Mary Smith - secrétaire - américaine.
3. Mario Lavista - représentant - mexicain.
4. Sergio Broguero - avocat - espagnol.
5. Nicky Thompson - directrice - anglaise.

[Vât]

 4. Jouez un rôle.

1. À vous de vous présenter.
2. Présentez une personne de votre groupe.
3. Vous présentez Gérard Coste, le responsable
des ventes, à votre directeur.
4. Vous présentez votre assistante à Guy,
votre collègue de travail.

Les possessifs

masc.	fém.	pl.
mon	ma	mes
ton	ta	tes
notre	notre	nos
votre	votre	vos

> (**mon**, **ton** : devant voyelle)
> ou « h » muet

5. Complétez avec des possessifs.

1. Voilà … permis de conduire.
2. Guy, je te présente … directrice.
3. Monsieur Molina, montrez-moi … permis
de conduire.
4. Jean, tu me présentes … assistante ?
5. Voilà … papiers, monsieur.

[pɛR-mi-dRô-dwiR]

(Left margin, vertical)
unité 1 — Ravi de faire votre connaissance

Les articles définis

	masc.	fém.
sing.	le - l'	la - l'
pl.	les les	les - les

(l' : devant voyelle ou *h* muet)

Comment dire

● Pour nommer les gens :
— Enchanté, madame.
— Oui, monsieur. -
— Merci, mademoiselle/Paul/Marie…
— Bonjour, docteur.

[frape) to strike, ('knock the door)

6. A. Complétez avec l'article défini.

1. *Le* directeur présente *le* ingénieur.
2. *Le* chauffeur montre son permis de conduire à *le* … agent de police.
3. *Le* représentant frappe à … porte de Mme Rivière.
4. En France, *les* femmes sont françaises et … hommes sont français.

[fa]

B. Complétez avec l'article défini, si nécessaire, comme dans l'exemple.
Nadine est assistante. C'est l'assistante de Jean.

1. René est … chauffeur. C'est *le* chauffeur de l'entreprise.
2. Paul est … belge. C'est *l'* ami de Caroline.
3. Madame Duval est … canadienne. C'est *l'* assistante de monsieur Duval.
4. Jacques Lefort est … professeur. C'est *le* professeur de mes enfants.

[mɛ-zã-fã]

mots

les nationalités :
• américain(e) *(a.; n.)*
• anglais(e) *(a.; n.)*
• belge *(a.; n.)*
• canadien (ne) *(a.; n.)*
• espagnol(e) *(a.; n.)*
• français(e) *(a.; n.)*
• mexicain(e) *(a.; n.)*
• suisse *(a.; n.)*

les métiers :
• l'avocat *(n. m.)*
• le directeur *(n. m.)*
• la directrice *(n. f.)*
• l'employé *(n. m.)*
• l'informaticien *(n. m.)*
• l'informaticienne *(n. f.)*
• l'ingénieur *(n. m.)*
• le médecin *(n. m.)*
• l'ouvrier *(n. m.)*
• le représentant *(n. m.)*
• le professeur *(n. m.)*
• le responsable
  des ventes *(n. m.)*
• la secrétaire
  de direction *(n. f.)*

Les verbes en « -er »
au présent

montrer
Pour la conjugaison du verbe
« montrer », voir la page 178.

Un verbe pronominal
au présent

s'appeler
Pour la conjugaison du verbe « s'appeler »,
voir la page 178.

7. Écoutez et complétez avec les verbes.

1. Le directeur … sa secrétaire à ses employés.
2. Le chauffeur … ses papiers au douanier.
3. Je m'… Carlos Molina.
4. Nous … ingénieurs.

8. Jouez les scènes.

M. Duval
Directeur,
Société Michelin

Qui sont-ils ?

Daniel, un stagiaire latino-américain, arrive à l'entreprise *Paragem*.

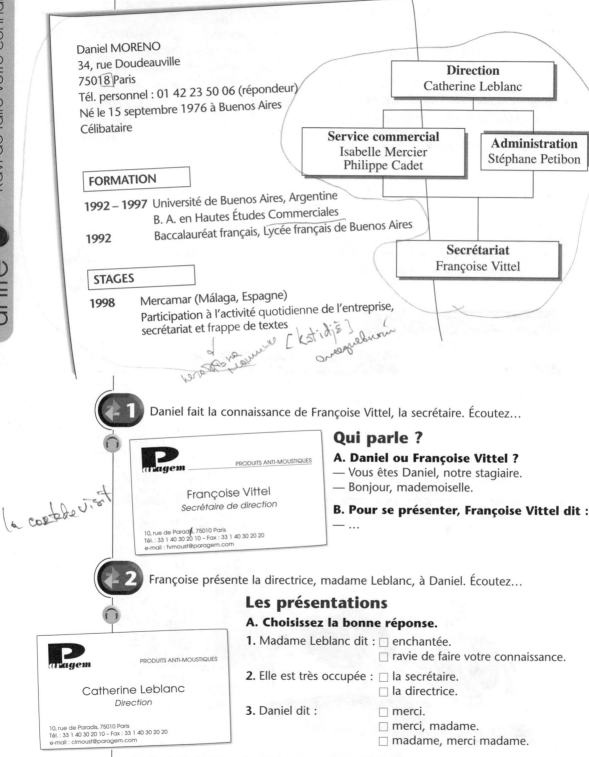

Daniel MORENO
34, rue Doudeauville
75018 Paris
Tél. personnel : 01 42 23 50 06 (répondeur)
Né le 15 septembre 1976 à Buenos Aires
Célibataire

Direction
Catherine Leblanc

Service commercial
Isabelle Mercier
Philippe Cadet

Administration
Stéphane Petibon

FORMATION

1992 – 1997 Université de Buenos Aires, Argentine
B. A. en Hautes Études Commerciales

1992 Baccalauréat français, Lycée français de Buenos Aires

Secrétariat
Françoise Vittel

STAGES

1998 Mercamar (Málaga, Espagne)
Participation à l'activité quotidienne de l'entreprise, secrétariat et frappe de textes

1 Daniel fait la connaissance de Françoise Vittel, la secrétaire. Écoutez…

Qui parle ?

A. Daniel ou Françoise Vittel ?
— Vous êtes Daniel, notre stagiaire.
— Bonjour, mademoiselle.

B. Pour se présenter, Françoise Vittel dit :
— …

P **aragem**   PRODUITS ANTI-MOUSTIQUES

Françoise Vittel
Secrétaire de direction

10, rue de Paradis, 75010 Paris
Tél. : 33 1 40 30 20 10 – Fax : 33 1 40 30 20 20
e-mail : fvmoust@paragem.com

2 Françoise présente la directrice, madame Leblanc, à Daniel. Écoutez…

Les présentations

A. Choisissez la bonne réponse.

1. Madame Leblanc dit : ☐ enchantée.
☐ ravie de faire votre connaissance.

2. Elle est très occupée : ☐ la secrétaire.
☐ la directrice.

3. Daniel dit : ☐ merci.
☐ merci, madame.
☐ madame, merci madame.

P **aragem**   PRODUITS ANTI-MOUSTIQUES

Catherine Leblanc
Direction

10, rue de Paradis, 75010 Paris
Tél. : 33 1 40 30 20 10 – Fax : 33 1 40 30 20 20
e-mail : clmoust@paragem.com

B. Pour présenter Daniel, Françoise Vittel dit :
— …

feuilleton-radio

 3 Daniel fait la connaissance de Stéphane Petibon, le directeur administratif. Écoutez…

PRODUITS ANTI-MOUSTIQUES

Stéphane Petibon
Directeur administratif

10, rue de Paradis, 75010 Paris
Tél. : 33 1 40 30 20 10 – Fax : 33 1 40 30 20 20
e-mail : spmoust@paragem.com

Les fonctions

A. Qui fait quoi ? Faites correspondre.

Leblanc •   • directeur administratif
Vittel •   • directrice
Petibon •   • secrétaire

B. Pour présenter Daniel et Stéphane Petibon, Françoise Vittel dit :

— …

Stéphane Petibon répond :

— …

Françoise montre à Daniel son bureau. Écoutez…

Le bureau

A. Entourez les mots que vous entendez.

– fax
– bureau
– micro-ordinateur
– téléphone
– ordinateur

B. Écoutez Françoise et Daniel et complétez.

Françoise Vittel : « Voici … bureau, … téléphone et … micro-ordinateur. »
Daniel : « … bureau, … téléphone et … ordinateur ! »

Avez-vous bien compris ?

Vrai ou faux ?

Choisissez la bonne réponse.	vrai	faux
1. Stéphane Petibon est secrétaire administratif.	☐	☐
2. Françoise Vittel présente Stéphane Petibon à Daniel.	☑	☐
3. Daniel travaille chez *Paragem*.	☐	☑
4. Catherine Leblanc est très occupée.	☑	☐
5. Pour Daniel, le nom de Stéphane Petibon est difficile.	☑	☐

Variations

Les cartes de visite et les pièces d'identité

Observez les documents.
Choisissez deux personnes et jouez
les scènes de présentation.
Indiquez les prénoms et les noms,
la nationalité et la profession.

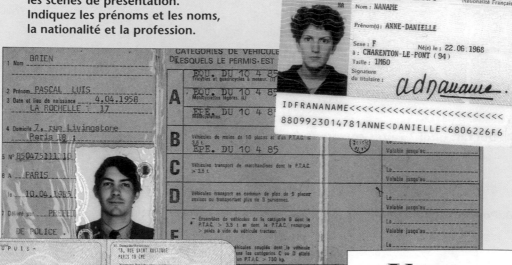

SGI

Marine LONET

Responsable des ventes

25, route du lac – 1000 Lausanne
Tél. : (41) 22 804 4745
Télécopie : (41) 22 804 3612
e-mail : mlonet@sgi.com

Ventam

Pierre DAVANT
Directeur commercial

808, Marie Victorin
Boulevard E. Post Office Box 10
Longueuil, Québec, Canada J4K 4X9
Tél. : (514) 351.6010 – Télécopie : (514) 351.1845
e-mail : pdavant@ventam.com

Les fiches individuelles

 Remplissez les fiches : indiquez vos nom, prénom, nationalité et profession.

Hôtel Marinos

132, av. de la République
75010 PARIS

Nom : ----------------------------
Prénom : ------------------------
Nationalité : --------------------
Adresse : ------------------------
Pays : ----------------------------
Nombre de jours : --------------

chambre n°12

Réservation n°1538

Forum Expo

Les techniques de marketing

du 30 mars au 3 avril

Participant n° 18

☐ Monsieur   ☐ Madame   ☐ Mademoiselle

Nom : --------------------------------
Prénom : -----------------------------
Votre nationalité : -------------------
Votre profession : --------------------
Votre service : -----------------------
Activité de votre entreprise : --------

L'Europe, les pays européens et les différentes nationalités

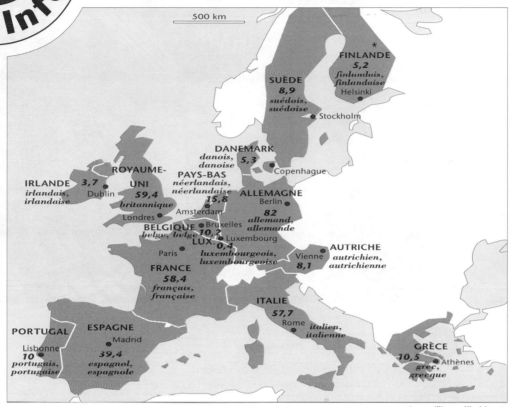

500 km

FINLANDE
5,2
finlanduis,
finlandaise
Helsinki

SUÈDE
8,9
suédois,
suédoise
• Stockholm

DANEMARK
danois,
danoise *5,3*
• Copenhague

IRLANDE *3,7*
irlandais,
irlandaise
Dublin •

**ROYAUME-
UNI**
59,4
britannique
Londres •
Amsterdam

PAYS-BAS
néerlandais,
néerlandaise
15,8

ALLEMAGNE
Berlin •
82
allemand,
allemande

BELGIQUE
belge, belge *10,2*
Bruxelles •
• Luxembourg

LUX. *0,4*
luxembourgeois,
luxembourgeoise

AUTRICHE
autrichien,
autrichienne
Vienne •
8,1

Paris •

FRANCE
58,4
français,
française

ITALIE
57,7
Rome • *italien,*
italienne

PORTUGAL
Lisbonne •
10 •
portugais,
portugaise

ESPAGNE
• Madrid
39,4
espagnol,
espagnole

GRÈCE
10,5 •
Athènes
grec,
grecque

*en millions d'habitants

Culture d'entreprise
Comment se présenter dans une entreprise française

- Pour saluer vous devez dire « **bonjour** » ou « **bonsoir** » suivi de « **monsieur/ madame/ mademoiselle** » si vous ne connaissez pas la personne.
- Serrez la main de vos collègues et de chaque personne dans l'entreprise quel que soit son niveau hiérarchique.
- N'appelez pas une personne par son prénom si vous la rencontrez pour la première fois.

Vous désirez ?

1
2
3
4
5
6
7
8
9
10
11
12
13
14
15
16
17
18
19
20

Apprendre à...
- Saluer (suite)
- Tutoyer et vouvoyer
- Montrer et présenter des objets
- Poser des questions
- Compter de 0 à 20

◆1 Vous désirez, monsieur ?

— Caroline, il y a un client dans ton rayon.
— Ah, oui, merci Suzanne ! Vous désirez, monsieur ?
— Vous avez des parfums ? C'est pour un cadeau.
— Oui, monsieur. Ce parfum est en promotion. Il y a aussi cette eau de toilette et ces crèmes pour le visage.
— C'est une bonne marque ?
— Bien sûr ! Ce sont des produits de qualité.

Au rayon parfumerie

Choisissez la bonne réponse.

1. Dans le rayon de Caroline, il y a... ☐ un client.   ☐ une cliente.
2. Le client cherche...   ☐ une promotion.   ☐ un cadeau.
3. Le client demande :   ☐ « C'est un bon produit ? »
☐ « C'est une bonne marque ? »
4. Caroline répond :   ☐ « Ce sont des produits de qualité. »
☐ « Ce sont des cadeaux. »

Trouvez la bonne situation

Où sont-ils ?

Repérez.

- Dans un grand magasin.
- Dans la rue.
- Dans une pharmacie.

[de_ze_ʃã_ti_jõ] —sample

2 Qu'est-ce que c'est ?

— Bonjour, Bernard ! Tu vas bien ?
— Ça va, Catherine. Tu vends des produits de toilette ?
— Eh oui !
— Qu'est-ce que c'est ?   KƏP [kɔr] —Trao
— C'est un lait pour le corps.
— Est-ce que tu donnes des échantillons ? — sample, tester
— Oui, je donne trois échantillons par produit.
— Et le représentant de cette marque, qui est-ce ?
— C'est un jeune homme très sympathique.

pharmacie

Arkogélules

mots

le commerce :
- un cadeau *(n. m.)*
- un client *(n. m.)*
- un échantillon *(n. m.)*
- un hypermarché *(n. m.)*
- un magasin *(n. m.)*
- une marque *(n. f.)*
- une parfumerie *(n. f.)*
- une pharmacie *(n. f.)*
- un produit *(n. m.)*
- une promotion *(n. f.)*
- un rayon *(n. m.)*
- une vendeuse *(n. f.)*

les produits de toilette :
- le corps *(n. m.)* [kɔr] Trad
- une crème *(n. f.)*
- une eau de toilette *(n. f.)*
- un lait *(n. m.)* ∧ʒ - Monoko
- un parfum *(n. m.)*
- le visage *(n. m.)*

À la pharmacie

Faites correspondre.

1. Qu'est-ce que c'est ?   •   • a. C'est un jeune homme très sympathique.

2. Qui est-ce ?   •   • b. C'est un lait pour le corps.

3. Est-ce que tu donnes des échantillons ?   •   • c. Eh oui !

4. Tu vends des produits de toilette ?   •   • d. Oui, je donne trois échantillons par produit.

£070

Qu'est-ce qu'ils disent ? *Tu* ou *vous* ?

Choisissez la bonne réponse.

	« tu »	« vous »
Suzanne dit à Caroline		
Caroline dit au client		
Le client dit à Caroline		
Catherine dit à Bernard		

ton

Où travaillent-ils ?

Complétez.

- Suzanne et Caroline travaillent dans un grand … .
- Caroline … comme vendeuse au rayon parfumerie.
- Le représentant travaille pour une entreprise de … de toilette.

À l'aide de vos réponses, dites, pour chaque situation, où sont les personnages et quelle est leur profession.

1. Écoutez la réponse et trouvez la question.

1. ... ; 2. ... ; 3. ... ; 4. ... ; 5. ... ; 6. ... ; 7. ... .

Qui est-ce

Comment dire

● Pour poser des questions :

- par la simple intonation : **Tu vas bien ? - Vous allez bien ? - Tu as des parfums ?**
- avec « est-ce que... » : **Est-ce que tu as des parfums ? - Est-ce qu'il est vendeur ?**
- sur l'identité d'une personne : **Qui est-ce ?**
- sur un objet : **Qu'est-ce que c'est ?**

Les articles indéfinis

$[\tilde{\epsilon}]$

	masc.	fém.
sing.	**un**	**une**
pl.	**des**	**des**

$[yn]$

R·

Comment dire

● Pour montrer l'existence ou la présence d'une personne ou d'un objet :

— **Il y a... un.../une...**

  deux.../trois...

  des...

● Pour présenter une personne ou un objet :

— **C'est un/une ...**

— **Ce sont des ...**

Répéter

2. Complétez avec l'article indéfini.

Dans ce rayon, il y a ... vendeuse, ... caissière, ... porte de sortie et ... agent de sécurité.
En promotion, il y a ... produits de toilette : ... très bon parfum et ... crème pour le visage.

3. Complétez avec l'article qui convient, comme dans l'exemple.

*C'est **un** parfum.*
*C'est **le** parfum de ma femme.*

1. C'est ... entreprise pharmaceutique.
2. Nadine est ... assistante de Jean.
3. Suzanne vend ... produits de toilette.
4. Je cherche ... vendeur.
5. Voilà ... passeport de Carlos Molina.
6. Le douanier demande ... papiers au chauffeur.

4. Lisez à haute voix.

Mᵐᵉ Hemme Bureau 17	**M. Perret** Bureau 3	**M. Noblet** Bureau 20
Mᵐᵉ Bourdeau Bureau 11	**M. Blanchard** Bureau 15	**Mᵉˡˡᵉ Duchemin** Bureau 8

Vous désirez ?

unité **2**

Les nombres de 1 à 20

1 - un	5 - cinq	9 - neuf	13 - treize	17 - dix-sept
2 - deux	6 - six	10 - dix	14 - quatorze	18 - dix-huit
3 - trois	7 - sept	11 - onze	15 - quinze	19 - dix-neuf
4 - quatre	8 - huit	12 - douze	16 - seize	20 - vingt

5. Transformez, comme dans l'exemple.

C'est un parfum. Il est de bonne qualité. ➡ *Ce parfum est de bonne qualité.*

1. C'est une caissière. Elle travaille dans un hypermarché.
2. C'est un vendeur. Il travaille dans un grand magasin.
3. Ce sont des représentants. Ils travaillent pour un laboratoire pharmaceutique.
4. C'est une eau de toilette. C'est un cadeau de mon mari. [mari] Myne
5. Ce sont des crèmes pour le visage. Elles sont en promotion.
6. C'est un homme. Il est directeur commercial.

Les démonstratifs

	masc.	fém.
sing.	ce – cet	cette
pl.	ces	ces

(« **cet** » devant voyelle ou « h » muet)

 6. Écoutez et complétez avec le verbe *avoir*.

1. J'… une très bonne crème pour le visage.
2. Elle … un bon travail.
3. Dans cette pharmacie, ils … des produits de toilette.
4. Nous … un directeur sympathique.
5. Vous … un passeport ?
6. Est-ce que tu … tes papiers d'identité ?

Répéter

Le verbe « avoir »

au présent

Pour la conjugaison du verbe « avoir »,
voir la page 178.

 7. Jouez les scènes.

Les produits Paragem

1 Daniel arrive en avance au travail. Il entend du bruit dans le bureau des commerciaux. Il frappe à la porte. Écoutez…

[brỹ] *bruit* *noise*

PRODUITS ANTI-MOUSTIQUES

Isabelle Mercier
Commerciale

10, rue de Paradis, 75010
Tél. : 33 1 40 30 20 10 - Fa
e-mail : immoust@parag

PRODUITS ANTI-MOUSTIQUES

Philippe Cadet
Commercial

10, rue de Paradis, 75010 Paris
Tél. : 33 1 40 30 20 10 - Fax : 33 1 40 30 20 20
e-mail : pcmoust@paragem.com

Vous êtes stagiaire.

Vous vous présentez à Isabelle Mercier…

1. Vous dites « vous » et l'appelez mademoiselle ;
2. Vous dites « tu » et l'appelez Isabelle.

2 Isabelle montre à Daniel les échantillons des produits *Paragem*. Écoutez…

Gamme de produits anti-moustiques

Pour le **visage**
Pour les **cheveux**
Pour le **corps**

Gratuit

Lors de la première commande : un échantillon de chaque produit

un lait hydratant
une crème
un gel douche

Une gamme de produits $[v\emptyset]$

A. Faites correspondre.   *hair* cheveux

une crème • • **les cheveux**
un lait hydratant • • **le visage**
un gel douche • • **le corps** $[k\supset R]$

B. Faites des phrases, comme dans l'exemple.
Dans la parfumerie, il y a un parfum en promotion.
Dans la publicité de *Paragem*, …

3 Daniel et Isabelle préparent les échantillons pour les grossistes. Philippe Cadet arrive. Écoutez…

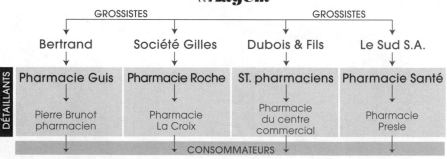

DÉTAILLANTS	GROSSISTES		GROSSISTES	
	Bertrand	Société Gilles	Dubois & Fils	Le Sud S.A.
	Pharmacie Guis	Pharmacie Roche	ST. pharmaciens	Pharmacie Santé
	Pierre Brunot pharmacien	Pharmacie La Croix	Pharmacie du centre commercial	Pharmacie Presle
	CONSOMMATEURS			

Qui est client de qui ?

Complétez les phrases.
Paragem est un … de produits … .
Paragem vend ses produits à des … . Ce sont des clients.
Les clients revendent les produits à des … . En France, ce sont des … ; ils revendent les produits aux … .
Ils donnent aussi des … de ces produits.

[osi] *too, also*

$[\tilde{\varepsilon}]$ $[yn]$

un   une   **feuilleton-radio**

(handwritten: [pyi] notou, noter)

4 Daniel est au téléphone et prend
des notes ; puis il communique
les informations au commercial.
Écoutez…

(handwritten notepad:)
100 échantillons
pour la société *Biolux*
à l'attention de M. Prado
adresse : calle Atocha 42
téléphone : 00 34 91 543 87 79
numéro de fax : 00 34 91 543 87 75

Un message urgent

(handwritten: [etrãʒe] foreigner)

A. Complétez.
Daniel parle avec un … **étranger.**
Il prend des … . Il communique la …
du client à Philippe Cadet.

B. Choisissez la bonne réponse.

1. Le client est… ☐ français.
   ☐ anglais.
   ☐ espagnol.

(handwritten: [felisite] to congratulate, be very glad)

2. Philippe Cadet **félicite** Daniel. Il dit : ☐ Bravo !   ☐ Formidable !
   ☐ Très bien !

3. Donner « carte blanche » veut dire…
   ☐ présenter quelqu'un.
   ☑ faire confiance et laisser faire quelqu'un.
   ☐ ne pas faire confiance à quelqu'un.   *(handwritten: [kɛlkœ̃])*

C. Écoutez et complétez la fiche téléphonique.

(handwritten: [kɔstjɔ̃s] ...)

MESSAGE ☐ URGENT

pour : *M. Philippe Cadet*   de la part de : *M. Prado*   société : *Biolux*
adresse : *calle Atocha 42*   Tél. : *00 34 91 543 87 79*

☐ est venu   ☐ demande un rendez-vous
☑ a téléphoné   ☐ merci de rappeler au _____

Objet de l'appel : _____

_____

Avez-vous bien compris ?

Vrai ou faux ?

Choisissez la bonne réponse.	vrai	faux
1. Daniel fait un stage dans l'entreprise *Paragem*.	☑	☐
2. Un homme est le patron de l'entreprise.	☐	☑
3. *Paragem* est une entreprise de produits de beauté.	☐	☑
4. *Paragem* vend ses produits dans les hypermarchés.	☐	☑
5. *Paragem* a une gamme de cinq produits.	☐	☑
6. Il y a une crème pour les cheveux.	☐	☑
7. Les commerciaux vendent des échantillons aux pharmaciens.	☐	☑

**Corrigez ensuite les affirmations fausses et, à l'aide de vos réponses,
présentez l'entreprise *Paragem*.**

Variations

Les commandes

Vous informez votre directeur commercial des commandes prises au téléphone.

> Commande
> de 15 unités de ...
> pour la société Exporta
> à l'attention de M. Blanco
> adresse : Calle Mayor n° 7,
> à Madrid

> Commande de 20 unités
> de crème solaire
> pour la société Exportheim
> adresse : habituelle
> à l'attention de Mme Derrick

> Envoyer par fax l'adresse
> de notre grossiste
> à l'attention de M. Blanc
> pharmacien de Tours

www.vinternet.fr

Une entreprise de votre pays vend un produit sur Internet.

1. Écrivez un texte pour présenter l'entreprise.

2. Décrivez le circuit de distribution du produit fabriqué.

Wine&Co
www.wineandco.com

Accueil
LA BOUTIQUE
Recherchez un vin
Offres spéciales
A chacun sa cave
Idées cadeaux
Accessoires
Livraison Sécurité

VOTRE PANIER

S'INFORMER
Le magazine
L'Encyclopédie
Les régions du vin
s grands domaines
ccords mets et vins
e coin des amateurs

AIDE

Club du Vin
ntrez votre Email)

Wine&Co
www.wineandco.com

Amateurs, passionnés de vins et Champagnes, nous avons négocié pour vous les tarifs les plus bas du marché. Tous les prix affichés comprennent la livraison dans toute la France, chez vous ou à votre bureau...

Votre première visite ? Cliquez ici. - Les garanties de Wine&Co.

WineandCo UK   WineandCo Italia

Quoi de neuf ?
› Le magazine de Wine&Co

Recherche

› Aide à la recherche

S'informer
› Les régions du vin
› Les Grands Domaines
› L'actualité de la presse avec Viapresse
Vins
Gastronomie
› Le coin des amateurs
L'œnologie-dis,
Forum,
Vin et multimédia,
Informations sur le vin

2ème escale autour du monde : L'Afrique du Sud

Découvrez le pays des springboks avec cette sélection de deux vins rouges et d'un vin blanc exceptionnels.

La caisse de 3 bouteilles : 800 **356 Fttc**
En savoir plus   Ajouter au Panier

Bertinerie Rouge 1998
Bordeaux

Une des stars de Wine&Co, Bertinerie Rouge est un excellent Bordeaux à un prix raisonnable. L'assurance de ne pas se tromper.

Pour le prix de : 60 **55 Fttc / bte**
En savoir plus   Ajouter au Panier

Força Réal Rouge 1996
Côtes du Roussillon

3 étoiles au Guide Hachette, en exclusivité sur Wine&Co qui a pu vous dénicher les dernières bouteilles de ce petit bijou.

Pour le prix de : 84 **60 Fttc / bte**
En savoir plus   Ajouter au Panier

Quincy 1999
Val de Loire

Le meilleur producteur de Quincy selon Robert Parker (domaine classé 5 étoiles), nous propose un très bon vin légèrement minéral issu de la Vallée de la Loire.

Pour le prix de : 65 **48 Fttc / bte**
En savoir plus   Ajouter au Panier

• L'embarras du choix :
Wine&Co vous propose de réunir en une caisse de 12 bouteilles ces

	T.V.A. 5,5	0,69
Détaillant	34 %	4,25
Grossiste	6 %	0,75
Transporteur	3 %	0,38
Expéditeur	4 %	0,50
Producteur	47,5 %	5,93
PRIX DE VENTE AU DÉTAIL		12,50

➡ Vinternet vend des vins sur Internet.
➡ Vinternet donne des conseils de conservation et de dégustation.
➡ Vous visitez les caves des grands châteaux.
➡ Vous choisissez le vin et vous commandez sur les sites des producteurs.
➡ Vinternet a des clients dans le monde entier.

Contact : Vinternet
Tél. : 01 42 27 69 70
Internet : www.vinternet.fr

+ les marchés
aller au marché

Les formes de commerce

donner des soins = soigner
[swa]

Le commerce indépendant :
- de gros
- de détail ✱

les petits commerces

En France, on vend les médicaments uniquement dans les **pharmacies**. On trouve aussi : des produits de toilette (savons, dentifrices, lotions, crèmes…), des produits pour les bébés (laits en poudre, céréales, petits pots, couches-culottes…) et des produits de soin pour les animaux.

[truv] to find
to come across
[sava] - soap
[dâtifris] tooth paste
[sereal]
[po] jar, pot
[kuʃkylot] diapers

[Animo] ?

Les Français sont les plus gros consommateurs de médicaments en Europe :
France : 20 à 30 boîtes/an
Belgique : 10 boîtes/an
Allemagne/Espagne : 15 boîtes/an
Danemark : 6 boîtes/an

[bwat] box, tin, can

Le commerce intégré :
- grands magasins
- magasins populaires
- magasins à **succursales multiples**
- **vente par correspondance**

[sykyrsal] - branch

VPC connection

Le commerce associé :
- **groupements d'achats**
- **chaînes volontaires**
- franchises

[ʃɛn] chain

La Redoute
Les 3 Suisses

MONOPRIX

E. LECLERC

Les **GMS** sont en France les Grandes et Moyennes Surfaces, comme les **hypermarchés** et les **supermarchés**.
Un tiers (1/3) des achats se fait dans les hypermarchés et les supermarchés.
On compte 1 123 hypermarchés et 7 600 supermarchés.
Depuis quelque temps, les GMS ont le droit de vendre des produits para-pharmaceutiques.

[tjɛr] third
[fɛ]

Les grands magasins sont généralement situés dans le centre des villes. Les principaux magasins sont : *Les Galeries Lafayette, Le Printemps, Le Bon Marché, La Samaritaine…*

En déplacement

1 2 3 4 5 6 7 8 9 10 11 12 13 14 15 16 17 18 19 20

Apprendre à...
- Dire que ça va ou que ça ne va pas
- Parler au téléphone
- Situer dans l'espace (villes et pays)

1 À l'aéroport

— Oh, oh ! Annie ! Ça va ?
— Ah ! Bonjour, Claire.
Bonjour, Jean. Oui, ça va très bien !
— Qu'est-ce que tu fais ici, à Roissy ?
— Je vais au Canada. Et vous ?
— Nous allons en Espagne. Et toi, où est-ce que tu vas au Canada ?
— Je vais à Montréal.
— Qu'est-ce que tu vas faire à Montréal ?
— Je vais à un congrès de voyagistes. Et vous, qu'est-ce que vous allez faire en Espagne ?
— Nous allons en vacances à Barcelone, chez des amis.
— Eh bien ! Bonnes vacances !

Vrai ou faux ?

Choisissez la bonne réponse.	vrai	faux
1. Annie va bien.	☑	☐
2. Claire et Jean saluent Annie.	☑	☐
3. Annie salue Claire et Jean.	☑	☐
4. Jean présente Claire à Annie.	☐	☑
5. Claire et Jean vont travailler.	☐	☑
6. Annie habite à Montréal.	☐	☐

Trouvez la bonne situation

Qui est où ? Qui va où ?

Choisissez la bonne réponse.		Annie	Claire et Jean	Madame Toinet
Elle est	**en** voyage d'affaires	☑	☐	☑
	aux États-Unis	☐	☐	☑
	au salon international de la décoration	☐	☐	☑
Ils sont	**à** l'aéroport	☑	☑	☐
Elle va	**à** un congrès de voyagistes	☑	☐	☐
	à Montréal	☑	☐	☐
	au Canada	☑	☐	☐
Ils vont	**en** vacances	☐	☑	☐
	chez des amis	☐	☑	☐
	à Barcelone	☐	☑	☐
	en Espagne	☐	☑	☐

[vu-fɛt-ze-RœR]

Au téléphone...

— Allô ?
— Madame Toinet, s'il vous plaît !
— Je suis désolée, monsieur. Vous faites erreur.
(...)
— Société Duval, bonjour.
— Bonjour, madame. Madame Toinet, s'il vous plaît.
— Désolée, madame Toinet n'est pas au bureau aujourd'hui.
— Pardon ?... Je vous entends très mal...
« *Les passagers à destination de Montréal, vol 315, embarquement immédiat, porte numéro 3...* »
— Allô, allô, madame Toinet ne travaille pas là ?
— Si, si, mais elle est en voyage d'affaires aux États-Unis.
— Au salon international de la décoration ?
— Oui, nous avons un stand.
— Ah bon. Excusez-moi. Merci et au revoir.

Allô...

Repérez et complétez.

1. Deux femmes répondent au téléphone :
   La première dit : « ... »
   La deuxième dit : « *Société ...* »
2. L'homme fait un faux numéro.
   La femme répond : « *Je suis désolée, monsieur. Vous ...* »
3. La communication est mauvaise. L'homme dit : « *Je vous...* »

mots

au travail :
- les affaires *(n. f. pl.)*
- le bureau *(n. m.)*
- la société *(n. f.)*

en voyage :
- un aéroport *(n. m.)*
- un congrès *(n. m.)*
- une destination *(n. f.)*
- un passager *(n. m.)*
- les vacances *(n. f. pl.)*
- un vol *(n. m.)* [vol] полёт, хэнлёб
- un salon *(n. m.)*
- un stand *(n. m.)*

Qu'est-ce qu'ils vont faire ?

Faites correspondre.

1. Qu'est-ce que tu vas faire à Montréal ? •
2. Bonjour, madame.
   Madame Toinet, s'il vous plaît. •
3. Et vous, qu'est-ce que vous allez faire en Espagne ? •
4. Qu'est-ce que tu fais à Roissy ? •
5. Et toi, où est-ce que tu vas au Canada ? •

• a. Désolée, elle n'est pas au bureau aujourd'hui.
• b. Nous allons en vacances à Barcelone, chez des amis.
• c. Je vais au Canada.
• d. Je vais à un congrès de voyagistes.
• e. Je vais à Montréal.

 À l'aide de vos réponses, dites, pour chaque situation, où sont les personnages et où ils vont.

La négation

sujet + ne + verbe + pas

Exemples :
*Je **ne** suis **pas** au bureau. - Elle **ne** travaille **pas**
aujourd'hui. - Ils **n'**habitent **pas** au Canada.*

! Pour répondre affirmativement à une
question négative, on emploie **si**.
— *Vous n'habitez pas en Italie ?*
— *Si, j'habite à Milan.*

1. Dites le contraire, comme dans l'exemple.
Il s'appelle Olivier. ➡ ***Il ne s'appelle pas Olivier.***

1. Elle présente Gérard Coste au directeur.
2. Je vais téléphoner à Patrick.
3. Nous allons chez eux.
4. Les Vabret habitent à Chicago.
5. Rémi va au congrès de médecine à Rotterdam.

Comment dire

● Pour poser des questions sur une action :
— **Qu'est-ce que... ?**
— **Qu'est-ce que vous faites ?**
— **Qu'est-ce qu'elle achète ?**

● Pour poser des questions sur un lieu :
— **Où... ? - Où est-ce que... ?**
— **Où est-ce que vous allez ?**
— **Où est-ce qu'il travaille ?**

Le verbe « faire »
au présent

Pour la conjugaison du verbe « faire »,
voir la page 178.

Le verbe « aller »
au présent

Pour la conjugaison du verbe « aller »,
voir la page 178.

! Pour exprimer une action qui va se
passer dans un futur proche, on emploie :

Aller + infinitif

Exemples :
— *Je vais travailler au Japon.*
— *Elle va voyager avec son mari.*

**3. Écoutez et complétez avec les
verbes *faire* et *aller*.**

1. Il ... à Paris.
2. Je ... mes courses dans un hypermarché.
3. Nous ... à la pharmacie.
4. Est-ce que vous ... à Londres ?
5. Vous ... des affaires au salon de Francfort.
6. Je ne ... pas à l'aéroport, je ... à la gare.
7. Qu'est-ce qu'ils ... au Canada ?
8. Tu ... au salon de la mode.

Comment dire

● Pour répondre au téléphone :
— **Allô ?**
— **(Nom/Société), bonjour.**

● Si on ne comprend pas bien :
— **Pardon ?**
— **Je vous entends (très) mal.**
— **Vous pouvez répéter ?**

● Si on se trompe :
— **Vous faites erreur.**
— **C'est une erreur.**
— **C'est un faux numéro.**

**2. Écoutez la réponse et trouvez
la question.**

1. ... ; 2. ... ; 3. ... ; 4. ... ; 5. ... ; 6. ... .

elle habite ≠ elles habitent
[ε-la-bit]   *[εl-za-bit]*

Les prépositions de lieu

à - en - dans - chez

Exemples :

Ils vont à l'aéroport/à la pharmacie/au café.

(à + le = au)   in

Elle est dans son bureau.

Nous sommes chez nous.

> **Avec les pays et les villes :**
> • noms de ville = à
>   → *Je vais à Londres, à Paris, à Madrid.*
> • noms de pays féminins = en
>   → *Nous allons en France, en Espagne,*
>   *en Allemagne.*
> • noms de pays masculins = au
>   → *Il travaille au Portugal, au Japon,*
>   *au Mexique.*
> • noms de pays pluriels = aux
>   → *Ils habitent aux États-Unis, aux Pays-Bas.*

4. Complétez, comme dans l'exemple.

— *Vous allez (Canada) ?* au
— *Oui, ... (Montréal).* je vais a
➡ — ***Vous allez au Canada ?***
— ***Oui, je vais au Canada, à Montréal.***

1. — Il travaille (Allemagne) ? [almaɲ]
   — Oui, ... (Munich). → Je travaille en Allem... à Munich
2. — Elles habitent (Grande-Bretagne) ?
   — Non, ... (États-Unis). → Elles habitent en Grand. [bʁətaɲ] aux état
3. — Tu vas (Londres) ?
   — Non, ... (mon frère, Chicago). → mon frère habite au à Chica
4. — Elle est (Portugal) ?
   — Oui, ... (Lisbonne). Elle vas à Lisb.
5. — On va (pharmacie) ?
   — Non, ... (médecin). On va chez médecin
6. — Vous êtes (vous) ? Vous êtes chez Vous ?
   — Oui, ... (moi). Oui, je suis chez moi

à la _ au _ aux _ à l'

Les pronoms toniques

je	moi	nous	nous
tu	toi	vous	vous
il	lui	ils	eux [Ø] they
elle	elle	elles	elles

Exemples : [lɥi]
- *Tu vas chez lui.*
Elle parle avec toi.
Moi aussi, je vais en Espagne.
too, also

5. Complétez les dialogues, puis jouez-les.

1. Pierre, tu travailles chez toi aujourd'hui ? [oʒuʁdɥi] today
   — Oui, je reste chez moi Je suis fatigué.
2. Sophie et Martine ne sont pas chez Frédéric ?
   — Non, elles ne sont pas chez lui, elles sont chez elle.
3. Nous allons à un congrès au Brésil ; et vos collègues ?
   — Eux aussi, ils vont à ce congrès. [Ø-o-si]
4. Qu'est-ce que vous faites ce soir ?
   — Nous restons chez ... nous
5. Tu vas à Londres avec la directrice ?
   — Oui, je vais avec ... elle

6. Jouez les scènes au téléphone.

1. Vous faites un faux numéro. Un homme vous répond.
2. Vous répondez au téléphone. La communication est très mauvaise.
3. Votre ami Rémi vous appelle. Vous le saluez et lui demandez comment il va.

? chez
, avec lui
pour
etc.

- Je prends une bière,
et toi ?
- Moi aussi. Et lui ?
C'est moi.
C'est à moi.

Où sont-ils ?

1 Daniel est dans le bureau de Stéphane Petibon. Il explique à Daniel la création de *Paragem*. On frappe à la porte. Qui est-ce ? Écoutez…

Le planning de voyage
Écoutez et complétez.

Planning de voyage		
Nom	**Pays**	**Ville**
Isabelle		
Philippe		
Daniel		

2 Isabelle est en Espagne. Qu'est-ce qu'elle fait à Madrid ? Écoutez…

feuilleton-radio

Où sont-ils ? Que font-ils ?
Choisissez les bonnes réponses.

1. Isabelle
   - ☐ est sur le stand *Paragem*.
   - ☐ déjeune avec les grossistes.
   - ☐ est au salon international de pharmacie.
   - ☑ donne des échantillons.

2. Les visiteurs
   - ☐ passent pour demander les prix des produits.
   - ☐ passent pour parler à la directrice.
   - ☐ parlent à Isabelle.

3 Philippe Cadet, un commercial de *Paragem*, téléphone à Stéphane Petibon.
Où est Philippe ? Écoutez...

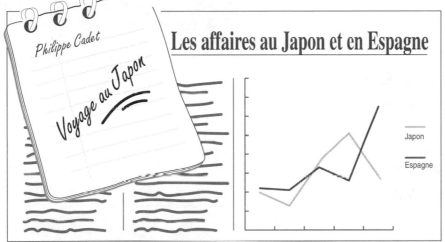

Vous êtes Stéphane Petibon.
Racontez où est Philippe Cadet et où il va.

Avez-vous bien compris ?

Répondez

1. Qu'est-ce que Philippe Cadet et Isabelle Mercier ont comme fonction dans l'entreprise *Paragem* ?
2. Est-ce qu'ils voyagent ? Où est-ce qu'ils vont ?
3. Comment vont les affaires en Espagne ? Et au Japon ?

À l'aide de vos réponses, résumez la situation des deux commerciaux.

Variations

Au téléphone

 Jouez la scène. Mettez-vous par deux.

JOUEUR 1

- Vous êtes un(e) commercial(e).
- Vous travaillez dans la société *Automatic*.
- Vous êtes sur le stand de la société.
- Vous téléphonez à un client : vous demandez comment vont les affaires.

JOUEUR 2

- Vous êtes la/le secrétaire de M. Futon.
- Vous travaillez chez Brusa.
- Votre patron est au salon de l'automobile à Francfort.
- Les produits *Automatic* ne se vendent pas bien.

— ...
— ...
— ...

Le planning des commerciaux

 Complétez.

Planning des commerciaux

Nom	Pays	Ville
Michèle Granier	est en Chine	à Pékin
Armelle Timbou	est au	
Catherine Forgé	au	
Vincent Causson	est en Gr	au
Bernard Prévin		
Jean-Pierre Santon		
Louis Lebras		

 Dites où vous habitez.

Rédigez le message téléphonique

 Vous êtes secrétaire et votre patron n'est pas là.

— Allô, société *Blanco*, bonjour.
— Bonjour, madame. Monsieur Nicolas, s'il vous plaît. C'est madame Marie.
— Un instant, s'il vous plaît, madame... Désolée, monsieur Nicolas est au salon du livre aujourd'hui ; nous avons un stand.
— Ah bon ! Je vais aussi au salon du livre. Je vais passer à votre stand.
— Vous allez rencontrer monsieur Nicolas ?
— Oui, vous transmettez mon message ?
— Bien sûr.
— Merci et au revoir.

MESSAGE

À :

de :

Les gares et les aéroports

Infos

Rouen

Lille, Londres, Bruxelles

Strasbourg ▶

Seine

Le Thalys

gare du Nord

gare Saint-Lazare

gare de l'Est

gare Montparnasse

gare de Lyon

gare d'Austerlitz

Seine

Marne

◀ *Tours, Bordeaux*

2 km

Orléans ▶

Lyon, Marseille

1. L'Eurostar est un train à grande vitesse reliant Paris et Bruxelles à Londres via le tunnel sous la Manche.

2. Le TGV (train à grande vitesse) roule à 300 km/h et dessert 236 villes.

Á Paris, il y a six gares :

La **gare Saint-Lazare**, la **gare du Nord**, la **gare de l'Est**,
la **gare de Lyon**, la **gare d'Austerlltz** et la **gare Montparnasse**.

Deux aéroports :

L'aéroport d'**Orly** est au sud de Paris.
L'aéroport de Paris **Roissy-Charles-de-Gaulle** est au nord de Paris.

3. L'aéroport de Paris Roissy-Charles-de-Gaulle est au nord de Paris.

1
2
3
4
5
6
7
8
9
10
11
12
13
14
15
16
17
18
19
20

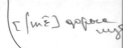

Apprendre à...
• Parler au téléphone : demander des renseignements, épeler, faire une réservation
• Chercher et indiquer le chemin
• Remercier

— kozoketbuo dynbou

[ʃmɛ] appice myb

[rõse̝inã] chepenne, cuprbe pourouŋenon

 1 Renseignements téléphoniques

🎧 — *France Télécom,*
renseignements, bonjour.
— Bonjour, madame. Je voudrais le numéro
de téléphone de la société *Hallard*, à Paris.
— Vous pouvez épeler, s'il vous plaît ?
— Oui. H, comme Henri, A, deux L, comme Louis, A, R, D, comme Désiré.
— Vous avez l'adresse ? *[pɛ̃s] ayuoro*
— C'est la rue Feutrier, je pense, dans le 18ᵉ arrondissement.
— Veuillez rester en ligne… Société *Hallard*, 34, rue Feutrier, 75018 Paris ?
— Oui, c'est bien ça.
— « *Le numéro demandé est le : 01.42.50.33.11.* »

France Télécom...

A. Observez la photo et chassez les intrus.
un annuaire téléphonique - un plan de Paris - un bloc-notes - un téléphone

[ahyɛr] eueeroguun

B. Complétez la fiche de renseignements de *France Télécom*.

Gratuit 3 mn	
LES PAGES JAUNES	3611 France Télécom
Nom :	
Localité :	*Pup.3*
	Vous pouvez préciser
Département :	
Adresse :	
Le numéro demandé est le	

[vœ_je]

C. Faites correspondre.

1. L'opérateur se présente. •
2. La femme fait sa demande. •
[ynoueb, heroʃɛtb
3. L'opérateur tape le nom sur l'écran. Il demande : •
4. L'opérateur cherche le numéro. •

• a. Veuillez rester en ligne.
• b. Vous pouvez épeler, s'il vous plaît ?
• c. *France Télécom,* renseignements, bonjour.
• d. Je voudrais le numéro de téléphone de la société *Hallard* à Paris.

gn = [ɲ]

[Rã_sɛ_ɲə_mã] cufopmotra

Dans le métro

— Pardon, madame. Vous pouvez me dire où se trouve La Défense ? Je cherche sur le plan mais je ne trouve pas. C'est cette direction ?

— Non, non. C'est sur le quai d'en face. [ke]

— Il y a combien de stations à partir d'ici ? [sɛt]

— Sept stations pour aller à Châtelet. Et là, il y a une correspondance. Vous allez changer de ligne : direction La Défense.

— Je veux aller au parc des expositions. Comment je fais là-bas ?

— C'est facile. Vous arrivez sur l'esplanade. Vous allez tout droit et vous tournez à gauche. C'est tout près. [goʃ]

— Je vous remercie, madame. Vous êtes bien aimable. (very nice)

mots

la ville :
- une adresse *(n. f.)*
- un arrondissement *(n. m.)*
- un boulevard *(n. m.)*
- une esplanade *(n. f.)*
- un parc des expositions *(n. m.)*
- un plan *(n. m.)*
- une rue *(n. f.)*

les transports :
- le bus *(n. m.)*
- un chemin *(n. m.)*
- une correspondance *(n. f.)*
- une direction *(n. f.)*
- une ligne *(n. f.)*
- le métro *(n. m.)*
- le quai *(n. m.)*
- une station *(n. f.)*

le téléphone :
- le numéro *(n. m.)*
- la ligne *(n. f.)*
- les renseignements *(n. m. pl.)*

Qu'est-ce qu'ils disent ?

toute droite ≠ tout droit

A. Complétez.

Pour demander un chemin	Pour indiquer une direction	Pour remercier
– …	– …	– …
– …	– …	– …

B. Répondez.

1. Est-ce que la jeune femme a un plan de métro ?
2. Est-ce que le jeune homme est sur le bon quai ?
3. Est-ce que la jeune femme trouve sa station ?
4. Il y a combien de stations pour arriver à La Défense ?

Trouvez la bonne situation

Vrai ou faux ?

Choisissez la bonne réponse.

	vrai	faux
1. Un jeune homme demande le numéro de téléphone du parc des expositions.	☐	☒
2. Un jeune homme remercie une femme dans le métro.	☒	☐
3. Une femme demande son chemin.	☐	☒
3. Une femme cherche l'adresse de la société *Hallard*.	☐	☒
4. Un jeune homme demande son chemin.	☒	☐

Corrigez les affirmations fausses et, à l'aide de vos réponses, décrivez les deux situations.

(au le croisement X
le carrefour

traverser (la rue)

la place

le rond-point

1. Écoutez et complétez les cartes de visite.

ÉTABLISSEMENTS LARBIOU
..., boulevard des Pyrénées
64025 Pau
Tél. : ...

Graines toutes saisons
pépiniériste
18, rue Dumont
66000 Perpignan
Tél. : ...

Compagnie Leclerc
29, rue Dorée
45200 Montargis
Fax : ...

Comment dire

● Pour demander un service :
— S'il vous plaît...
— Tu pourrais/Vous pourriez...   pouvoir   проз...

● Pour demander un renseignement :
— Je voudrais le numéro...   что?
— Je peux avoir l'adresse... ?
— Vous pouvez me dire... ?

● Pour remercier :
— Merci !
— Merci beaucoup !
— Je vous remercie.
— C'est gentil.
— C'est très gentil de votre part.
— Vous êtes bien aimable.

C'est [ʒɑ̃-ti] m
Elle est [ʒɑ̃-tij] f

Les nombres de 20 à 60

20 - vingt	24 - vingt-quatre	28 - vingt-huit	30 - trente
21 - vingt et un	25 - vingt-cinq	29 - vingt-neuf	40 - quarante
22 - vingt-deux	26 - vingt-six		50 - cinquante
23 - vingt-trois	27 - vingt-sept		60 - soixante

Comment dire

● Pour épeler au téléphone :
A comme Anatole - B comme Berthe - C comme Célestin - D comme Désiré - E comme Eugène - F comme François - G comme Gaston - H comme Henri - I comme Irma - J comme Joseph - K comme Kléber - L comme Louis - M comme Marcel - N comme Nicolas - O comme Oscar - P comme Pierre - Q comme Quentin - R comme Raoul - S comme Suzanne - T comme Thérèse - U comme Ursule - V comme Victor - W comme William - X comme Xavier - Y comme Yvonne - Z comme Zoé.

2. A. Jouez les scènes.

Mettez-vous par deux. Un joueur est l'opérateur. Il vous demande d'épeler les noms suivants :

1. M. Latour – 2. Mme Sarkozy – 3. Mlle Deschamps – 4. M. Odot – 5. Mme Wadowski.
6. Société Thomson – 7. Société Péchiney

B. À vous d'épeler votre nom.
Je m'appelle ... comme ... .

la première rue à gauche
deuxième à droite
prenez

Handwritten top margin: (kɔ̃ɛ̃) par — au coin (de...) — entre — (ɛtr) — A B — jusqu'au bout up to the end

🎧 3. Écoutez et complétez avec les verbes.

1. Je … t'appeler par ton prénom ?
2. Vous … épeler, s'il vous plaît ?
3. Nous … noter ce numéro de téléphone.
4. Ils … vous remercier.
5. Suzanne et Caroline … prendre le bus pour aller au magasin.
6. Tu … me dire « tu ».
7. Je … acheter un parfum.

Le verbe « pouvoir »
au présent
Pour la conjugaison du verbe « pouvoir », voir la page 178.

Le verbe « vouloir »
au présent
Pour la conjugaison du verbe « vouloir », voir la page 178.

*Le conditionnel de politesse
« vouloir » : je voudrais
　　　　　　　nous voudrions
« pouvoir » : tu pourrais
　　　　　　　vous pourriez

💬 5. Jouez les scènes.

Mettez-vous par deux. A cherche son chemin et B indique la direction.

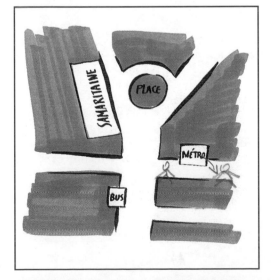

SAMARITAINE — PLACE — MÉTRO — BUS

Comment dire

● Pour demander son chemin :
— Où est… ?
— Pour aller à… ?
— Comment je fais… ?
— Où se trouve… ?
— Vous savez où se trouve… ?

● Pour indiquer la direction :
— Allez tout droit.
— Tournez à gauche/à droite.

● Pour situer :
— C'est ici/là/là-bas.
— C'est en face de…/à côté de…
— C'est près de…/loin de…
— C'est tout près.
— C'est très loin.

🔍 4. Faites-les parler à l'aide des expressions suivantes :

Où êtes-vous ? - Je suis ici… - Vous êtes là… chez moi - dans votre bureau - près/loin du téléphone - en face de la porte/fenêtre…

1.

2.

Handwritten bottom margin: prendre — Je sors du métro - prenez la rue...

B comme Balifol ?

Catherine Leblanc donne à Daniel une note interne.

Note interne
De : Catherine Leblanc
À : Daniel

Daniel,

Pouvez-vous S.V.P. :

1) réserver une table pour 5 personnes au restaurant Balifol, à Paris, pour ce soir, 20 heures ;

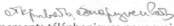

2) préciser l'adresse exacte de ce restaurant et les moyens d'accès.

1 Daniel appelle les renseignements téléphoniques pour avoir le numéro du restaurant. Il découvre la numérotation téléphonique propre à la France. Écoutez…

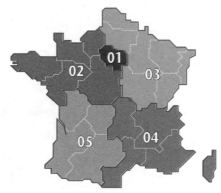

Le bon numéro

Choisissez la bonne réponse.

1. L'indicatif pour appeler la France est le :
☐ 30
☐ 33
☐ 44

2. Vous êtes à l'étranger. Vous voulez appeler Paris.
   Vous composez le :
☐ 33 01 + 8 chiffres
☐ 33 1 + 8 chiffres

3. Vous êtes à Paris. Vous voulez appeler Tours.
   Vous composez le :
☐ 02 + 8 chiffres
☐ 33 2 + 8 chiffres

2 Daniel appelle le restaurant et réserve une table pour le dîner. Il demande l'adresse et la station de métro. Écoutez…

Une réservation

A. Complétez la carte de visite du restaurant Balifol.

RESTAURANT

Balifol

SUR RÉSERVATION

RESTAURANT

Balifol

Repas gastronomiques
Repas d'affaires

..., ...   TÉL. ....
..., PARIS   Métro : ...

B. Vous êtes le réceptionniste du restaurant Balifol. Complétez le registre de réservation.

Registre de réservation		
Nom	Nombre de couverts	Heure

C. Trouvez la bonne question.

– Une table pour 5 personnes.
  Pour dîner.
– Pour aujourd'hui.

– Société *Paragem*.
– Bien sûr, vous avez un stylo ?

Avez-vous bien compris ?

Répondez.

1. Qu'est-ce que vous dites pour obtenir les renseignements téléphoniques ?
2. Comment vous faites pour épeler un nom ?
3. Qu'est-ce que vous répondez à : « combien de couverts » ?
4. Vous n'avez pas de voiture. On vous donne une adresse : Qu'est-ce que vous demandez ?

 Mettez-vous par deux et jouez un rôle.

JOUEUR 1
- Le réceptionniste du restaurant
- Restaurant *Beaulieu*
  39, boulevard Bellecourt
  13003 Marseille
- Métro : Garibaldi

JOUEUR 2
- Les établissements *Damrémont*
- Une réservation pour déjeuner
- Une table pour 8 personnes
  pour demain

Variations

La bonne direction

 Vous êtes très aimable et vous aidez des touristes à prendre la bonne ligne de métro.

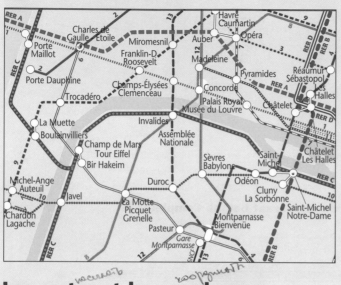

1. M. et Mme Smith sont Place de la Concorde et ils veulent aller à Montparnasse.
2. Mlle Díaz est au Louvre et elle veut aller à la Sorbonne.
3. Mme Prodi est à l'Arc de Triomphe, place de l'Étoile, et elle veut aller à Notre-Dame.
4. M. Theopoulos est à Châtelet et souhaite visiter la tour Eiffel et le Trocadéro.

Les cartes et les enveloppes

Vous voulez envoyer vos coordonnées (adresse et numéro de téléphone) à des amis. Écrivez les cartes et les enveloppes, selon les modèles.

Paris, le … juillet 200…

Cher …,
Voilà mes nouvelles … à Paris :
… au numéro … de la rue Blomet,
dans le 15e arrondissement.
Mon numéro de téléphone est le … .
Au plaisir de te revoir,
…

Zone réservée à l'affranchissement

Zone « adresse du destinataire » indication du code postal

M. Gérard Hallard
34, rue Feutrier
75018 Paris

4 cm

2 cm au moins

2 cm au moins

14 cm au plus

Très important :
ne rien inscrire en dessous
et à droite de l'adresse

1. Trois de vos amis habitent près de la Sorbonne, dans le Quartier Latin, cinquième arrondissement de la capitale : rue Soufflot, au numéro 5, boulevard Saint-Michel, au numéro 157 et boulevard Saint-Germain, au numéro 98.

2. Deux clients (la société Desbois et la pharmacie Vidal) se trouvent près de Montmartre, dans le dix-huitième arrondissement, au numéro 37 de la rue Clignancourt et au numéro 8 de la rue Léon.

Les transports parisiens

Le métro est un train urbain qui comporte 14 lignes et couvre la capitale. Il y a une bouche de métro à un maximum de dix rues.
On peut acheter des tickets par carnet de dix, une carte hebdomadaire ou mensuelle (« carte orange »). Pour les gens de passage et les touristes, la carte « Paris-Visite » est valable trois ou cinq jours.

◀ La ligne de trains automatiques, très rapides et sans conducteur, s'appelle Le Météor.

▲
Le RER est un réseau de trains qui traversent Paris et s'arrêtent aux principales stations avant d'accéder aux banlieues.

▲ Le bus permet de profiter de la ville.
On utilise des tickets ou des cartes qu'on achète dans le métro ou dans certains bureaux de tabac.

Apprendre à...
- Parler au téléphone
- Situer dans le temps (le jour et l'heure)
- Dire qu'on aime ou qu'on n'aime pas
- S'excuser
- Exprimer la certitude ou l'incertitude

1 Sur le répondeur téléphonique

« Bonjour, vous êtes bien chez Julien Ferrant. Je ne suis pas là en ce moment, mais vous pouvez me laisser votre message après le signal sonore. Merci. »

— C'est de la part de Laurence, pour le repas d'affaires avec nos clients canadiens, demain soir. Rendez-vous au restaurant de la tour Eiffel à 20 heures. Aujourd'hui, nous sommes jeudi et il est 11 heures. Merci de me rappeler d'urgence au 01.45.25.38.29 pour confirmer.

Une fiche téléphonique

Complétez.

MESSAGE   ☐ URGENT

Date : _____   de la part de : _____

Heure : _____   Pour : _____

☐ est venu ☐ a téléphoné ☐ demande un rendez-vous ☐ merci de rappeler au _____

Objet de l'appel : _____

Lieu du rendez-vous : _____   Heure du rendez-vous : _____

---

2 C'est de la part de qui ?

— Allô. Ici le service export...
— Est-ce que je pourrais parler à Fanny Desbois, s'il vous plaît ?
— C'est de la part de qui ?
— De Laurence Perret du service des relations publiques.
— Un instant, s'il vous plaît. Ne quittez pas.
(...)
— Allô, Laurence ?
— Salut, Fanny. Tu veux venir dîner avec nous ce soir ? Nos clients canadiens sont à Paris. Je crois que Julien Ferrant, notre représentant au Canada, va être là.
— Tu crois ou tu es sûre ?
— Je ne suis pas absolument certaine, mais j'espère que oui. J'ai laissé un message sur son répondeur hier matin.
— Bon, d'accord. À quelle heure ?
— On se retrouve à 20 heures au restaurant, mais tu peux arriver chez nous avant, quand tu veux.

Qu'est-ce qu'on dit ?

Répondez.

1. Quand on décroche le téléphone.
2. Pour demander qui appelle.
3. Pour faire patienter.

Dites quand ?

Complétez.

1. Laurence appelle Julien …
2. Laurence invite ses amis à dîner …
3. Le rendez-vous pour le dîner est à …
4. Fanny peut arriver quand …

Qui et pourquoi ?

Choisissez la bonne réponse.

1. La communication téléphonique a lieu…
   - ☐ entre un client et un représentant.
   - ☐ entre deux entreprises.
   - ☑ entre deux collègues de travail.

2. Le but de la communication téléphonique est…
   - ☐ d'inviter à un dîner entre amis.
   - ☐ d'organiser un dîner d'affaires.
   - ☐ de laisser un message à des clients étrangers.

À table

— On finit cette bouteille ? Je vais commander une autre bouteille, un Bordeaux. Ça va bien aller avec le fromage.
— On n'a plus très faim après ce succulent repas.
— Oh ! Il faut goûter aux fromages français.
— Bon, je vais goûter le camembert.
— Moi, j'aime beaucoup le roquefort.
— Oh ! Moi, j'adore tous les fromages.
— Une bouteille de Bordeaux, s'il vous plaît. On a soif !

On a soif !

Choisissez la bonne réponse.

1. « On finit cette bouteille. »
   - ☐ Julien finit la bouteille.
   - ☐ Laurence et Fanny finissent la bouteille.
   - ☑ Nous finissons la bouteille.

2. « J'adore ! »
   - ☑ J'aime beaucoup.   ☐ Je n'aime pas du tout.
   - ☐ Je déteste !

3. « On a soif. »
   - ☐ Tu as envie de manger.   ☑ Nous avons envie de boire.
   - ☐ Ils veulent goûter une autre bouteille de vin.

mots

le téléphone :
- le message (n. m.)
- le répondeur (n. m.)
- le signal (sonore) (n. m.)

les jours :
- lundi (n. m.)
- mardi (n. m.)
- mercredi (n. m.)
- jeudi (n. m.)
- vendredi (n. m.)
- samedi (n. m.)
- dimanche (n. m.)

l'heure :
- le matin (n. m.)
- l'après-midi (n. m. ou f.)
- le soir (n. m.)
- le moment (n. m.)

les repas :
- le petit-déjeuner (n. m.)
- le déjeuner (n. m.)
- le dîner (n. m.)
- la bouteille (n. f.)
- le camembert (n. m.)
- la faim (n. f.)
- le fromage (n. m.)
- le restaurant (n. m.)
- le roquefort (n. m.)
- la soif (n. f.)
- le vin (n. m.)

Trouvez la bonne situation

Qui fait quoi ?

Choisissez la bonne réponse.

	1	2	3
Laurence invite des clients à dîner.	✓		
Un collègue demande une autre bouteille de vin.			✓
Julien a un message de Laurence.	✓		
Le rendez-vous est à 20 heures, au restaurant.	✓	✓	
Une personne demande de laisser un message.	✓		
Une personne n'est pas là, mais il y a un répondeur.	✓		
Une secrétaire répond à Laurence.		✓	
Une personne n'a plus faim.			✓

Décrivez oralement les trois situations, puis écrivez un court texte pour les résumer.

L'intensité

très + adjectif/adverbe
verbe + beaucoup

Exemples :
Cet homme est très gros.
Il mange beaucoup.

❗ Avec « avoir + faim/soif/froid/chaud/envie de… », on met « très » devant ces noms.
Exemple :
J'ai très faim.

Comment dire

● Pour dire qu'on aime :
— J'aime…
— J'aime beaucoup…
— J'adore…
● Pour dire qu'on n'aime pas :
— Je n'aime pas…
— Je n'aime pas beaucoup…
— Je n'aime pas du tout…
— Je déteste…
● Pour s'excuser :
— Excuse-moi.
— Excusez-moi.
— Je suis désolé(e).

1. Complétez avec *très* ou *beaucoup*.

1. J'aime … ce vin, il est … bon.
2. Il travaille …, il est … fatigué.
3. Nous détestons ce fromage, il est … mauvais.
4. Julien a … faim, il mange … .
5. Je trouve ce dîner … bon. Je vous remercie … .

Comment dire

● Pour exprimer la certitude :
— Je suis sûr(e).
— Je suis certain(e).
— Je suis absolument sûr(e)/certain(e).

● Pour exprimer l'incertitude :
— Je ne suis pas sûr(e).
— Je ne suis pas certain(e).
— Je crois que…
— J'espère que…

2. Faites correspondre.

1. Tout le monde a soif.
2. On a froid !
3. Nous dînons avec vous ce soir.
4. Qu'est-ce que vous faites à Roissy ?
5. On fait une pause.

a. On se retrouve au restaurant.
b. Nous allons au Canada.
c. On veut boire !
d. Les gens sont fatigués…
e. Fermez la fenêtre, s'il vous plaît !

Le pronom « on »

on = { tout le monde
les gens
nous }

« On » se conjugue à la 3ᵉ personne du singulier.

Exemples :
En France, on parle français.
Nous avons faim : on veut manger !

Les verbes du 2ᵉ groupe

au présent

finir

Pour la conjugaison des verbes du 2ᵉ groupe, voir le verbe « finir », page 178.

🎧 **3. Écoutez et complétez avec les verbes.**

1. À table, les amis … le vin.
2. Fais attention, en ce moment tu … .
3. Elle … quand on dit qu'elle est très jolie.
4. Nous … de manger et nous arrivons.
5. Vous … toutes les conditions pour ce travail.

🎧 **4. Écoutez les questions et répondez.**

● Exprimez votre certitude.
● Exprimez votre incertitude.
1. … ; 2. … ; 3. … ; 4. … .

5. Dites quand. *Hier, aujourd'hui* ou *demain* ?

1. Je téléphone au médecin.
2. Il va déjeuner chez une amie.
3. Elle a laissé un message.
4. Nous allons partir en voyage.
5. Vous êtes très fatigué.
6. Tu as appelé ta femme.

> Pour la formation du **passé composé**, voir la page 178.

Comment dire

- Sur un répondeur téléphonique :
  — **Vous êtes bien chez...**
  — **Vous êtes en communication avec le répondeur de...**
- Pour demander qui téléphone :
  — **Qui est à l'appareil ?**
  — **C'est de la part de qui ?**

- Pour demander la raison de l'appel :
  — **C'est à quel sujet ?**
- Pour faire patienter :
  — **Un instant/moment, s'il vous plaît.**
  — **Ne quittez pas.**
  — **Je vous passe monsieur/madame/le service...**

6. Jouez les scènes au téléphone. Mettez-vous par deux.

1
- Vous appelez la société *Duval*.
- Vous demandez le service clientèle.
- Vous passez une commande.

- La standardiste répond.
- Elle fait patienter.
- Elle passe le service des ventes.

2
- Vous êtes commercial pour la société *Infomat*.
- Vous téléphonez à un client.
- Vous voulez passer le voir jeudi.
- Vous voulez présenter une nouvelle gamme de produits.

- Vous êtes le client.
- Vous demandez qui appelle.
- Vous n'êtes pas sûr d'être là.
- Vous demandez la raison de l'appel.
- Vous fixez un jour et une date de rendez-vous.

Les adjectifs interrogatifs

	masc.	fém.
sing.	quel	quelle
pl.	quels	quelles

Exemples :
Quel train tu veux prendre ?
Quelle heure est-il ?
Quels fromages vous préférez ?
Quelles villes vous voulez visiter ?

7. Enregistrez vos messages.

A. Préparez une annonce pour votre répondeur téléphonique personnel.

B. Laissez un message sur le répondeur d'un collègue de travail ; vous fixez un rendez-vous :
- pour le petit-déjeuner/déjeuner/dîner
- pour une rencontre sur le stand d'un salon...
Précisez le jour et l'heure de votre appel.

Comment dire

- Pour demander l'heure :
  — **Quelle heure est-il ?**
  — **À quelle heure est-ce que... ?**
- Pour dire l'heure :
  — **Il est (2, 3,... 22, 23) heures.**
  — **Il est midi/minuit.**
  — **C'est à (2, 3,... 11) heures du matin/soir.**
- Pour les minutes :
  — **trois heures cinq/dix/vingt/vingt-cinq**
  — **trois heures et quart/demie**
  — **quatre heures moins cinq/dix/vingt/vingt-cinq**
  — **quatre heures moins le quart**
- Pour les horaires officiels, de :
  — **zéro heure à 23 heures**
  — **23h00/01.../45.../59**

Horaires de travail

 1 C'est un vendredi après-midi. Françoise Vittel est très occupée.
Le téléphone sonne : elle demande à Daniel de répondre à l'appel. Écoutez...

Il est cinq heures
de l'après-midi
du matin

Il est douze heures

Il est six heures
de l'après-midi *du soir*
du matin

Il est dix-sept heures

Il est midi

Il est dix-huit heures

  Il est minuit

Il est zéro heure/il est minuit

Quel jour/Quelle heure ?

Répondez.

1. **Quel jour on est aujourd'hui à *Paragem* ?**
2. **À quelle heure on ferme les bureaux aujourd'hui ?**

 2 Daniel parle des horaires avec Françoise. Écoutez...

Horaires d'ouverture
le travaille   *client*
Du lundi au jeudi :   *employe*
de 9h à 13h et de 14h à 18h

Le vendredi :
de 9h à 13h et de 14h à 17h

Du lundi au vendredi

Complétez les informations sur l'entreprise.

Les ... de travail chez *Paragem* sont :
Les lundis, mardis, mercredis et jeudis : de ... à ... et ... 14h00 ... 18h00.
Les vendredis : ... .
La ...-déjeuner est de ... à ... .

3 Daniel et Françoise continuent la conversation sur les horaires de travail. Ils vont faire une pause-déjeuner. Ils branchent le répondeur téléphonique. Écoutez…

FERMÉ
Heures d'ouverture
du lundi au vendredi
8 h – 12 h
14 h – 18 h

Horaires de travail

Complétez le tableau.

Horaires de travail	Chez *Paragem*	Dans les petites entreprises (petites villes ou campagne)
Matin		
Pause-déjeuner		
Après-midi Lundi Mardi Mercredi Jeudi		
Vendredi		

Avez-vous bien compris ?

À l'aide de vos réponses, expliquez à un collègue les horaires de travail en France.

Variations

Le répondeur de votre entreprise

 En fonction des horaires de travail dans votre entreprise, préparez l'annonce sur le répondeur téléphonique.

Une note de service

Entreprise W. L. Mahaut
Note d'information n° 346

Dijon, le 30 novembre 1999

De : Direction des Ressources Humaines
À : L'ensemble du personnel

Objet : aménagement des horaires de travail

La réduction du temps de travail prévue par la loi Aubry sur les 35 heures entre en vigueur dans notre entreprise à compter du 1er janvier 2000.

Les possibilités d'aménagement des horaires sont les suivantes :
- semaine de 35 heures hebdomadaires, sur 5 jours ;
- 2 semaines de 39 heures donnant droit à 1 jour de repos ;
- 4 semaines de 39 heures donnant droit à 2 jours de repos ;

Le responsable hiérarchique garde la possibilité de proposer des modifications en fonction des nécessités de son service.

ROBERT LEGRAND
Directeur des Ressources Humaines

ÉTABLISSEMENTS LEFÈVRE

Préparez une note pour informer le personnel des horaires de travail pour le mois de décembre :
- ouverture le dimanche aux mêmes horaires que pendant la semaine
- nocturne le vendredi jusqu'à 21 heures
- un jour de repos supplémentaire pour le personnel volontaire le week-end.

M. JAQUET

Votre collègue de bureau est absent. Préparez un message que vous allez enregistrer sur son répondeur. Vous devez lui annoncer ce qui va changer par rapport aux 39 heures hebdomadaires de travail.

Vous travaillez dans une grande surface de meubles de maison. Votre patron vous a laissé la note ci-dessus. Rédigez la note d'information pour le personnel sur les nouveaux horaires de travail.

des Chevaliers du Tastevin

Les vins et les fromages français

Les Français sont de gros consommateurs de vin – 60 litres par an et par personne. Mais la consommation de vin a diminué de moitié en 30 ans. La moitié (1/2) des Français déclarent ne jamais boire de vin. 11 % des femmes et 28 % des hommes boivent du vin tous les jours. 48 % des Français mangent du fromage.

l'étiquette

Appellation — Marque

Produit de France

Malesan

Elevé en Fûts de Chêne

BORDEAUX
APPELLATION BORDEAUX CONTRÔLÉE
1998

Bernard Magrez
LORMONT - GIRONDE - FRANCE

AOC

Degrés — Nom et adresse de l'embouteilleur — Volume

Savarin

Chamois d'or

Chèvre

Camembert

Pont-L'Évêque

Soleil du Poitou

Munster

Tomme

Gruyère

un plateau de fromages

Comment préparer un message sur un répondeur

1. Saluez et présentez-vous/l'entreprise.
2. Informez votre correspondant de votre absence/la fermeture de l'entreprise.
3. Invitez votre correspondant à laisser un message.
4. Demandez au correspondant de préciser ses coordonnées (son nom et son numéro de téléphone).
5. Indiquez le signal sonore.
6. Remerciez et prenez congé.

Comment laisser un message sur un répondeur

1. Saluez et présentez-vous/ l'entreprise.
2. Laissez votre message.
3. Laissez vos coordonnées.
4. Prenez congé.

Passer commande

Apprendre à...
- Exprimer des quantités
- Exprimer des besoins
- Refuser
- Exprimer son étonnement ou son agacement

◄ 1 http://www.achats.com

LE JOURNALISTE : Combien de sites marchands sont sur Internet en France ?
ANNE LAMBERT : Il y a 1 500 sites marchands ; on peut acheter beaucoup de produits : des disques, des fleurs, du foie gras, de la confiture, du vin, du fromage, des produits de toilette (du savon, du dentifrice, du shampoing…), des voyages… et beaucoup d'autres choses encore.
LE JOURNALISTE : Et vous, qu'est-ce que vous vendez ?
ANNE LAMBERT : Je vends en ligne 300 articles de toutes les régions de France. Je propose des paniers garnis.
LE JOURNALISTE : Vous pouvez donner un exemple ?
ANNE LAMBERT : Oui. Voilà un panier composé d'un litre d'huile d'olive, d'un pot de miel, d'une boîte de pâté de canard, d'un kilo de noix et d'un paquet de gâteaux. C'est excellent, c'est la spécialité d'un pâtissier basque.
LE JOURNALISTE : Pour commander, qu'est-ce qu'il faut ?
ANNE LAMBERT : Vous avez besoin d'un ordinateur. Vous vous connectez et vous commandez. Je vous livre par la poste dans les 48 heures.

Qu'est-ce qu'elle vend ?

Choisissez la bonne réponse.

| Anne Lambert vend : | ☐ des séjours à l'étranger. | |
| | ☒ des produits d'alimentation. | ☐ du matériel informatique. |

| Anne Lambert vend ses produits : | ☐ dans une grande surface. | |
| | ☒ sur Internet. | ☐ sur le marché. |

| Pour faire leurs achats, les clients : | ☒ restent chez eux. | |
| | ☐ viennent dans le magasin. | ☐ vont au marché. |

Du miel ou de la confiture ?

Chassez l'intrus.

du vin – du fromage – de la confiture – du dentifrice – du savon
des disques – des fleurs – des voyages – des produits de toilette – du shampoing

Trouvez la bonne situation

Comment dire...

Repérez les expressions...
1. ...pour demander ce qu'il faut.
2. ...pour exprimer les petites quantités.
3. ...pour exprimer les mesures.
4. ...pour exprimer les grandes quantités.
5. ...pour exprimer les quantités nulles.

_oi_ [wa]

2 Une livraison de pizzas

— Je vais passer une commande de pizzas à livrer pour le déjeuner. Qu'est-ce que vous voulez ?
— Moi, je voudrais une Quatre-saisons.
— Moi, une Margherita, avec un peu d'huile et beaucoup de piment.
— On peut commander du vin ou de la bière ?
— Non, pas de boissons ; seulement des pizzas.
— Et je peux demander un paquet de cigarettes ?
— Certainement pas !

Un peu ou beaucoup ?

Faites correspondre.

1. beaucoup de   a. huile
2. un paquet de   b. piment
3. un peu de (d')   c. cigarettes
4. pas de   d. boissons

3 Je n'ai besoin de rien

— Je pars maintenant. Tu as besoin de quelque chose ?
— Non, merci. Je n'ai besoin de rien.
— Tu ne veux pas de papier ?
— Non ! Je n'ai pas besoin de papier.
— Et des disquettes ?
— Non, non, pas de disquettes !
— Un peu d'eau ?
— Mais non !
— Ça, alors ! Tu n'as vraiment besoin de rien !
— Si, si, j'ai besoin de quelque chose.
— De quoi ?
— Il me faut un peu de silence.

Vrai ou faux ?

Choisissez la bonne réponse.

	vrai	faux
1. La femme a besoin de beaucoup de choses.	☐	☐
2. Le mari ne propose rien.	☐	☐
3. La femme ne veut rien acheter.	☐	☐
4. Le mari est agacé.	☐	☑
5. La femme a besoin de silence.	☑	☐

mots

les produits d'alimentation :
• la confiture (n. f.)
• le foie gras (n. m.)
• le gâteau (n. m.)
• l'huile (n. f.)
• le miel (n. m.)
• la noix (n. f.)
• le pâté (n. m.)
• le piment (n. m.)
• la pizza (n. f.)

• un panier (n. m.)
• un paquet (n. m.)
• un pot (n. m.)

• la bière (n. f.)
• la boisson (n. f.)
• l'eau (n. f.)
• un litre (n. m.)
• le vin (n. m.)

les produits de toilette :
• la brosse à dents (n. f.)
• le dentifrice (n. m.)
• le savon (n. m.)
• le shampoing (n. m.)

Complétez.

	situation 1	2	3
Qu'est-ce qu'on commande ?			
Qu'est-ce qu'on achète ?			
Qu'est-ce qu'on ne commande pas ?			
Qu'est-ce qu'on n'achète pas ?			

Décrivez par écrit ce qu'on achète et ce qu'on n'achète pas dans les trois situations.

Les articles partitifs

du - de la - de l'

Exemples :
du miel, de la confiture, de l'eau

du goto en goto

> **« du »** et **« des »** sont des contractions :
> (de + le = du), (de + les = des).
>
> **Exemples :**
> *Le bureau du directeur et le bureau des commerciaux.*

La négation (suite)

ne + verbe + pas de
rien
plus

Exemples :
Elle ne veut pas de vin.
Elle ne veut rien.
Elle n'a plus faim. *(fẽ) humage*

1. Écoutez et répondez, comme dans l'exemple.

Je voudrais du vin. Et toi ? (eau)
> ➡ *Moi, je voudrais de l'eau.*

1. … ; 2. … ; 3. … ; 4. … ; 5. … .

sufficiently Rather,

2. Dites le contraire.

1. J'achète du vin. *[ase] enough, rather,*
2. Nous n'avons pas assez de fromage.
3. Il a de la chance.
4. Ils ont trop de travail. *[tro] too much*
5. Donne-moi un peu d'eau.

3. Transformez, comme dans l'exemple.

Il est compétent. (assez)
> ➡ *Il est assez compétent.* *[pimã] chilli, spice, pepper*

1. La pizza a du piment. (trop)
2. Ce bureau est confortable. (assez)
3. Ta salade a de l'huile. (beaucoup)
4. La directrice est dynamique. (très)
5. Il veut de l'eau. (un peu)
6. Ce paquet est petit. (trop)

Comment dire

- Pour de petites quantités : **un peu de**…
- Pour de grandes quantités : **beaucoup de**…
- Pour une quantité suffisante : **assez de**…
- Pour une quantité excessive : **trop de**…

[..zã] sufficient

Attention !

Comme **« très »**, **« peu »**, **« assez »** et **« trop »** s'emploient devant des adjectifs ; dans l'ordre croissant d'intensité :

- Il est **peu** compétent. - Il est **assez** compétent.
- Il est **très** compétent. - Il est **trop** compétent.

Les verbes en « ir » du 3ᵉ groupe

au présent

partir

Pour la conjugaison du verbe « partir », voir la page 178. *to serve*

to smell, to taste

> • Se conjuguent comme « partir » : « servir », « sortir », « sentir »…
> • Pour les verbes du type « venir », voir la page 178.

 ### 4. Écoutez et complétez avec les verbes.

1. Qu'est-ce que tu nous *sers* ce soir, pour le dîner ?
2. Ce matin, je *pars* aux États-Unis.
3. Ils *viennent* d'Extrême-Orient et ils *partent* en Afrique.
4. Nous *sortons* avec eux tous les soirs. *evening*
5. Ce parfum *sent* très bon !

viennent /partent
sortons

5. Jouez la scène.
   Mettez-vous par deux.

JOUEUR 1 : *le client*

● Vous êtes à la pharmacie.
● Vous cherchez du dentifrice
  et une brosse à dents.
● Vous demandez aussi de l'aspirine.

JOUEUR 2 : *le pharmacien*

● Il vous salue.
● Il vous demande ce que vous voulez
● Il vous demande si vous avez
  besoin d'autre chose (savon, gel
  douche, crème pour le visage...).

[bazwɛ̃] *need*

Comment dire

● Pour exprimer un besoin :
  — J'ai/On a/Nous avons besoin de...
  — Il (me/nous) faut...
● Pour dire qu'on n'a pas besoin :
  — Je n'ai besoin de rien.
  — Je ne veux rien.
● Pour refuser :
  — Non, merci.
  — Non, rien.
  — Non, pas de...

Verbe impersonnel

Il faut + nom/quantité/infinitif

Exemples :
Il me faut une aspirine.
Il nous faut un litre de vin.
Il faut partir.

---

6. Dites ce que vous voulez, combien, et ce que vous ne voulez pas,
   ou nommez les produits que vous ne voulez plus...

– à un représentant de produits de toilette.
– à votre mari/femme : il/elle va au marché.
– à votre collègue de bureau : il/elle va passer une commande pour le déjeuner.
– à l'épicier. *grocer*

Les nombres

60 - soixante
61 - soixante et un
62 - soixante-deux
69 - soixante-neuf
70 - soixante-dix
71 - soixante et onze
72 - soixante-douze
73 - soixante-treize
79 - soixante-dix-neuf
80 - quatre-vingts
90 - quatre-vingt-dix
100 - cent
200 - deux cents
300 - trois cents
900 - neuf cents
1000 - mille

Comment dire   [etɔnmã] *surprise*

● Pour exprimer son étonnement :
  — Ça, alors !   *then, at that time, while*
  — C'est vrai ? *true*
  — Ce n'est pas vrai !
  — Sans blagues ! [blag] *joke, trick*
● Pour exprimer son agacement :
  — Mais non !
  — Qu'est-ce que c'est que ça !
  — Ça suffit !
  — Arrête ! [aʀɛt] *to stop, tu turn off*

   [kuʀs] *running, race, trip, journey*

7. Jouez la scène.
   Mettez-vous par deux.

Tous les soirs, après la sortie des bureaux, *to relate, to tell*
vous faites vos courses. Vous le racontez à *about*
un collègue de travail. Il pose beaucoup de
questions et il exprime son étonnement.
À la fin, vous êtes agacé. *to irritate*

La commande de four

1 Stéphane Petibon prépare la commande de
fournitures de bureau. Il appelle Philippe Cadet.

Qui sont-ils ?

**A. Quelle description correspond
à quel personnage ? Philippe Cadet/
Stéphane Petibon/Daniel ?**

to question, to easu##t

1. Il interroge, il donne des exemples
et il est précis. *[presi] précise, accurate*
2. Il pose beaucoup de questions et
veut rendre service.
3. Il est d'abord distrait, puis agacé.

*aborder : to land
to tackle
to approach*

**B. Choisissez une ou deux phrases
de Philippe et de Stéphane
pour justifier vos réponses.**

2 Plus tard, Daniel récapitule la commande avec Stéphane Petibon. Écoutez…

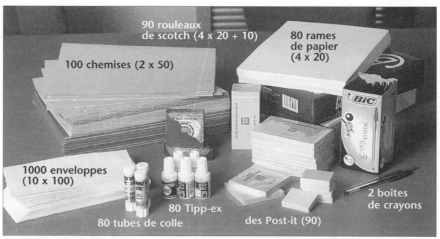

90 rouleaux
de scotch (4 x 20 + 10)

80 rames
de papier
(4 x 20)

100 chemises (2 x 50)

1000 enveloppes
(10 x 100)

80 Tipp-ex

80 tubes de colle

des Post-it (90)

2 boîtes
de crayons

Des fournitures

Faites correspondre.

[kɔl]

du scotch   du papier   des crayons   de la colle   du Tipp-ex   des chemises

coller   écrire   corriger   classer

*ʒe
to correct*

Un bon de commande

Complétez.

BON DE COMMANDE N° 187

Fourniburo

Matériel et fournitures de bureau
98, rue du Ruisseau
75018 Paris
Tél. : 01 45 85 95 98
Fax : 01 45 85 98 36

Paris, le ...

Livraison sous 10 jours à
Paragem

Paiement : par chèque à réception de la facture

Réf.	Désignation	Quantité
	chemic (2 x 50)	100
AUD 98		2
LOI 26	Crayons (boîte de 12)	1.000
POI 213	Enveloppes (10 x 100)	80
TUR 47	*Papier* (rame de 1 000 feuilles)	90
MIL 258	Post-it	90
REZ 123	*Rule* de scotch	80
IUT 28	Tipp-ex	80
MOL 23	Tube de *colle* (4 x 20)	

Un peu plus tard dans la journée,
dans le bureau des commerciaux.
Philippe Cadet parle des fournitures
et Isabelle Mercier pense à son
ordinateur.

Françoise Vittel est très étonnée par
la demande d'Isabelle. Écoutez...

imprimante

ordinateur

Qui dit quoi ?

Choisissez la bonne réponse.

	I. Mercier	Ph. Cadet	F. Vittel
D'un quoi ?		√	
Si, j'ai besoin de quelque chose.	√		
Qu'est-ce que c'est que ça ?			√
Tu n'as pas besoin de fournitures.		√	
J'ai besoin d'un ordinateur.	√		
Pourquoi pas une voiture !			√

Avez-vous bien compris ?

Passer commande

Complétez la description de la situation et découvrez la suite.

A. Daniel aide Stéphane Petibon pour passer la commande de ... . Il fait une ... des ... nécessaires. Mais Isabelle n'a pas ... de fournitures, elle veut ... . Philippe est ..., Françoise est très ... .

B. Françoise a parlé à Stéphane Petibon de la demande d'Isabelle. Stéphane Petibon parle à madame Leblanc de cette demande. Mais Catherine Leblanc est au courant : ils ont besoin d'un autre ordinateur et d'une autre imprimante.

Variations

Vous passez vos commandes à une entreprise de vente par correspondance.

Calculatrice CT 193
44,05 €
Réf. 53.19.14

Agrapheuse 1DX
62,5 €
Réf. 269.016

Classeurs
5,34 €
Réf. 52.1826

Dossiers suspendus
13,41 €
Réf. 077.36.00

Blocs
6,86 €
Réf. 271.0100

Corbeilles à courrier
18,29 €
Réf. 056.514.1

 1. Notez votre commande.
   A. Pour le bureau.
   B. Pour la maison.

 2. Passez vos commandes par téléphone : préparez le message téléphonique que vous laissez sur le répondeur de la société *Fourniburo*.

3. Remplissez le bon de commande pour vos achats par correspondance, sans oublier de noter les prix et de faire le total.

Fourniburo

Matériel et fournitures de bureau
98, rue du Ruisseau
75018 Paris
Tél. : 01 45 85 95 98
Fax : 01 45 85 98 36

Paiement : par chèque à réception de la facture

BON DE COMMANDE N° 200

Paris, le …

Livraison sous …………… jours à
………………………………………………………
………………………………………………………
………………………………………………………

Réf.	Désignation	Quantité	Prix
……	……………………	……………	……………
……	……………………	……………	……………
		Total	……………

Courses et déjeuners

En France, un repas sur cinq est pris à l'extérieur du domicile. Les cadres et les employés de bureau peuvent prendre leur repas de midi de différentes manières :
• dans une cantine d'entreprise[1] ;
• dans un restaurant ou une brasserie[2] avec des tickets-restaurant[3] fournis par leur entreprise ;
• dans leur bureau, après avoir acheté de la restauration rapide[4];
• dans leur bureau, après avoir passé des commandes pour des livraisons sur le lieu de travail.

1.

4.

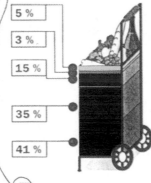

3.

• Restauration rapide 27 %
• Sandwicheries 26 %
• Viande-grill 11 %
• Pizzeria 10 %
• Restaurants traditionnels 6 %
• Brasseries 3 %
• Restaurants de poissons 2 %

Les Français peuvent faire leurs courses dans les supermarchés et les hypermarchés (plus d'un tiers [1/3] de leurs achats), mais ils aiment beaucoup acheter des produits frais sur le marché.

5 %

3 %

15 %

35 %

41 %

• Pour les courses quotidiennes, il y a des épiceries de quartier, mais elles sont en diminution (10 %).
• Et pour les gens qui ont trop de travail et qui n'ont vraiment pas de temps, il reste la possibilité de faire les courses par téléphone, Minitel ou Internet et de se faire livrer.

Commerces de proximité

Supérettes

Supermarchés

Hypermarchés entre 2500 et 5000m²

Hypermarchés de plus 5000m²

Combien ça coûte ?

Apprendre à...
- Demander et dire des prix
- Décrire et caractériser
- Donner des appréciations
- Faire des objections
- Conseiller, suggérer

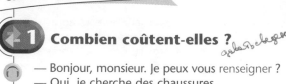

1 Combien coûtent-elles ?

— Bonjour, monsieur. Je peux vous renseigner ?
— Oui, je cherche des chaussures.
— Qu'est-ce qu'il vous faut comme chaussures ?
— Il me faut des chaussures de ville, noires, classiques.
— Quelle pointure faites-vous ?
— Quarante-cinq, je crois.
— Vous pouvez essayer ce modèle italien, nous le vendons beaucoup.
— Ce sont de très belles chaussures… elles me vont bien. Combien coûtent-elles ?
— 120 euros, mais elles sont en solde ; vous avez une réduction de quarante pour cent. Cela vous fait 73 euros au lieu de 120.

Le client veut acheter...

A. Chassez les intrus :

des bottes - des mocassins - des chaussures de sport - des chaussures de ville - des chaussures blanches - des chaussures classiques - des chaussures habillées - des chaussures noires.

B. Repérez comment...

...il demande les chaussures.
...il donne des appréciations sur les chaussures.
...il demande leur prix.

2 Une promotion exceptionnelle

— Allô !, bonjour. Ici *Europauto* à votre service.
— Bonjour, monsieur. J'ai besoin d'une petite voiture rapide et fiable pour mon travail.
— Alors, je vous recommande la Picco. Elle a un moteur puissant et elle est extrêmement robuste. Nous la louons à de nombreuses sociétés.
— D'accord. Quels sont vos tarifs ?
— Nous offrons en ce moment un tarif « affaires » particulièrement intéressant : 110 euros pour trois jours ou 140 euros pour une semaine, kilométrage illimité.
— Hors taxes ou TTC* ?
— Non, hors taxes. C'est vraiment une promotion exceptionnelle !
— Bien. Je la prends pour une semaine. Il me faut la voiture à l'aéroport de Nice.

---

* TTC = toutes taxes comprises.

Je vous recommande...

Complétez.

1. La femme veut louer une voiture. Elle dit : « ... »
2. L'homme propose un modèle. Il dit : « ... »
3. La femme veut connaître son prix. Elle dit : « ... »
4. L'homme propose un tarif intéressant. Il dit : « ... »

À chacun sa qualité !

Faites correspondre.

fiable   robuste   intéressant   rapide   petite   puissant

•   •   •   •   •   •

•   •   •

La voiture   Le moteur   Le tarif

3   SOS Dépannage

— Allô !, garage Dufour, j'écoute.
— Bonjour, monsieur. J'ai un problème : ma voiture est en panne et j'ai un rendez-vous urgent.
— Ce n'est pas une panne d'essence ?
— Mais non, j'ai de l'essence, c'est un problème technique : elle n'avance plus et le moteur fume.
— Je vous conseille de téléphoner à SOS Dépannage.
— J'ai téléphoné ! Ça ne répond pas, il n'y a personne.
— Ça, c'est incroyable ! Bon, où êtes-vous monsieur ?
— Sur la nationale 7, à 5 km au sud de Valence. Pouvez-vous m'aider ?
— Je vous envoie une dépanneuse.

En cas de panne

Choisissez la bonne réponse et justifiez-la avec des exemples du dialogue.

1. L'homme téléphone à : ☐ un garage.   ☐ SOS Dépannage.
2. Sa voiture : ☐ n'a plus d'essence.   ☐ n'avance plus.
3. SOS Dépannage : ☐ ne répond pas.   ☐ envoie une dépanneuse.
4. L'automobiliste est : ☐ au bord de l'autoroute.   ☐ sur une nationale.

mots

les vêtements :
- une chaussette (n. f.)
- une chaussure (n. f.)
- une chemise (n. f.)
- un chemisier (n. m.)
- un costume (n. m.)
- une cravate (n. f.)
- une jupe (n. f.)
- un manteau (n. m.)
- un pantalon (n. m.)
- un pull (n. m.)
- un tailleur (n. m.)
- une veste (n. f.)
- la pointure (n. f.)
- la taille (n. f.)

la voiture :
- une dépanneuse (n. f.)
- l'essence (n. f.)
- un garage (n. m.)
- un moteur (n. m.)
- une panne (n. f.)
- une station-service (n. f.)

les prix :
- une promotion (n. f.)
- une réduction (n. f.)
- les soldes (n. m. pl.)
- un tarif (n. m.)
- la taxe (n. f.)

Trouvez la bonne situation

Qui dit quoi ?

Choisissez la bonne réponse.

	Qui parle ?		Dans quelle situation ?		
	l'employé	le client	1	2	3
Je vous recommande la Picco.					
Elle n'avance plus et le moteur fume.					
Quelle pointure faites-vous ?					
Ça ne répond pas, il n'y a personne.					
Le prix est de 110 € pour trois jours.					
Cela vous fait 73 € au lieu de 120 €.					
J'ai besoin d'une petite voiture rapide et fiable.					
C'est vraiment une promotion exceptionnelle !					
Ça, c'est incroyable !					

 Décrivez oralement les trois situations et résumez-les par écrit.

Le féminin des adjectifs

masc.	fém.
ø	+ e
-e	-e
-el	-le
-n	-nne
-ét	-ette
-er	-ère
-f	-ve
-eux	-euse

> gentil-gentille, gros-grosse, vieux-vieille, beau-belle, blanc-blanche, long-longue, neuf-neuve.

1. Faites correspondre.

1. des prix
2. une promotion
3. une cravate
4. des chaussures
5. une robe
6. des clientes

a. difficiles
b. longue
c. exceptionnelle
d. intéressants
e. chère
f. neuves

2. A. Chassez l'intrus.

- avantageuse – heureuse – dépanneuse – délicieuse
- nette – noisette – chaussette – toilette
- charmante – puissante – intéressante – imprimante

B. Mettez au masculin.

Le pluriel des adjectifs

sing.	ø	-s	-x	-eau
pl.	+ s	-s	-x	+ x

La place des adjectifs

- Les adjectifs de nationalité et de couleur sont toujours **placés après le nom**.
- Certains adjectifs comme *beau, bon, joli, jeune, vieux, petit, grand, gros, mauvais…* sont **placés avant le nom**.

> Quand l'adjectif est placé devant un nom pluriel, « des » devient « de ».

3. Écoutez et complétez avec les verbes.

1. Elle ne ... pas le manteau bleu.
2. Est-ce que vous ... des imprimantes ?
3. Ça ne ... pas.
4. Ils ... la dépanneuse depuis une heure.
5. Tu n'... pas le téléphone ?
6. Ils ne ... pas le problème.

4. Écoutez et transformez, comme dans l'exemple.

Où est-ce que vous êtes ?
→ Où êtes-vous ?

1. ... ; 2. ... ; 3. ... ; 4. ... ; 5. ... ; 6. ... .

Les verbes en « -dre »

au présent

entendre – prendre

Pour la conjugaison des verbes « entendre » et « prendre », voir la page 178.

- Se conjuguent comme « entendre » : « répondre », « vendre », « attendre ».
- Se conjuguent comme « prendre » : « apprendre », « comprendre ».

Comment dire

- L'interrogation par l'inversion du sujet = une façon de parler plus formelle :
  — **Vient-elle ?** — **Où êtes-vous ?** — **Que font-ils ?**
- Quand le verbe se termine par une voyelle, on ajoute un « t » entre le verbe et le sujet :
  — **Qu'achète-t-il ?**
- On ne fait l'inversion à la première personne du singulier qu'avec certains verbes :
  — **Ai-je… ?** — **Suis-je… ?** — **Puis-je… ?** (verbe « pouvoir »)

5. Jouez la scène. Mettez-vous par deux.

JOUEUR A : *le client*

● Vous êtes dans un magasin de vêtements.
● Vous voulez acheter un manteau.
● Vous cherchez un manteau long, sport.
● Vous donnez votre taille et vous précisez la couleur.
● Le manteau vous plaît beaucoup.
● Vous demandez le prix.
● Le manteau est trop cher.
● Vous choisissez la couleur et le style.
● Cela vous va. Vous l'achetez.

JOUEUR B : *le vendeur*

● Il vient à votre aide.
● Il vous demande ce que vous désirez.
● Il a un modèle parfait pour vous.
● Il vous demande votre taille et la couleur du manteau.
● Le manteau vous va très bien.
● Il donne le prix.
● Il vous propose une veste en solde.

Les couleurs

noir - blanc - rouge - vert- bleu -
jaune - beige - gris - orange - marron…

6. Répondez, puis jouez les mini-dialogues.
— *La voiture rouge est rapide ? (très)*
➡ — *Ah oui, la voiture rouge est très rapide.*

1. Le garage est loin ? (très)
2. La veste blanche est grande ? (trop)
3. C'est une promotion exceptionnelle ? (vraiment)
4. Il propose des tarifs intéressants ? (particulièrement)
5. Ils ont un vendeur aimable ? (extrêmement)
6. Les chaussures sont chères ? (horriblement)

❗ **Les adverbes se placent devant l'adjectif qu'ils qualifient.**

Comment dire

● Pour dire qu'on veut acheter quelque chose :
— **Je voudrais…**   — **J'ai besoin de…**
— **Je cherche…**   — **Il me faut…**
— **Vous avez… ?**

● Pour demander un prix :
— **Combien ça coûte ?**
— **Il(s)/Elle(s) coûte(nt) combien ?**
— **Quels sont vos tarifs ?**

● Pour donner des appréciations :
— **J'aime beaucoup.**
— **C'est parfait/très beau.**
— **Il/elle me va.**
— **Il/elle est très bien.**
— **Je le prends.**

● Pour faire des objections :
— **Je n'aime pas beaucoup.**
— **Je n'aime vraiment pas.**
— **Il/elle ne me va pas.**
— **C'est cher.**
— **C'est assez/trop cher.**
— **C'est incroyable !**

7. Écoutez et répondez négativement.
— *Vous trouvez un joli modèle ?*
➡ — *Non, je ne trouve rien.*

1. … ; 2. … ; 3. … ; 4. … ; 5. … ; 6. … .

Comment dire

● Pour demander un conseil, de l'aide :
— **Vous pouvez me conseiller ?**
— **Qu'est-ce que je peux faire ?**
— **Pouvez-vous m'aider ?**

● Pour donner un conseil :
— **Je vous conseille de…**
— **Vous pouvez…**
— **C'est préférable de…**
— **Je vous recommande…**

8. Jouez les scènes.

1. Vous vendez l'un de ces trois produits : voiture, robe, costume en promotion. Conseillez votre client et essayez de le convaincre de l'acheter (qualité du produit, tarifs promotionnels...).
2. Votre voiture est en panne. Vous téléphonez à un garage. Vous décrivez la situation et vous précisez ce qui ne va pas. Vous demandez des conseils et de l'aide.

❗ • « Ne … plus » est la négation de « encore » et de « toujours ».
• « Ne… personne » est la négation de « quelqu'un ».

Paragem fait des achats

1 Daniel accompagne Isabelle Mercier à *Ordiplus*, un magasin spécialisé dans la vente informatique. Ils veulent acheter un ordinateur et une imprimante.

Le vendeur veut savoir quelle sorte d'imprimante Isabelle recherche. Écoutez...

Un bon matériel informatique

A. Retrouvez dans la liste les caractéristiques de l'ordinateur et de l'imprimante, puis placez-les dans la bonne colonne.

laser couleur ; rapide ; pour du travail de bureau ; CX de Tompac ; excellent ; dernier modèle ; très puissant ; une machine très fiable ; Logimax 420 ; particulièrement rapide ; un grand bac.

	ordinateur	imprimante
Type d'appareil :		
Fonction de l'appareil :		
Caractéristiques :		
...		
...		
...		
...		
...		

B. Donnez les prix HT et TTC de l'ordinateur et de l'imprimante.

2 Isabelle décide d'acheter l'ordinateur et l'imprimante. Écoutez...

GARANTIE

Fourniburo   N° 00001282
Matériel et fournitures de bureau
98, rue du Ruisseau
75018 Paris
Tél. : 01 45 85 95 98
Fax : 01 45 85 98 36

3 ans

ENTREPRISE   MATÉRIEL
Nom : _____   Type : _____
Adresse : _____   Marque : _____
_____   Modèle : _____
Tél. : _____   Année : _____
Fax : _____   Date d'achat : _____

Observations : _____
_____
_____

Un bon d'achat

A. Complétez ce que dit le vendeur à Isabelle.
— Nous pouvons...   — Préférez-vous...
— Je remplis...   — Vous pouvez...

B. Remplissez le bon de commande et le bon de garantie pour l'ordinateur et l'imprimante.

paragem
10, rue de Paradis, 75010 Paris
Tél. : 33 1 40 30 20 10 – Fax : 33 1 40 30 20 20
e-mail : moust@paragem.com

PRODUITS ANTI-MOUSTIQUES

Bon de commande n° 00023   Paris, le ...

Références	Désignation	Quantité	Prix HT

Total HT : _____   Total TTC : _____

Avez-vous bien compris ?

Répondez.

1. Quel ordinateur Isabelle Mercier veut-elle acheter ?
2. Quelles sont ses qualités ?
3. Demande-t-elle le tarif HT ou TTC ? Pourquoi ?
4. Quelles sont les qualités de l'imprimante ?
5. L'imprimante a-t-elle souvent des problèmes techniques ?
6. Pourquoi son prix est-il intéressant ?

À l'aide de vos réponses, décrivez les appareils choisis par Isabelle.

Variations

Votre ordinateur ne marche plus.

Vous téléphonez au service après-vente, mais les bureaux sont fermés. Vous laissez un message sur le répondeur de l'entreprise. Vous précisez le modèle que vous avez et vous expliquez la panne ; vous indiquez aussi qu'il est sous garantie.

Discussion

Vous avez acheté un ordinateur et une imprimante qui sont très performants. Vous conseillez à un ami/ collègue d'acheter ce matériel. Vous donnez les carastéristiques et vos appréciations.

HP Brio – Processeur Intel (366 MHz) – Mémoire 32 Mo et carte son – Disque dur 4,3 Go – CD-Rom 32 x – Carte vidéo – Garantie : 1 an.

Vous travaillez dans une entreprise de matériel informatique.

Vous venez de mettre sur le marché une nouvelle imprimante laser. Vous venez de recevoir une demande de renseignements. Vous envoyez la documentation demandée avec une lettre pour :
– remercier le client ;
– indiquer les caractéristiques et les qualités de l'imprimante laser ;
– proposer une démonstration à domicile.

Nom et
Adresse de
l'expéditeur

Nom et adresse
du destinataire

Objet : imprimante laser

Lieu et date

M. …

Nous vous...

Notre nouvelle imprimante laser…

Nous vous proposons…

Nous vous prions d'agréer, M. …, nos salutations distinguées.

Signature

Factures et taxes

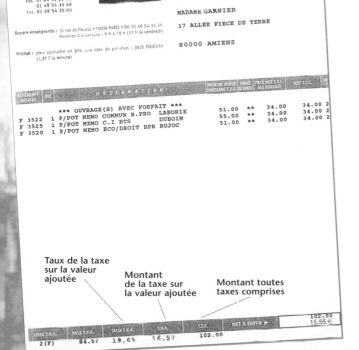

L'essence est vendue dans les stations service :
Elf, Esso, Total, Shell, BP.
On peut acheter de l'essence super ou super plus (sans plomb) ou du diesel.
Les taxes représentent les trois quart (3/4) du prix du litre de super sans plomb, record d'Europe.
Dans une station-service, il y a aussi :
– un atelier de réparation pour gonfler ou changer les pneus, vérifier le niveau d'huile ou d'eau, faire une vidange, régler les freins…
– un service de dépannage.

Montant toutes taxes comprises

Taux de la taxe sur la valeur ajoutée

```
BP FRANCE
Station CHEVRY II
91190 GIF SUR YVETTE
Tel: 01.60.12.16.80

NUM   QTE DESCRIPTION      PRIX    TVA

 1)    21.701   6.910FRF/1  3p
       SP95      FRF    150.00 C
-------------------------------------
       TOTAL TTC FRF       150.00

       CARTE MANUELLE       150.00
Carte Bancaire
 TVA 19,60%                 24,37 C

********** MONTANT EN EURO ***********
       TOTAL TTC EUR        22.87
 TVA 19,60%                  3,71 C
**************************************


Merci, Bonne Route
R30718 / 130681T
CAISSIER    : 111
CAISSE      : 01    TICKET  : 6137
DATE : 20.11.1999  HEURE: 14:42
```

DELAVOIX
RELATIONS
enseignants

31 rue de Fleurus
75007 PARIS cedex 06
Tél. 01 49 54 35 35
01 49 54 35 46
Fax. 01 49 54 35 00

Espace enseignants : 31 rue de Fleurus • 75006 PARIS • Tél. 01 49 54 35 35
Horaires d'ouverture : 9 h à 18 h (17 h le vendredi)

Minitel : pour connaître un prix, une date de parution : 3615 FOUCHER
(1,27 F la minute).

Paris, le   10/02/2000
Votre demande du   10/02/2000
N° de demande   094027

Votre référence   103841
(à rappeler lors de toute correspondance)

MADAME GARNIER

17 ALLEE PIECE DE TERRE

80000 AMIENS

RÉFÉRENCE ARTICLE	QTE	DÉSIGNATION	PRIX DE VENTE UNITAIRE T.T.C.	TOTAT OU REMISE	PRIX NET T.T.C. OU FORFAIT	NET T.T.C.	
		*** OUVRAGE(S) AVEC FORFAIT ***	51.00	**	34.00	34.00	2
F 3522	1	P/POT MEMO COMMUN B.PRO LABORIE	55.00	**	34.00	34.00	2
F 3525	1	P/POT MEMO C.I BTS DUBOIN	51.00	**	34.00	34.00	2
F 3520	1	P/POT MEMO ECO/DROIT BPR BUJOC					

Taux de la taxe sur la valeur ajoutée

Montant de la taxe sur la valeur ajoutée

Montant toutes taxes comprises

CODE T.V.A.	BASE T.V.A.	TAUX T.V.A.	T.V.A.	T.T.C.	NET A PAYER ▶	
						102.00
						15,55 €
2 (F)	84.57	19,6%	16,57	102.00		

Montant de la taxe sur la valeur ajoutée

Total TTC en euro

La TVA est une taxe applicable sur tous les produits et les services. Il existe deux taux de TVA en France :
• le taux réduit de 5,5 % sur les produits alimentaires, les livres, certains services comme le transport des voyageurs, les hôtels, les spectacles… ;
• le taux normal de 19,6 % sur tous les autres produits et services.

Bon appétit !

Apprendre à...
- Exprimer l'obligation
- Commander des consommations
- Exprimer une opinion
- Argumenter, convaincre, négocier

⇄1 Une table pour deux

— Bonjour, monsieur. J'ai réservé une table pour deux au nom de la société Darmont.

— C'est exact. Veuillez me suivre... (...)

— Nous hésitons entre le menu gastronomique et le menu « affaires ».

— Nous sommes un peu pressés... choisissons le menu affaires, c'est une meilleure idée. En entrée, je vais prendre une terrine de lapin aux pruneaux.

— Et pour moi, un melon au porto et ensuite... vous préférez de la viande ou du poisson ?

— Je ne mange jamais de poisson, vous savez... donnez-moi des côtelettes d'agneau au romarin, s'il vous plaît.

— Et moi, je vais prendre le canard à l'orange.

— Et comme vin ? Voulez-vous un Bourgogne ?

— Ah non, pour le déjeuner c'est un peu trop lourd !

— Choisissez un Médoc. C'est un vin aussi fruité que le Bourgogne, mais plus léger.

— Parfait... et donnez-nous une bouteille d'eau plate, s'il vous plaît.

Vrai ou faux ?

Choisissez la bonne réponse, puis justifiez-la avec des exemples du dialogue.

	vrai	faux
1. Le serveur demande d'attendre.	☐	☑
2. La carte propose un menu gastronomique.	☐	☑
3. L'homme veut prendre le menu « affaires ».	☑	☐
4. La femme prend du canard à l'orange.	☑	☐
5. L'homme aime boire du Bourgogne au déjeuner.	☐	☐
6. La femme demande de l'eau plate.	☐	☐

Qu'est-ce qu'ils commandent?

Repérez.

– Comme menu.
– Comme entrée.

– Comme plat principal.
– Comme boisson.

⇄2 Vous avez choisi ?

— S'il vous plaît ! On peut commander ?

— Attends un instant. J'hésite. Le rôti de veau à la diable, c'est très fort, non ?

— Évidemment, c'est toujours servi avec une sauce à la moutarde.

— À mon avis, si tu veux un plat plus doux, choisis le poulet provençal, c'est moins épicé.

— Moi, je n'ai pas aussi faim que vous, je vais prendre à la carte. Peut-être des moules.

— Ce n'est vraiment pas la saison ! Regarde, il y a du thon à la ratatouille. C'est bon !

— Non, pas vraiment. C'est trop sec et je n'aime pas la ratatouille.

— Alors prends la truite aux amandes, c'est plus onctueux !

— Très bonne idée. S'il vous plaît !

— J'arrive tout de suite… Vous avez choisi ?

— Alors deux menus et une truite aux amandes. Et comme boisson, donnez-nous le petit vin blanc de la maison.

Comment dit-on ?

Repérez.

1. Pour conseiller un plat. 2. Pour déconseiller un plat. 3. Pour convaincre du choix d'un plat.

3 Garçon !

— Quelque chose ne va pas, madame ?

— Ma côte de bœuf n'est vraiment pas assez cuite !

— Vous avez demandé saignante, je crois.

— Oui, saignante, mais vous voyez bien qu'elle est presque crue !

— Garçon, l'addition, s'il vous plaît !

— On doit laisser un pourboire ?

— Certainement pas ! On voit de temps en temps des serveurs désagréables, mais comme lui, jamais !

mots

le restaurant :
- une addition (n. f.)
- une carte (n. f.)
- un menu (n. m.)
- un pourboire (n. m.)
- une réservation (n. f.)
- une table (n. f.)

- du canard (n. m.)
- une côte de bœuf (n. f.)
- une côtelette d'agneau (n. f.)
- un melon (n. m.)
- des moules (n. f. pl.)
- du poisson (n. m.)
- du poulet (n. m.)
- une ratatouille (n. f.)
- un rôti de veau (n. m.)
- une sauce (n. f.)
- du thon (n. m.)
- une truite (n. f.)
- une viande (n. f.)

- un apéritif (n. m.)
- une eau gazeuse (n. f.)
- une eau plate (n. f.)
- un vin (n. m.)

Ça ne va pas ?

Faites correspondre.

1. Quelque chose ne va pas ? •
2. On doit laisser un pourboire ? •
3. Vous avez demandé saignante. •

- • a. Certainement pas !
- • b. Mais vous voyez bien qu'elle est presque crue !
- • c. Ma côte de bœuf n'est vraiment pas assez cuite !

Trouvez la bonne situation

Qu'est-ce qu'ils veulent ?

Répondez pour les trois situations.

1. Qui commande quoi ?
2. Qu'est-ce qu'on ne commande pas ?
3. Qu'est-ce qu'on boit ?
4. Qu'est-ce qu'on ne boit pas ?

Repérez les expressions pour…

…demander une table.
…commander un plat ou une boisson.
…donner son opinion.
…exprimer son mécontentement.
…argumenter.

 Décrivez oralement les trois situations, puis résumez-les par écrit.

1. Écoutez et mettez à l'impératif, comme dans l'exemple.
— Il faut prendre le menu « affaires ».
→ — Oui, prenons le menu « affaires ».

1. … ; 2. … ; 3. … ; 4. … ; 5. … ; 6. … .

2. Jouez la scène. Mettez-vous par deux.
Choisissez votre menu et variez les façons de demander les plats.

L'impératif

regarder – choisir – prendre

Pour la conjugaison des verbes « regarder », « choisir » et « prendre », voir la page 181.

Quelques impératifs sont irréguliers : « aller », « être », « avoir ».

Pour la conjugaison des verbes « aller », « être » et « avoir », voir la page 181.

Soupe de tomates fraîches	Salade de chèvre chaud	Soupe à l'oignon
ou	ou	ou
Avocat aux crevettes	Assiette de crudités	Terrine du chef
*	*	*
Daurade au four	Magret de canard aux pommes	Entrecôte au poivre
ou	ou	ou
Escalope de veau aux champignons	Lapin à l'estragon	Bar à l'oseille
*	*	*
Plateau de fromages	Brie	Fromages
ou	ou	ou
Profiterolles	Sorbets maison	Crème caramel
ou	ou	ou
Tarte au citron	Crème brûlée	Tarte Tatin

Le verbe « voir »
au présent
Pour la conjugaison du verbe « voir », voir la page 178.

Le verbe « savoir »
au présent
Pour la conjugaison du verbe « savoir », voir la page 178.

Comment dire
● Pour commander un plat ou une consommation :
— Je voudrais …
— Je vais prendre…
— Donnez-moi/nous…
— Pour moi…
— S'il vous plaît…

Les adjectifs possessifs

un seul possesseur	plusieurs possesseurs
mon - ma - mes	notre - notre - nos
ton - ta - tes	votre - votre - vos
son - sa - ses	leur - leur - leurs

« ma », « ta », « sa » deviennent « mon », « ton », « son » devant un nom féminin commençant par une voyelle ou un « h » muet : mon imprimante, mon omelette.

3. Écoutez et complétez avec les verbes.
1. Est-ce qu'il … laisser un pourboire ?
2. Nous … commander tout de suite.
3. Vous … bien que je n'ai pas faim !
4. Ils ne … pas boire de vin.
5. Tu … que je n'aime pas le poisson.
6. Ils ne … pas de ratatouille.

(handwritten notes at top:) selon mon opinion / selon moi, je préfère...

(handwritten note, top right:) Je vais au restaurant chez Loïc dans un bon restaurant.

4. Répondez, comme dans l'exemple.

— *Comment est la terrine de Patricia ?*
(excellente) *mucha*
➡ — *Sa terrine est excellente.*

1. Comment sont vos côtelettes ?
(trop saignantes)
2. Comment est l'ordinateur de vos
collègues ? (très performant)
3. Comment est la secrétaire de Daniel ?
(sympathique)
4. Comment sont les desserts de
ce restaurant ? (trop sucrés)
5. Comment est l'imprimante d'Isabelle ?
(rapide)

Les comparatifs

Infériorité	**moins** (+adj.)
Égalité	**aussi** (+adj.) ...
Supériorité	**plus** (+adj.)

que

❗ Le comparatif de « bon » :
moins bon - aussi bon - meilleur

**6. Commentez à l'aide des adverbes,
comme dans l'exemple.** *[suva] todo*

*toujours – rarement – souvent – de temps en
temps – parfois – jamais...* *uhora*
(en juin et en décembre/restaurant) Il...
➡ *Il va rarement au restaurant.*

1. (une fois par semaine/cinéma) Il...
2. (tous les jours/poisson) Ils...
3. (en janvier, avril, juillet, octobre/théâtre) Je ...
4. (ni maintenant ni avant/cigarette) Elle...
5. (en 1990 et en 1995/avion) Ils...

❗ • Le contraire de
« toujours » = « ne... jamais »

 7. Jouez la scène.

Vous devez inviter des clients au restaurant.
Vous lisez des commentaires de la presse gastronomique avec un collègue. Vous choisissez
un restaurant. Votre collègue en préfère un
autre. Donnez votre opinion, argumentez et
essayez de le convaincre (qualité et choix des
plats, prix...).

---

5. Comparez les p...
poulet/rôti de ve...
➡ *Le poulet est...*

1. thon/saumon (s...)
2. côtelettes/côte ...
3. menu « affaires »/menu gastronomique (copieux) (-)
4. vin de la maison/Médoc (fruité) (=)
5. melon au porto/salade de tomates (bon) (+)

Comment dire

● Pour donner son opinion :
— À mon avis... *по, в cooperation*
— Selon moi... *дуроль*
— Je pense que... *дунать*

● Pour argumenter :
— Non...
— Pas vraiment...
— Ce n'est vraiment pas...

● Pour convaincre :
— C'est plus...
— C'est mieux... *[mjø] лучше*
— Vous devez... *должны принудить*
— Vous voyez bien que... *видеть, смотреть*
[vwaje]

● Pour négocier :
— C'est vrai, mais...
— Il est difficile de (+ inf.)...
— C'est peut-être...

Chez Loïc
Menu : 25 €
Le jeune chef propose de la cuisine de sa
Bretagne natale : lasagnes de chèvre et
d'artichaut breton, coquille Saint-Jacques aux
endives. En dessert, le pot de chicorée au
chocolat vaut une étoile.
Des vins intéressants comme le Château La
Hague 1992 à 13 € la bouteille ou un Saumur
Champigny à 16 €

La Table des frères BIOT *все*
Menus : 27 €, 36 €
(apéritif, vin, café compris) et 48 €
Les frères Biot proposent avec toujours
beaucoup de succès le sucré et le salé :
tarte à la mozzarella, veau rôti au miel de
lavande, pigeon au potiron.
Même originalité côté dessert : tarte aux pommes
au beurre salé toute simple mais excellente.
Vins raisonnables : Anjou villages à 14 € et
côte de Beaune à 20 €

Un Suisse chez Paragem

1 Monsieur Barnier, distributeur exclusif des produits *Paragem* en Suisse, profite de sa visite à Paris pour rencontrer madame Leblanc. Il se présente à la réception de *Paragem*. Écoutez ...

Complétez la fiche de visite.

P aragem

Destinataire : ....

Fiche de visite

Nom du visiteur :
....

Fonction :
....

Société :
....

❏ a rendez-vous à
...... heures

❏ n'a pas rendez-vous

Objet de la visite :
....
....

Que dit...

...Monsieur Barnier
– pour se présenter.
– pour savoir si Isabelle Mercier est là.

...Françoise Vittel
– pour confirmer l'heure du rendez-vous.
– pour dire quand arrive Madame Leblanc.
– pour dire où est Isabelle Mercier.

...Catherine Leblanc
– pour inviter M. Barnier dans son bureau.

2 Madame Leblanc invite monsieur Barnier dans son bureau. Les affaires ne vont pas très bien pour *Paragem* en Suisse. La situation est préoccupante. Écoutez...

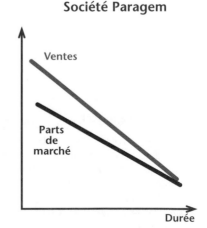

Société Gripoux

Ventes

Bénéfices

Durée

Société Paragem

Ventes

Parts de marché

Durée

unité 8 — Bon appétit !

Comparez la situation de la société *Gripoux* et de la société *Paragem* à l'aide du graphique.

A. Prenez des notes lors de la conversation avec monsieur Barnier, puis complétez le tableau.

	Société Gripoux	Société Paragem
Qualité des produits		
Prix des produits		
Travail des commerciaux		
Parts de marché		

B. Commentez les graphiques en construisant des phrases.

le / montre / une / graphique / augmentation / des / forte / ventes
croissance / indique / une / graphique / le / bénéfices / rapide / des
voit / une / le / constante / des / baisse / on / ventes /graphique / sur
note / parts de marché / le / diminution / on / graphique / sur / une / régulière / des

3 Après cet entretien, Monsieur Barnier et Catherine Leblanc rencontrent Philippe Cadet et Daniel dans le couloir. Écoutez...

Étudiez la concurrence.

Mettez le signe + ou – pour comparer les avantages de la société *Gripoux* face à la société *Paragem*.

	Société Gripoux	Société Paragem
Qualité des produits		
Prix des produits		
Force de vente		
Parts de marché		

Avez-vous bien compris ?

Rédigez.

Vous êtes chargé de rédiger le compte rendu de la réunion avec monsieur Barnier sur la situation de la société *Paragem* en Suisse. Aidez-vous de toutes vos réponses.

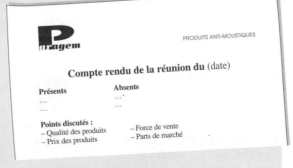

PRODUITS ANTI-MOUSTIQUES

Paragem

Compte rendu de la réunion du (date)

Présents
...
...

Absents
...
...

Points discutés :
– Qualité des produits
– Prix des produits
– Force de vente
– Parts de marché

Répondez et justifiez vos réponses.

1. À votre avis, Françoise Vittel apprécie-t-elle Isabelle Mercier ?
2. Selon monsieur Barnier, Isabelle Mercier doit-elle aller en Suisse ? Pourquoi ?

Variations

SAGEM MC800
Léger et compact
- Vibreur intégré.
- Haut-parleur fonction mains libres.

120,43 €

SONY CMD-CD5
Très élégant, très malin, très performant
- Vibreur intégré.
- Facile d'utilisation avec la mini-souris de navigation.
- Touche discrétion avec 6 modes d'utilisation sonnerie/vibreur.
- Fonction heure/réveil.

129,57 €

PANASONIC GD 90
88g' de performance et d'esthétique.
- Vibreur intégré.
- Fonction mémo-vocal.
- Répertoire de 180 noms et numéros.

121,19 €

Vous travaillez au service des achats.

Vous êtes chargé de choisir un modèle de téléphone portable pour quatre représentants.

1. Comparez les trois téléphones en remplissant le tableau.

	1	2	3
Modèle			
Caractéristiques			
Prix			

2. Écrivez une note à votre chef de service pour l'informer du modèle choisi. Vous justifiez votre choix (modèle, caractéristiques, prix).

NOUS VOUS APPORTONS NOTRE SAVOIR-FAIRE, APPORTEZ-NOUS VOTRE *DYNAMISME*
En créant votre

Pomme de Pain

qui vous apporte
- La recherche de l'emplacement
- Le financement complémentaire
- La fourniture de matériel performant

Discussion

Vous travaillez dans une chaîne de restauration rapide. Vous voulez implanter la croissanterie *Pomme de Pain* dans votre pays. Vous avez un entretien avec votre patron qui n'est pas de cet avis. Essayez d'argumenter et de le convaincre.

Votre compte rendu de visite

Vous travaillez pour une entreprise française. Vous faites une tournée dans votre pays. À votre retour, vous écrivez un compte rendu destiné à vos collègues. Vous décrivez comment vont les affaires pour votre entreprise dans ce pays (prix des produits, force de vente, parts de marché, concurrence…).

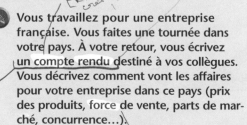

Ville, le …

COMPTE RENDU DE LA VISITE EFFECTUÉE

à … *(pays)*
par : … *(votre nom)*

le … *(date de la visite)*

I. Impression d'ensemble *(donnez votre avis général)*

II. Produits
    Ventes :
    Force de vente :

III. En conclusion *(pour finir, dites ce qui va bien et ce qui va moins bien ou mal)*

le convivialité

La cuisine française

Le personnel d'un grand restaurant : le sommelier, le maître d'hôtel, le garçon.

- Les Français aiment bien manger. Pour 86 % d'entre eux, c'est un des grands plaisirs de la vie.

- Le loisir préféré des Français, après la promenade dans les espaces verts (70 %), est la cuisine (50 %).

- Un bon repas, c'est avant tout : les fruits de mer, le poisson et le gigot, ainsi que les plats régionaux (foie gras, fondue bourguignonne, choucroute...).

- La grande cuisine est comparable à la haute couture. Cette gastronomie prestigieuse a pour base d'excellents produits frais. Paul Bocuse, l'un des grands chefs français, va lui-même au marché tous les matins.

Un bœuf bourguignon.

Culture d'entreprise

Les repas d'affaires

Le « déjeuner d'affaires » est, en France, une habitude. Dans les restaurants de luxe, 60 % des couverts au moins sont des repas d'affaires. On invite pour discuter d'affaires importantes, pour prendre contact ou pour faire plaisir à un bon client de passage. Les sociétés reconnaissent l'utilité des repas d'affaires, mais elles souhaitent réduire leurs frais. De nombreux restaurants proposent des « menus affaires » à prix fixe. On traite des affaires dans une ambiance conviviale, même si on ne signe pas toujours de contrat entre la poire et le fromage.

Voyager

> **Apprendre à...**
> • Demander et chercher à savoir
> • Faire des propositions
> • Indiquer la date,
>   l'heure et le moment

← 1 Une réservation de billet

— Bonjour, madame.
— Bonjour, monsieur. Je voudrais un billet aller-retour pour Marseille.
— Voulez-vous prendre une couchette en train de nuit ou le TGV dans la journée ?
— Le TGV. J'aimerais partir tôt, dans la matinée.
— Le premier TGV part à 7h15.
— Oui, c'est très bien. À quelle heure il arrive à Marseille ?
— À 13h43.
— Parfait. Peut-on manger dans le train ?
— Bien sûr. En première classe, on sert des plateaux-repas. Sinon, il y a un wagon de restauration rapide.
— C'est bien, mais je voyage en deuxième classe.
— Et c'est pour quand ?
— Vendredi 23 juin, s'il vous plaît. Et le retour, le 26 au matin.
— D'accord…. Voilà vos billets : TGV 043, pour le 23 juin, à 7h15, au départ de Paris-gare de Lyon ; retour en TGV 044, le 26 juin, à 8h11, au départ de Marseille-Saint-Charles.

Où sont-ils ?

Choisissez la bonne réponse et justifiez-la avec des exemples du dialogue.

Dans un bureau de réservations… ☐ …d'une gare. ☐ …d'un aéroport.

À quelle date ? À quelle heure ?

Complétez.

VOYAGE			
Aller		**Retour**	
Lieu de départ : …	Lieu d'arrivée : …	Lieu de départ : …	Lieu d'arrivée : …
Jour : …		Jour : …	
Moyen de transport : …	N° : …	Moyen de transport : …	N° : …
Heure de départ : … h …		Heure de départ : … h …	
1ʳᵉ classe ☐	2ᵉ classe ☐	1ʳᵉ classe ☐	2ᵉ classe ☐

Trouvez la bonne situation

Dans quelles situations…

Repérez.

1. …on parle de dates ?
2. …on parle d'horaires ?

3. …on parle de voyages ?
4. …on parle de tourisme ?

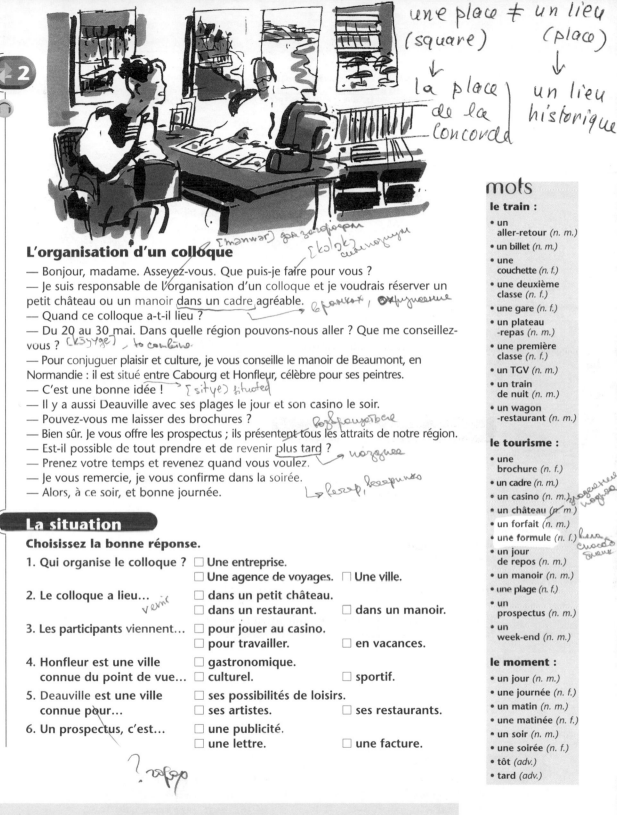

une place ≠ un lieu
(square)   (place)
la place   un lieu
de la   historique
Concorde

2

L'organisation d'un colloque

— Bonjour, madame. Asseyez-vous. Que puis-je faire pour vous ?

— Je suis responsable de l'organisation d'un colloque et je voudrais réserver un petit château ou un manoir dans un cadre agréable.

— Quand ce colloque a-t-il lieu ?

— Du 20 au 30 mai. Dans quelle région pouvons-nous aller ? Que me conseillez-vous ?

— Pour conjuguer plaisir et culture, je vous conseille le manoir de Beaumont, en Normandie : il est situé entre Cabourg et Honfleur, célèbre pour ses peintres.

— C'est une bonne idée !

— Il y a aussi Deauville avec ses plages le jour et son casino le soir.

— Pouvez-vous me laisser des brochures ?

— Bien sûr. Je vous offre les prospectus ; ils présentent tous les attraits de notre région.

— Est-il possible de tout prendre et de revenir plus tard ?

— Prenez votre temps et revenez quand vous voulez.

— Je vous remercie, je vous confirme dans la soirée.

— Alors, à ce soir, et bonne journée.

La situation

Choisissez la bonne réponse.

1. Qui organise le colloque ? ☐ Une entreprise.
   ☐ Une agence de voyages. ☐ Une ville.

2. Le colloque a lieu... ☐ dans un petit château.
   ☐ dans un restaurant. ☐ dans un manoir.

3. Les participants viennent... ☐ pour jouer au casino.
   ☐ pour travailler. ☐ en vacances.

4. Honfleur est une ville ☐ gastronomique.
   connue du point de vue... ☐ culturel. ☐ sportif.

5. Deauville est une ville ☐ ses possibilités de loisirs.
   connue pour... ☐ ses artistes. ☐ ses restaurants.

6. Un prospectus, c'est... ☐ une publicité.
   ☐ une lettre. ☐ une facture.

mots

le train :
- un aller-retour (n. m.)
- un billet (n. m.)
- une couchette (n. f.)
- une deuxième classe (n. f.)
- une gare (n. f.)
- un plateau -repas (n. m.)
- une première classe (n. f.)
- un TGV (n. m.)
- un train de nuit (n. m.)
- un wagon -restaurant (n. m.)

le tourisme :
- une brochure (n. f.)
- un cadre (n. m.)
- un casino (n. m.)
- un château (n. m.)
- un forfait (n. m.)
- une formule (n. f.)
- un jour de repos (n. m.)
- un manoir (n. m.)
- une plage (n. f.)
- un prospectus (n. m.)
- un week-end (n. m.)

le moment :
- un jour (n. m.)
- une journée (n. f.)
- un matin (n. m.)
- une matinée (n. f.)
- un soir (n. m.)
- une soirée (n. f.)
- tôt (adv.)
- tard (adv.)

Décrivez

1. la personne qui va faire un voyage à Marseille.
2. la personne qui cherche des renseignements.

1. Écoutez les réponses et trouvez les questions.

a. avec la simple intonation ; **b.** avec « est-ce que » ; **c.** avec l'inversion.
1. … ; **2.** … ; **3.** … ; **4.** … ; **5.** … .

2. Faites correspondre.
Sur quoi porte l'interrogation ?

a. un lieu .... **1.** Qui veut partir en week-end ?
b. une date .... **2.** Où vont-ils partir ?
c. une personne .... **3.** Quand vont-elles faire ce voyage ?
d. une quantité .... **4.** Combien ça coûte ?
e. une heure .... **5.** À quelle heure part le train pour Marseille ?

3. Complétez avec le mot interrogatif qui convient.
1. Dans *quel* … pays le colloque est-il organisé ?
2. *Comment* … prépares-tu le canard à l'orange ?
3. *combien* Vous attendez … de participants au colloque ?
4. *quelles* … plages normandes connaissez-vous ?
5. *pourquoi* … prends-tu le TVG et non le train de nuit ?
6. *Qui* … est le responsable de l'organisation de ce voyage ?

L'interrogation (récapitulatif)

- Avec la simple intonation : On peut déjeuner dans le train **?**
- Avec « est-ce que » : **Est-ce qu'**on peut déjeuner dans le train ?
- Avec l'inversion : **Peut-on** déjeuner dans le train ?

On peut répondre à ces questions par « oui » ou par « non ».

Mots interrogatifs : qui - que - quoi - où - quand - combien
Exemple : *Où vont-ils ?*
Ces mots peuvent être précédés d'une préposition.
Exemples : *Pour combien de personnes ?* – *En quoi puis-je vous être utile ?*

Mots interrogatifs appelant une explication : comment - pourquoi
Exemples : *Comment allez-vous ?* – *Pourquoi pars-tu en voyage ?*

Mots interrogatifs précédant un nom : quel - quelle - quels - quelles
Exemple : *Quel château me conseillez-vous ?*
Ces mots peuvent être précédés d'une préposition.
Exemples : *À quelle heure… ?* – *Dans quelle région… ?*

Comment dire

- Pour indiquer la date :
  – vendredi 23 juin
  – le 26 au matin
  – du 20 au 30 mai…
- Pour indiquer l'heure :
  – à 7h15
  – le train de 8h11

- Pour indiquer le moment :
  – le matin, le soir…
  – tôt, tard, plus tard, trop tôt…
- Pour indiquer la durée :
  – dans la journée
  – dans la matinée
  – dans la soirée

unité **9** Voyager

4. À vous de jouer.

1. Vous achetez vos billets à la gare d'Austerlitz pour votre week-end touristique dans la région de Tours et d'Orléans (Val de Loire).
2. Vous présentez aux participants d'un colloque les activités proposées pour les jours de repos.

 5. Écoutez et complétez avec les verbes.

1. Je … de faire les réservations pour notre voyage.
2. Quand est-ce que tu … ?
3. … ! Je … vous montrer les dépliants.
4. — Depuis quand êtes vous là ?
— Nous … d'arriver.
5. Pouvez-vous me dire quand il … ?

Les constructions avec l'infinitif

● pour le futur proche : **aller** + infinitif
Exemple : *Elle va faire un voyage.*

● pour le passé récent : **venir de** + infinitif
Exemple : *Elle vient de faire un voyage.*

● pour l'obligation
ou la possibilité :   **il faut** + infinitif
il est possible de + infinitif
Exemple : *Il faut prendre le train. - Il est possible de prendre l'avion.*
devoir + infinitif
pouvoir + infinitif
Exemples : *Je dois prendre le train. - Je peux prendre l'avion.*

● Autres verbes : **aimer, laisser**… + infinitif
Exemples : *J'aimerais prendre le train. - Je vous laisse regarder les prospectus.*

Le verbe « venir »

au présent

Pour la conjugaison du verbe « venir », voir la page 178.
« revenir » se conjugue comme « venir ».

 6. Parlez à leur place.

1. Une touriste cherche des renseignements sur les attraits d'une région. L'employé du syndicat d'initiative lui fait des propositions.
2. Des amis sont au restaurant et demandent des conseils au maître d'hôtel.
3. Vous êtes chargé(e) de réserver par téléphone des billets de train pour un groupe de commerciaux.

Aérofrance réservations,

 1 Isabelle Mercier doit se rendre en Suisse. Elle appelle la compagnie aérienne *Aérofrance* pour réserver une place sur un vol Paris-Genève. Écoutez…

vol 306*	Paris-Charles-de-Gaulle	5h45	Genève	7h00
vol 307*	Paris-Charles-de-Gaulle	6h20	Genève	7h35
vol 308*	Paris-Charles-de-Gaulle	7h10	Genève	8h25
vol 309**	Paris-Charles-de-Gaulle	7h50	Genève	9h05
vol 310*	Paris-Charles-de-Gaulle	8h30	Genève	9h45

* classe affaires + classe économique
** classe affaires + classe économique + première classe

vol 420	Genève	18h15	Paris-Charles-de-Gaulle	19h35
vol 421	Genève	19h00	Paris-Charles-de-Gaulle	20h20
vol 422	Genève	19h50	Paris-Charles-de-Gaulle	21h10
vol 423	Genève	20h35	Paris-Charles-de-Gaulle	21h55
vol 424	Genève	21h10	Paris-Charles-de-Gaulle	2h30

Prenez en note la réservation d'Isabelle.

	ALLER	RETOUR
Date de départ :		
Heure de départ :		
Heure d'arrivée :		
Classe :		
N° du vol :		
N° de réservation :		

 2 Daniel est dans le bureau d'Isabelle. Il lui demande le jour de son voyage et l'heure du départ. Isabelle lui explique alors les deux façons de donner l'heure : la plus courante et la plus formelle. Écoutez…

minuit
00h00 (zéro heure)

8:30 8 heures et demie
8h30 (huit heures trente)

midi
12h00 (douze heures)

7 heures du matin
7h00 (sept heures)

8:15 8 heures et quart
8h15 (huit heures quinze)

8:45 9 heures moins le quart
8h45 (huit heures quarante-cinq)

8:50 9 heures moins dix
8h50 (huit heures cinquante)

 8 heures moins vingt-cinq
19h35 (dix-neuf heures trente-cinq)

19:00 7 heures du soir
19h00 (dix-neuf heures)

bonjour ! feuilleton-radio

Un nouveau collègue francophone vient d'arriver dans votre entreprise.

Il vous demande les horaires de travail, de pause déjeuner, de bus, de car ou de train pour venir travailler.
Vous lui répondez.

Vous êtes employé(e) dans une agence de voyages.

• Vous indiquez des horaires de train à un client : il souhaite passer le week-end à Nîmes. Il ne peut pas partir avant 8h du soir et veut pouvoir se restaurer.

• Vous indiquez les horaires d'avion à un client qui veut se rendre à Ajaccio, en Corse. Il veut partir un mardi matin et être de retour le dimanche soir.

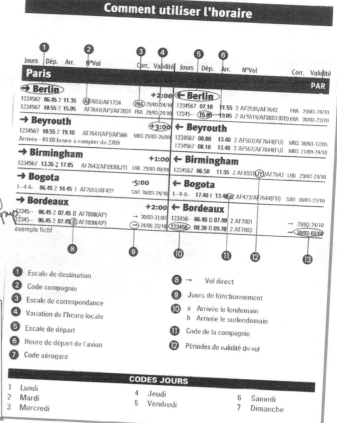

Comment utiliser l'horaire

	Jours	Dép.	Arr.	N°Vol		Corr.	Validité	Jours	Dép.	Arr.	N°Vol		Corr.	Validité
Paris														**PAR**
→ Berlin						**+2:00**		**← Berlin**						
	1234567	06.45	2 11.35	AF7651/AF1734			FRA 29/03-24/10	1234567	07.10		11.55 2 AF2535/AF7642		FRA 29/03-24/10
	1234567	10.55	2 15.05	AF7641(AP)/AF2034			FRA 29/03-24/10	12345--	15.05		19.05 2 AF5519/AF8883 (DB)		FRA 30/03-23/10
→ Beyrouth						**+3:00**		**← Beyrouth**						
	1234567	10.55	2 19.10	AF7641(AP)/AF566			MRS 29/03-26/09	1234567	08.00	13.40	2 AF567/AF7644(FU)		MRS 30/03-12/05
Arrivée - 01:00 heure à compter du 27/09								1234567	08.10	13.40	2 AF567/AF7644(FU)		MRS 21/09-24/10
→ Birmingham						**+1:00**		**← Birmingham**						
	1234567	13.35	2 17.05	AF7643/AF8938(JY)			LHR 29/03-09/04	1234567	06.50		11.55 2 AF893(JY)/AF7642		LHR 29/03-24/10
→ Bogota						**-5:00**		**← Bogota**						
	1--4-6-	06.45	2 14.45	AF7651/AF422			SAO 30/03-24/10	1--4-6-	17.40	1 13.40	2 AF423/AF7644(FU)		SAO 30/03-22/10
→ Bordeaux						**+2:00**		**← Bordeaux**						
	12345--	06.45	2 07.45	B AF7800(AP)	→		30/03-31/07	123456-	06.40	B 07.40	2 AF7801	→		29/03-24/10
	12345--	06.45	2 07.45	B AF7800(AP)	⟳		24/08-23/10	123456	08.30	B 09.30	2 AF7803	⟳		30/03-03/10
exemple fictif														

① Escale de destination
② Code compagnie
③ Escale de correspondance
④ Variation de l'heure locale
⑤ Escale de départ
⑥ Heure de départ de l'avion
⑦ Code aérogare

⑧ → Vol direct
⑨ Jours de fonctionnement
⑩ a Arrivée le lendemain
   b Arrivée le surlendemain
⑪ Code de la compagnie
⑫ Périodes de validité du vol

CODES JOURS

1 Lundi	4 Jeudi	6 Samedi
2 Mardi	5 Vendredi	7 Dimanche
3 Mercredi		

→ Ajaccio

....67	09.05w10.40	AF7562(XX)
2345..	09.35w11.10	AF7562(XX)
2345..	15.45w17.20	AF7576
....6.	17.15w18.50	AF7576
.....7	18.25w20.00	AF7570
2345.7	20.50w22.25	AF7572

← Ajaccio

12345..	06.55	08.35	wAF7561
.....6.	08.00	09.40	wAF7561
.....67	11.35	13.15	wAF7565
12345..	14.00	15.40	wAF7579(XX)
12345..	18.15	19.55	wAF7571(XX)
......7	18.50	20.30	wAF7571(XX)
......6.	19.40	21.20	wAF7575
......7	20.50	22.30	wAF7573

PARIS→NIMES

ALLER
Départ : 28/02 à 10h00

VOTRE BILLET ALLER

Choisissez votre horaire

ALLER	départ		arrivée		type de train	niveau de prix
Choix 1 (9h01mn)	PARIS BERCY	09.25	AVIGNON SUD	16:26	Auto train Réservation recommandée	-
	AVIGNON	17:53	NIMES	18:28	TER	-
Choix 2 (4h36mn)	PARIS GARE DE LYON	10:00	LYON PART DIEU	12:04	TGV Duplex Réservation obligatoire	-
	LYON PART DIEU	12:26	NIMES	14:36	TGV Réservation obligatoire	-
Choix 3 (3h51mn)	PARIS GARE DE LYON	10:29	NIMES	14:20	TGV Réservation obligatoire	★

Villes de départ

Destinations

Heures de départ

Heures d'arrivée

mots

les mois de l'année :
• janvier
• février
• mars
• avril
• mai
• juin
• juillet
• août
• septembre
• octobre
• novembre
• décembre

Avez-vous bien compris ?

Vous êtes chargé(e) de rédiger une télécopie à l'attention de monsieur Barnier à Genève. Vous lui confirmez le voyage d'Isabelle Mercier et lui demandez de venir la chercher à l'aéroport.

François 1er – 1515

Variations
Un week-end touristique

Voyage en Touraine

Faites un voyage dans l'histoire et venez visiter la Touraine. Les châteaux sont tous différents et splendides. Les musées reflètent la splendeur qui régnait à la cour des rois de France.

La nature est belle et on peut pratiquer de nombreuses activités.
Pour découvrir la région et ses châteaux, vous pouvez vous balader à pied, à vélo, à cheval.
Le sport est le nouveau roi de cette région.

Hôtel *des rois de France*
À côté du château de Chenonceaux, cet hôtel de charme vous offre beauté, calme et détente.
89, rue Robespierre
37150 Chenonceaux
Tél. : 02 47 91 17 89
De 28 à 122 euros la nuit
(petit-déjeuner compris)

Hôtel *Loisirs*
Idéal pour conjuguer travail et tourisme. Cet hôtel, proche du château de Chambord, offre des salles de réunion et de travail équipées d'ordinateurs. Pour se détendre, il est possible de profiter de la piscine et du sauna. Le restaurant a une carte riche et variée. Les prix des chambres vont de 54 à 183 euros la nuit.
6, place François Ier
41250 Chambord
Tél. : 02 56 20 00 01

Hôtel *de la Tour*
Situé dans le « vieux » Tours, cet hôtel offre de nombreuses prestations : restauration, piscine, organisation de circuits touristiques. Entre 45 et 137 euros la nuit.
12, rue Gustave Eiffel – 37 000 Tours
Tél. : 02 47 05 10 05

Un de vos collègues ou amis doit séjourner en France.

Vous lui conseillez un hôtel. Vous écrivez une note pour lui donner le nom, l'adresse… et vous lui faites une description.

Rédigez la présentation d'une région de votre pays et de ses attraits.

Prenez comme modèle le document ci-dessus.

Le trafic aérien en France

Évolution du trafic français
(en millions de passagers)

106,3
100,09
97,41
90,15
90,12
85,22

Le territoire français, DOM compris, compte 150 aéroports environ, en majorité gérés par les CCI – Chambres de Commerce et d'Industrie.
La gestion des autres, soit environ 20 %, est assurée par des établissements publics (Bâle/Mulhouse, Roissy, Orly…), voire des collectivités locales ou des structures privées.

Les attraits touristiques et culturels de la France

La France accueille en moyenne **68 millions de touristes par an.** Elle est la première destination mondiale devant l'Espagne, les États-Unis, l'Italie et la Chine.

En France, on dénombre 38 000 monuments historiques, 4 000 musées, 2 000 festivals

Les sites les plus visités sont :
- La forêt de Fontainebleau   13 M*
- Disneyland   12,6 M
- Notre-Dame de Paris   11 M
- Les puces de Saint-Ouen   11 M
- Le parc du château de Versailles   7 M
- La tour Eiffel   5,5 M
- Le Sacré Cœur de Paris   5 M
- Le Louvre   4,7 M
- Notre-Dame de Lourdes   4 M
- Le rocher de Monaco   4 M
- Le mont Saint-Michel   2,5 M

*en million de visiteurs

Les Français sont les Européens qui voyagent le plus sur les lignes aériennes intérieures : un vol pour quatre habitants par an en moyenne.

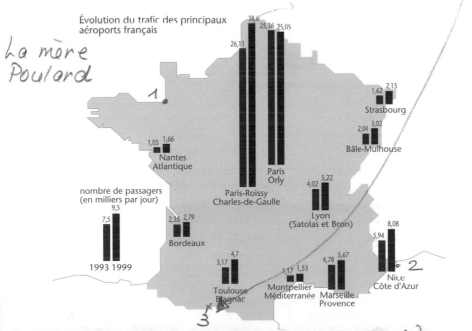

Évolution du trafic des principaux aéroports français

nombre de passagers (en milliers de passagers par jour)

1993 1999

38,6
25,36 25,05
26,11
2,15
1,62
Strasbourg
3,02
2,04
Bâle-Mulhouse
1,05 1,66
Nantes Atlantique
Paris Orly
Paris-Roissy Charles-de-Gaulle
5,22
4,02
Lyon (Satolas et Bron)
9,5
7,5
2,35 2,79
Bordeaux
4,7
3,17
Toulouse Blagnac
1,17 1,53
Montpellier Méditerranée
4,78 5,67
Marseille Provence
8,08
5,94
Nice Côte d'Azur

Se loger

Apprendre à...
- Exprimer la finalité
- S'opposer
- S'indigner

unité **10** Se loger

1 À la recherche d'une location

— Tu trouves quelque chose d'intéressant à louer pour la durée du stage ?
— Oui, il y a un petit appartement très confortable à côté du centre de recherches.
— Mais c'est hors de prix !
— Alors on peut habiter en banlieue ; c'est plus loin, mais c'est la formule la moins chère.
— Quelle horreur ! Je ne suis pas d'accord !
— Pourquoi ?
— Parce que les transports sont plus longs. Je suis ici pour me former, m'amuser et profiter de la ville !
— Tu n'es jamais contente !

Que signifie...

Choisissez la bonne réponse.

1. Un centre de recherche.
   - ☐ Un lieu où on fait de la recherche.
   - ☐ Un lieu où on recherche des objets perdus.

2. « C'est hors de prix ! »
   - ☐ C'est très cher !
   - ☐ C'est très bon marché !

3. Habiter en banlieue.
   - ☐ Habiter à la campagne.
   - ☐ Habiter près de la ville.

Que désignent ces phrases ?

a. la cause ; b. l'opposition ; c. la finalité (le but).

1. Il faut chercher une location pour la durée du stage.
2. Je préfère la banlieue parce que c'est moins cher.
3. Mais c'est trop cher !
4. Au contraire, c'est très bon marché !
5. Je ne suis pas d'accord.
6. Pourquoi ? Parce que les transports sont plus longs.
7. Je veux habiter dans le centre pour profiter de la ville.

2

Une proposition du comité d'entreprise

— Le comité d'entreprise vous propose des locations dans une station de sports d'hiver, comme l'an dernier. Êtes-vous intéressés ?

— Ça dépend des conditions.

— Vous connaissez les tarifs des agences de voyages. C'est avec le comité d'entreprise que les locations sont les moins chères.

— Mais comment faites-vous ?

— C'est simple. Il y a des chalets avec plusieurs appartements et des studios. Nous louons le tout.

— Dans un studio, qu'est-ce qu'il y a ?

— Dans les studios, il y a une kitchenette et une douche. Dans les appartements, vous avez une cuisine, un séjour avec une cheminée et un balcon, une chambre double avec un grand lit, une chambre individuelle et une salle de bains. Je vous laisse la documentation.

— Je connais ces chalets. Ils sont très bien meublés et ils ont la plus belle vue de la station.

— Et en plus, ils sont au pied des pistes de ski. C'est le plus important.

Vrai ou faux ?

Choisissez la bonne réponse.

	vrai	faux
1. Le comité d'entreprise propose des locations à ses employés.	☑	☐
2. Le comité d'entreprise loue des chalets dans une station de sports d'hiver.	☑	☐
3. Les chalets n'ont pas de balcon.	☐	☑
4. Il n'y a pas de salle de bains dans les appartements.	☐	☑
5. Un studio est un appartement d'une seule pièce.	☑	☐
6. Dans la chambre double, il y a deux lits.	☐	☑
7. Une kitchenette est une petite cuisine.	☑	☐

Plus ou moins ?

Choisissez la bonne réponse.

1. C'est dans les agences de voyages que…
   ☑ les offres sont les plus chères.   ☐ les offres sont les moins chères.

2. C'est par le comité d'entreprise que …
   ☐ les locations sont les plus chères.   ☑ les locations sont les moins chères.

3. La situation du chalet dans la station est…
   ☑ la chose la plus importante.   ☐ la chose la moins importante.

Trouvez la bonne situation

Qui sont-ils ?

Repérez et justifiez par des exemples.

1. Les personnages qui expriment une finalité.
2. Les personnages qui s'opposent.
3. Les personnages qui s'indignent.

 À l'aide des illustrations et de la rubrique « mots », décrivez les deux situations. Qui sont les personnages ? Où habitent-ils ? Où se trouvent-ils ? Que voit-on sur les illustrations ?

---

mots

l'habitat :
- un appartement (n. m.)
- un chalet (n. m.)
- un immeuble (n. m.)
- une maison (n. f.)
- un studio (n. m.)

les pièces :
- une chambre (n. f.)
- une cheminée (n. f.)
- une cuisine (n. f.)
- une kitchenette (n. f.)
- une salle à manger (n. f.)
- une salle de bains (n. f.)
- un séjour (n. m.)

les meubles :
- une chaise (n. f.)
- un lit (n. m.)
- une table (n. f.)

les vacances :
- une location (n. f.)
- une piste (de ski) (n. f.)
- une station (de sports d'hiver) (n. f.)

l'hôtel :
- une chambre avec bain (n. f.)
- une chambre avec douche (n. f.)
- une chambre double (n. f.)
- une chambre individuelle (n. f.)

les saisons :
- l'hiver (n. m.)
- le printemps (n. m.)
- l'été (n. m.)
- l'automne (n. m.)

1. Faites des phrases, comme dans l'exemple.

ville de Normandie - Deauville - touristique (+)
Deauville est la ville la plus touristique de Normandie.

1. l'hôtel - chambre 12 - confortable (+)
2. la parfumerie - le parfum Chanel n° 5 - cher (+)
3. l'entreprise - le bureau du patron - grand (–)
4. le restaurant - plat du chef - bon (+)
5. l'agence - voyage aux Caraïbes - intéressant (–)

2. Écoutez et réagissez en confirmant, comme dans l'exemple.

Cet appartement est agréable.
➞ *C'est vrai ! C'est le plus agréable !*

1. … ; 2. … ; 3. … ; 4. … ; 5. … ; 6. … .

Les superlatifs

le/la/les plus + adj. (+ de…)
le/la/les moins + adj. (+ de…)

Exemples :
Nos offres sont les moins chères.
C'est l'offre la plus intéressante de l'année.
Ils ont la plus belle vue de la station.

Avec l'adjectif « bon »,
le superlatif est :
**le meilleur - la meilleure
- les meilleurs - les meilleures.**

Comment dire

● Pour demander la cause :
— Pourquoi… ?

● Pour exprimer la cause :
— Parce que…

● Pour exprimer le but :
— Pour…

---

3. Complétez librement, en précisant le but.

1. Je téléphone à l'agence de voyages…
2. Il appelle ses collègues…
3. Le directeur convoque les commerciaux…
4. Le stagiaire écoute la conversation téléphonique…
5. Ils vont louer un appartement aux sports d'hiver…
6. Tu peux prendre un taxi…

4. Reliez les phrases, puis lisez-les à haute voix, en précisant la cause à l'aide de « parce que ».

1. Elle choisit un petit appartement.
2. Il va partir en vacances.
3. Ils déjeunent à la cantine.
4. Il démissionne de son poste.
5. Elle ne va plus dans ce restaurant.

a. Il ne s'entend pas bien avec le directeur.
b. Le repas n'est pas cher.
c. Il est très fatigué.
d. C'est moins cher.
e. Elle n'aime pas leur cuisine.

5. Écoutez et complétez avec les verbes.

1. Nous ne … pas cette station de ski.
2. Il … que ce restaurant est excellent.
3. …-vous un petit hôtel tranquille à Paris ?
4. Tu devrais prendre des vacances. Tu me … fatigué.
5. Je … bien la femme du directeur.
6. Il … que tu … notre principal concurrent.

Le verbe « connaître »

au présent

Pour la conjugaison du verbe « connaître »,
voir la page 178.
Se conjuguent comme « connaître » :
« paraître » et « naître ».

6. Jouez les scènes.
Mettez-vous par deux.

1. Vous êtes chargé(e) de préparer un week-end de stimulation pour dynamiser un groupe de commerciaux. Vous n'êtes pas d'accord avec la proposition faite par votre patron.

> *Pour vos séminaires, stimulations ou réunions,*
>
> ## Center Parcs
>
> *vous apporte la solution : deux domaines à seulement 1h30 de Paris, en Sologne et en Normandie. Vous séjournez dans de vastes cottages confortablement équipés (baignoires à remous, terrasse, salon avec cheminée). Pour vos réunions, des salles climatisées vous accueillent et pour la détente, restaurants, boutiques, sports et loisirs.*
>
> **Le service GROUPES et SÉMINAIRES
> choisira avec vous la formule la plus adaptée.**

2. À l'agence de voyages, vous êtes un client difficile. On vous propose différentes destinations, mais vous n'êtes jamais content.

Canada
à prix sensations

8 jours / 6 nuits
circuit découverte
867€
par personne (base 4 personnes)
au départ de Paris
+
**coupon de réduction
dans différents magasins**

Grand hôtel Caribou ★★★
Excellente situation à quelques minutes à pied du quartier historique et universitaire de Montréal.
À votre disposition : restaurant, bar, boutique, petite salle de gymnastique, sauna et dans les chambres planche/fer à repasser, machine à café…

Martinique

Destination

625 €

*Séjour hôtel
pêche sous-marine
sports nautiques
circuits touristiques
croisières…*

Comment dire
● Pour s'opposer :
— Mais…
— Mais non !
— Au contraire…
— Je ne suis pas d'accord !
— Pas forcément !
● Quand on s'indigne :
— Pas possible !
— C'est invraisemblable !
— Quelle horreur !
— Je n'arrive pas à le croire !

7. Écoutez et réagissez en vous indignant.

1. … ; **2.** … ; **3.** … ; **4.** … ; **5.** … .

Le Grand Palace

1 Stéphane Petibon demande à Françoise de réserver une chambre d'hôtel à Genève pour Isabelle. Mais Françoise trouve que le *Grand Palace* est trop luxueux pour un voyage d'affaires. Écoutez…

En plein cœur de Genève, le *Grand Palace* vous accueille avec sa piscine, son sauna, son piano-bar, sa boîte de nuit et son restaurant gastronomique. Chambres individuelles, chambres doubles et suites. Nos prix incluent le petit-déjeuner (servi dans les chambres ou au grand buffet du Salon Bleu)

15, rue des eaux-vives, 1207 Genève

tél. : 0041 22 735 4580

15, rue des eaux-vives, 1207 Genève

tél. : 0041 22 735 4580

Pour l'organisation de colloques et de conférences, contacter la direction de l'hôtel.

Qui dit quoi ? Stéphane ou Françoise ?

1. Voici un dépliant de l'hôtel.
2. Mais c'est un cinq étoiles !
3. C'est l'hôtel le plus accueillant de la ville.
4. En effet, il a l'air très accueillant !
5. Oui, enfin, bref…
6. D'accord, d'accord.

2 Françoise Vittel téléphone au Grand Palace pour réserver la chambre d'Isabelle. Elle est de mauvaise humeur, et peut-être un peu jalouse… Écoutez…

Complétez la fiche de confirmation.

Réservation / modification / annulation

Faite ☐ par téléphone ☐ sur place

Date d'arrivée : ....

Date de départ : ....

Nombre de nuits : ....

Nom du client : ....

Société : ....

Chambre : ☐ simple ☐ double ☐ triple

unité 10 Se loger

feuilleton-radio

Réservez une chambre...

...pour Philippe Cadet dans un hôtel de Tokyo, pour les 25 et 26 juin.

3

Philippe Cadet entre dans le bureau de Françoise Vittel. Elle parle avec lui du *Grand Palace*. Puis elle rencontre Isabelle Mercier à la cantine.
Isabelle lui conseille de prendre des vacances à Genève ! Écoutez...

Vrai ou faux ?

Choisissez la bonne réponse.

	vrai	faux
1. Philippe Cadet connaît bien le *Grand Palace*, à Genève.	☐	☐
2. Cet hôtel est aussi prestigieux que le Ritz.	☐	☐
3. Françoise exagère.	☐	☐
4. Pour lui, les hôtels de luxe sont formidables.	☐	☐
5. Françoise a l'air fatiguée.	☐	☐
6. Françoise a besoin de vacances.	☐	☐
7. Isabelle conseille un hôtel magnifique pour les vacances de Françoise.	☐	☐

Avez-vous bien compris ? ?

Précisez la situation.

1. Expliquez pourquoi Françoise est indignée.
2. Donnez votre avis sur l'opinion de Philippe Cadet : pourquoi trouve-t-il les hôtels ennuyeux ?
3. Donnez votre avis sur l'attitude d'Isabelle : pourquoi parle-t-elle à Françoise de vacances à Genève ?

Variations

Les petites annonces

🔍 Vous cherchez une location pour vos vacances en France.
Mettez-vous par deux.

Choisissez, parmi ces petites annonces, les locations qui peuvent vous convenir. Téléphonez ensuite pour demander des renseignements complémentaires et pour discuter des conditions.

réf : 1.052.818
BIARRITZ (64) - centre ville, 80m thalasso, 150m Palais, proche commerce et mer - appart. calme 3 pièces - 57 m2 habit. - rez de jardin - 2 chbres, cuisine équipée, séjour, salle de bains, wc, TV, linge fourni - toutes périodes: 460 € sem. - **05.56.62.74.98** - DOM

réf : 1.048.952
AVORIAZ (74) - 1.800m - appart. 2 pièces, 43 m2, tout confort, pour 4/5 pers., rez-de-ch. surelevé, expo S/O, immeuble 2 étages - bar, kitch., four, réfrig., lave-vais., bains, balcon 4 m2, cheminée - calme, sans voiture, environnement et vue - commerces et pistes à prox., on chausse sur pas de porte - 7 nuits selon périodes et nbres de pers. : de 304 € à 838 € - **01.43.24.31.18 - 06.09.86.28.05**

Une réservation

🔍 1. Faites la réservation téléphonique d'une chambre d'hôtel pour votre prochain voyage en France.

✏️ 2. L'hôtel vous demande de confirmer par fax. Rédigez le fax de confirmation.

À vendre ou à louer

✏️ 1. Vous travaillez au service du personnel d'une entreprise située en province.

Vous recherchez des appartements à louer pour des cadres étrangers. Vous faites paraître une annonce dans la presse. Rédigez-la.

✏️ 2. Rédigez une petite annonce pour vendre (ou louer) votre maison ou votre appartement.

Décrivez bien les pièces et cherchez à attirer les clients.

F29K03

HÔTEL MERCURE BORDEAUX MÉRIADECK ***

Hôtel moderne et convivial à 4 km de la gare, non loin du musée des Beaux-Arts et de la place Gambetta. Ascenseurs, bar, restaurant, salle TV, salles de réunions, garage (payant). Animaux admis (payant). 194 chambres climatisées avec douche ou bain et wc, téléphone, radio, TV par satellite avec C+, double vitrage, sèche-cheveux, minibar. Petit déjeuner buffet.

F29G01

HÔTEL AMARYS ROYAL SAINT-JEAN ***

Hôtel d'architecture bordelaise (XVIIIᵉˢ) à 50 m de la gare St-Jean. Ascenseur, bar, salle de réunions, garage (payant). Animaux admis. 37 chambres avec douche ou bain et wc, téléphone, TV avec C+, minibar. Petit déjeuner buffet.

F29L03

HÔTEL NOVOTEL BORDEAUX MÉRIADECK ***

Hôtel moderne et international à 3 km de la gare, à 100 m du centre historique. Ascenseurs, terrasse, bar, restaurant, salles de réunions. Animaux admis (payant). 138 chambres climatisées avec douche ou bain et wc, téléphone, radio, TV par satellite avec C+, double vitrage, sèche-cheveux, minibar. Petit déjeuner buffet.

Les hôtels en France

L'hôtellerie de chaîne connaît une progression de 11 % de son activité. Mais les hôtels standardisés attirent moins les Français que les hôtels de charme authentiques.

Référence de l'hôtellerie très économique avec plus de 320 hôtels en France et dans le monde, Formule 1

est la garantie de dormir au meilleur prix, quelle que soit la destination. Des prix modulables en fonction des villes et des périodes, mais toujours les moins chers. Les chambres sont équipées pour 1, 2 ou 3 personnes, fonctionnelles, de confort simple mais garanti, toutes équipées d'un téléviseur. En dehors des heures de réception, vente automatique de chambres 24h / 24. Petit déjeuner à volonté en libre service. Parking gratuit.

	Grand luxe	
	Grand confort	
	Très confortable	
	De bon confort	
	Assez confortable	
	Simple mais convenable	

	La table vaut le voyage
	La table mérite un détour
	Une très bonne table
Repas	Repas soigné à prix modérés 15/19 €
	Petit déjeuner
enf.	Menu enfant

	Menu à moins de 12 €

	Hôtels agréables
	Restaurants agréables
	Vue exceptionnelle
	Vue intéressante ou étendue
	Situation très tranquille, isolée
	Situation tranquille

	Repas au jardin ou en terrasse
	Salle de remise en forme
	Piscine en plein air ou couverte
	Jardin de repos – Tennis à l'hôtel

	Ascenseur
	Non-fumeur
	Air conditionné
	Téléphone dans la chambre
	Téléphone direct
	Accessible aux handicapés physiques
	Parking – Garage
	Salles de conférence, séminaire
	Accès interdit aux chiens
AE	*American Express* – *Diners Club*
GB JCB	Carte Bancaire – *Japan Card Bank*

Les sorties

Apprendre à...
- Demander de faire et de ne pas faire
- Faire des suppositions
- S'exclamer
- Rédiger des formules de correspondance commerciale

← 1 Taxi !

— Taxi !
— Où allez-vous ?
— Place Pigalle.
— Désolé ! Je rentre en banlieue.
— Vous êtes libre : vous n'avez pas le droit de refuser.
— Ne montez pas ! C'est inutile, je ne vous amènerai pas.
— Ça alors ! C'est incroyable ! Je vais prendre votre numéro et je ferai une réclamation.
— Comme vous voudrez. Au revoir.

Un taxi désagréable

A. Repérez le contraire.

1. Vous avez le droit de refuser.
2. Montez !
3. Je vous amènerai.
4. Je ne rentre pas en banlieue.

B. Répondez.

1. Pourquoi le chauffeur de taxi ne veut-il pas conduire la femme Place Pigalle ?
2. D'après la femme, est-ce que le chauffeur peut refuser de prendre un client ?
3. Qu'est-ce qu'elle va faire ?
4. D'après vous, le chauffeur est-il inquiet quand la femme menace de faire une réclamation ?

← 2

Gardez la monnaie.

— Taxi ! À la gare de Lyon, s'il vous plaît.
— Vous avez un itinéraire préféré ?
— Ne prenez pas les grands axes : il y a trop d'embouteillages, je suis pressé.
— Ne vous inquiétez pas, ça roule bien à cette heure-ci. (…)
— Combien je vous dois ?
— 11 euros pour la course, plus 3 euros pour les bagages.
— Tenez ! Gardez la monnaie.
— Merci, monsieur. Bon voyage !

Le mot juste

Trouvez les mots correspondant aux définitions.

1. Le chemin suivi pour se rendre à un endroit.
2. Les rues, les avenues et les boulevards dans une ville.
3. Le ralentissement de la circulation à cause d'un grand nombre de voitures.
4. Les valises et les sacs d'un voyageur.
5. L'argent rendu sur un billet de banque d'un montant important.

À Paris, la nuit

— Quelle idée d'amener des clients dîner au *Moulin Rouge* ! Vous avez vu la queue !

— C'est toujours comme ça le samedi soir, mais la table est réservée. Ça va aller très vite. Et le spectacle plaît beaucoup.

— Vous ne préféreriez pas aller dîner à la tour Eiffel ? Ça nous changerait.

— Tout est plein ce soir. Il n'y a de place ni à la tour Eiffel ni sur les bateaux-mouches.

— Quel dommage ! J'aimerais tant montrer Paris la nuit avec tous les monuments illuminés !

— Oui, mais nos clients voudraient se divertir et le client est roi !

mots

en ville :
- une avenue *(n. f.)*
- un axe *(n. m.)*
- une banlieue *(n. f.)*
- un boulevard *(n. m.)*
- une course *(n. f.)*
- un embouteillage *(n. m.)*
- un itinéraire *(n. m.)*
- une place *(n. f.)*
- une rue *(n. f.)*
- un taxi *(n. m.)*

les sorties :
- un bateau-mouche *(n. m.)*
- un monument *(n. m.)*
- le music-hall *(n. m.)*
- un spectacle *(n. m.)*

Que font-ils ?

Choisissez la bonne réponse.

1. Il s'agit d'…
   - ☐ un déjeuner entre collègues.
   - ☐ un dîner d'affaires.
   - ☐ une soirée entre amis.

2. Ils ont réservé des places…
   - ☐ sur les Bateaux-mouches.
   - ☐ au *Moulin Rouge*.
   - ☐ à la tour Eiffel.

3. On peut voir un spectacle…
   - ☐ sur les Bateaux-mouches.
   - ☐ à la tour Eiffel.
   - ☐ au *Moulin Rouge*.

4. Les clients préfèrent…
   - ☐ visiter Paris la nuit en Bateaux-mouches.
   - ☐ voir un spectacle et se divertir.
   - ☐ monter en haut de la tour Eiffel.

Trouvez la bonne situation

Que dit…

Repérez.

1. …le chauffeur de taxi pour refuser de conduire la femme.
2. …la femme qui s'indigne parce que le chauffeur de taxi ne la laisse pas monter.
3. …le client pour indiquer un lieu au chauffeur de taxi.
4. …le client pour indiquer un chemin rapide.
5. …le chauffeur de taxi pour rassurer le client.
6. …le chauffeur de taxi pour remercier le voyageur.
7. …la femme pour dire qu'il y a beaucoup de monde.
8. …l'homme pour indiquer le goût des clients.

 Choisissez l'une des situations et décrivez les personnages et leurs attitudes. Vous sont-ils ou non sympathiques ?

Handwritten note at top: ON NE PRONONCE PAS LA DERNIÈRE CONSONNE !!!

1. Écoutez et dites le contraire.

1. ... ; 2. ... ; 3. ... ; 4. ... ; 5. ... ; 6. ... ; 7. ... .

Comment dire

- Dire de faire avec l'impératif :
  — **Tenez** !
  — **Gardez la monnaie** ! ...

- Dire de ne pas faire
avec l'impératif :
  — **Ne montez pas** !
  — **Ne prenez pas... !**
  — **Ne vous inquiétez pas** ! ...

2. Transformez les phrases, comme dans l'exemple.

Il appelle seulement pour demander le prix.
➡ *Il n'appelle que pour demander le prix.*

1. Le seul spectacle qu'elle aime, c'est le music-hall.
2. Nous voulons seulement un peu d'eau.
3. Je voyage uniquement en première classe.
4. Il doit payer la facture des billets d'avion, rien d'autre.
5. Elle est là seulement depuis deux jours.
6. Je partirai dans trois semaines, pas avant.

La négation de deux éléments

ne + verbe + ni... ni...

Exemples :
Je n'aime ni le cinéma ni le théâtre. - Il ne voyage ni en train ni en avion.

La négation restrictive

ne + verbe + que...

Exemples :
Nous ne vendons que des billets de classe affaires.
Il ne veut aller qu'au music-hall.

3. Que feront-ils ?
Mettez les verbes au futur.

1. Ils vont prendre le train
de dix heures cinquante.
2. Elle va négocier les contrats avec
le distributeur en Suisse.
3. Il va commander de nouveaux ordinateurs.
4. Nous allons dîner dans un grand restaurant.
5. Elle va être de retour dans l'après-midi.
6. Nous allons choisir le menu gastronomique.

Comment dire

- Faire des suppositions
avec le conditionnel :
  — **Tu préférerais aller au théâtre ?**
  — **Ça nous changerait !**

- Employer le conditionnel par politesse :
  — **Je voudrais...**
  — **Pourriez-vous... ?**
  — **Auriez-vous ... ?**

4. Faites les demandes plus poliment.

1. Je veux un ordinateur et une imprimante.
2. Peux-tu payer cette facture ?
3. Tu m'amèneras au cinéma ?
4. Mon mari veut acheter une nouvelle voiture. Qu'est-ce que vous nous conseillez ?
5. Pouvez-vous finir ce travail aujourd'hui ?

Vertical text left margin: unité 11 — Les sorties

Le futur et le conditionnel

aimer – finir – prendre

Pour la conjugaison des verbes « aimer », « finir » et « prendre »
au futur et au conditionnel, voir la page 180.

> **Des verbes très courants ont des futurs et des conditionnels irréguliers :**
> *être : je serai... - je serais... ; avoir : j'aurai... - j'aurais... ; faire : je ferai... -*
> *je ferais... ; aller : j'irai... - j'irais ; vouloir : je voudrai... - je voudrais... ;*
> *pouvoir : je pourrai... - je pourrais... ; voir : je verrai... - je verrais... ;*
> *savoir : je saurai... - je saurais...*

 5. Écoutez et complétez avec les verbes.

1. Je ... bien une côte de porc.
2. Qu'est-ce que tu ... comme dessert.
3. Elle ... les réservations et elle ... en avion.
4. Ça vous ... 72 euros hors taxes, 89 TTC.
5. J'... directement à l'aéroport et je ... le vol de six heures.
6. Viens me chercher au bureau. Ce ... gentil.

6. Commentez en vous exclamant.

1. Ici on vend des ordinateurs et on fait cadeau des imprimantes.
2. Ce spectacle est très intéressant.
3. Il ne voyage qu'avec une petite valise.
4. Nous n'avons pas encore de nouvelles de lui.
5. Je vais chercher l'argent gagné au jeu.

Comment dire

- Pour s'exclamer et mettre quelque
  chose en valeur :
  — **Quel monde !**
  — **Quelle idée !**
  — **Quels films !**
  — **Quelle chance !**

- Pour s'exclamer à propos
  d'une situation :
  — **Ça alors !**
  — **C'est incroyable !**
  — **Tant mieux !**

 7. Jouez la scène.
Mettez-vous par deux.

De passage à Paris, vous prenez un taxi pour vous rendre au
siège de votre entreprise. Le chauffeur est très sympathique et
vous parlez de vos voyages et de vos sorties. Il est très
enthousiaste et s'exclame souvent. Il vous dit ses préférences
et vous donne des conseils pour sortir à Paris.

En route pour la Suisse

← 1 Stéphane Petibon reçoit la facture du billet d'avion d'Isabelle. Il demande à Daniel de préparer le chèque pour la régler. Écoutez…

Aérofrance

facture n°37297 – PA 9 580

Paragem
10, rue de Paradis
75010 Paris

date 16/02/…

Aérien					
0718	Isabelle Mercier Melle	46	72447966	609,76 €	(4 000 F)
Genève	YRP				
	PARIS		YRP		
			TOTAL DES PRESTATIONS	609,76 €	(4 000 F)

Facture et lettre d'accompagnement

A. Rédigez la lettre d'accompagnement de la facture.

Complétez les débuts de phrases de la colonne A avec ceux de la colonne B.

A

Madame, Monsieur,

Veuillez trouver ci-joint la facture relative au billet

Nous vous serions reconnaissants bien vouloir régler

Vous remerciant de votre confiance,

B

nous vous prions d'agréer, Madame, Monsieur, nos sincères salutations.

le montant total du billet dans les 72 heures par chèque libellé à l'ordre d'*Aérofrance*.

aller-retour Paris-Genève, au nom de Mademoiselle Mercier et sous référence PA 9 580.

B. Repérez dans la lettre d'accompagnement de la facture les formules utilisées dans la correspondance commerciale.

SOCIÉTÉ GÉNÉRALE

Payez contre ce chèque, non endossable, sauf au profit d'une banque ou d'un organisme visé par la loi

Écrire la somme en lettres

B.P.F. Écrire la somme en chiffres

À rédiger exclusivement en francs français

À Écrire le nom du bénéficiaire (celui qui touche la somme)

Payable à
Société Générale
10, rue Palace
75010 Paris
Tél. : 01 48 50 12 30
Compensable : PARIS

Fait à Écrire le lieu

Numéro de compte B9349

Paragem
10, rue de Paradis
75010 Paris

Le : Écrire la date

(90)

0000030   2214

N° de chèque   Code guichet

⑊0000030 ⑊000000

C. Complétez le chèque à la place de Daniel.

D. Complétez la lettre d'accompagnement du chèque.

Paragem — PRODUITS ANTI-MOUSTIQUES

Messieurs,

Veuillez trouver ci-joint un .... de .... FF en règlement de la facture relative à un billet ....

Vous en souhaitant bonne réception, nous vous prions ....

2 Isabelle doit partir pour l'aéroport en taxi.
Écoutez comment cela se passe…

TAXIS MAUVES

Reçu la somme de 25,00 F   Date _____

Lieu départ : _____

Lieu arrivée : _____

Heure de départ _____ Heure d'arrivée _____
N° mini-ologique obligatoire

     323 LWX 75

     S. F. T.
   26 rue du Moulin Joly
     75011 PARIS
      *

Prise en charge : 13,00 F TARIF A : 3,53 par km TARIF B : 5,83 par km TARIF C : 7,16 par km Heure d'attente : 140,00 F	TARIFS APPLICABLES	
	de 7 h à 19 h	de 19 h à 7 h et dimanche et jours fériés
ZONE PARISIENNE Paris, Boulevard périphérique compris	A	B
ZONE SUBURBAINE * Départements des Hauts-de-Seine, Seine-St-Denis, Val-de-Marne	B	C
AU-DELÀ DE LA ZONE SUBURBAINE	C	C

Aucune indemnité de retour n'est jamais due. (Suppléments au dos).
* La desserte des Aéroports d'Orly et de Roissy ainsi que du Parc des Expositions de Villepinte s'effectue aux mêmes tarifs.
Le tarif "C" est applicable quelle que soit l'heure dans les communes à taxis de banlieue si la course est à destination de ces communes.

LES TAXIS MAUVES
des services pour les entreprises
Pour les entreprises, obtenir rapidement un taxi est impératif.

Être abonné aux Taxis Mauves permet de bénéficier :

D'un accès prioritaire au standard téléphonique 24 heures sur 24.
D'une priorité dans la recherche d'un taxi.
De la possibilité d'effectuer des réservations entre 30 minutes et 7 jours à l'avance.
Dans la pratique, le client bénéficie
d'un numéro de téléphone prioritaire et d'un code client.

Jouez la scène entre Isabelle et Daniel.

Isabelle donne à Daniel le numéro de téléphone des Taxis Mauves, ainsi que leur numéro d'abonné (PARA 200).

Vous êtes Daniel et vous appelez les taxis mauves.

Indiquez le numéro d'abonné, donnez l'adresse de *Paragem* et la destination d'Isabelle.

3 Isabelle arrive à l'aéroport. Elle retire son billet puis va au comptoir « classe affaires » pour enregistrer ses bagages. Écoutez…

À l'enregistrement
Trouvez la question.

1. Oui, je viens retirer mon billet pour Genève.
2. Oui, PA 6500.
3. Zone non-fumeur.
4. Deux et un bagage à main.

Avez-vous bien compris ?

La journée de Daniel.

1. Faites une liste des tâches de Daniel dans la journée.
2. Décrivez ce que Daniel fait pendant la journée.

Que pensez-vous du rôle d'un stagiaire dans une société comme *Paragem* ?

Variations

Préparez votre voyage.

 1. Vous devez partir en voyage
d'affaires : vous réservez votre billet
d'avion, vous appelez un taxi… et
vous vous rendez à l'aéroport pour
prendre votre vol (c'est à vous de
déterminer la destination).

TÉLÉCOPIE / FAX

De :
À :
Date :
Nombre de pages :
Objet :

Hôtel au Parc

1, rue saint Lambert
25220 Chalezeule
Tél. : 03 82 61 00 10
Fax : 03 82 61 00 11

Chambre n°11

Facture n° 17 52

• Chambre	**40,00**
• Petit-déjeuner	**6,00**
• Bar	**3,05**
• Repas	
• Téléphone	

Net à payer **49,05€**

 2. Une personne doit venir vous chercher à l'aéroport. Vous
confirmez par télécopie votre arrivée (date, n° de vol,
aéroport) et le rendez-vous prévu avec un agent
commercial.

3. Vous venez de recevoir une note d'hôtel. Préparez le
chèque et rédigez le mot d'accompagnement.

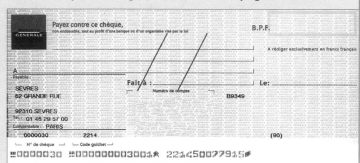

Payez contre ce chèque, non endossable, sauf au profit d'une banque ou d'un organisme visé par la loi

SOCIÉTÉ GÉNÉRALE

B.P.F.

A rédiger exclusivement en francs français

A
Payable :
SEVRES
62 GRANDE RUE
92310 SEVRES
Tél. : 01 46 29 57 00
Compensable : PARIS

Fait à :   Numéro de compte   Le :

B9349

0000030   2214   (90)

N° de chèque   Code guichet

⑅0000030 ⑅000000003001⑆ 221450077915⑇

Vous êtes stagiaire dans une entreprise.

 Vous devez rédiger une note au directeur pour l'informer de son programme
de mission (vol, hôtel…).

PARIS - ROISSY

HÔTEL MERCURE PARIS ROISSY CDG ★★★

3, Allée du Verger - Zone Hôtelière - 95700 ROISSY EN FRANCE
Tél. : (1) 34 29 40 00 - Télex : 605 205 - Fax : (1) 34 29 00 18

Navette CDG1, CDG 2 et Gare RER
gratuite toutes les 15 minutes
de 6h00 à 1h00

Lille
Roissy
en-France
Aérogare N°1
Aéroport
Charles de Gaulle
Aérogare N°2

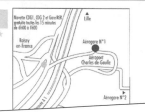

Ordre de mission

Nom : Lecrivain
Prénom : Michel
Pays de mission : Canada

Date de départ : 13 octobre
Date de retour : 18 octobre

Description du voyage :

		Date	Heures
Montréal-Paris	vol AF346	13 octobre	16h20
Paris-Montréal	vol AF347	18 octobre	20h10

Hôtel : Mercure
Voiture : Loueur *Europcar*

Les sorties

unité 11

Les sorties

Les beaux quartiers
Le faubourg Saint-Honoré,
lieu du commerce de luxe,
des parfumeurs et de
la haute-couture.

Paris où l'on s'amuse
Pigalle et son célèbre
Moulin Rouge

Montmartre

Arc de
Triomphe

Chaillot

Belleville

Louvre

Tour Eiffel

Notre-
Dame

Bastille

Place de
la Nation

Montparnasse

**Paris des
affaires**
Le quartier
de la
Bourse

Place
d'Italie

Paris populaire
Montmartre et
ses peintres

Paris intellectuel
La magnifique Sorbonne
(photo) et le collège de France

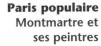

Les sorties culturelles habitant/an			
Brocante	54 %	Cirque	13 %
Cinéma	49 %	Music-hall	10 %
Monument historique, musée	33 %	Concert rock/classique	9 %
Expositions	25 %	Jazz	7 %
Théâtre	16 %	Opéra	3 %

Apprendre à...

- Donner des ordres et des instructions (suite)
- S'excuser (suite)
- Utiliser des mentions et des formules dans la correspondance (suite)

À chacun son courrier
Lisez les documents suivants.

L

le 22 septembre ...

Messieurs,
Nous avons bien reçu votre commande et nous vous en remercions.

1.

TÉLÉCOPIE

De : Société Deschamps   Télécopie : 03 84 00 02 02
À : Établissements Pécheux   Télécopie : 02 48 02 50 65

Nous souhaiterions recevoir une documentation complète sur vos produits.

2.

Ma chère Nicole,
Merci pour ta lettre.
Pourquoi ne viens-tu
pas en vacances
chez nous ?

3.

H HACHETTE
Éducation

Yvette Lutherne
Directrice commerciale

serait heureuse de vous accueillir
sur le stand B3 allée F lors du salon du livre
et vous adresse ci-joint une invitation

56, quai Voltaire, 75006 Paris
Tél. : 33 1 43 92 67 95 – Fax : 33 1 43 92 67 18 – e-mail : ylutherne@hachette-livre.fr

4.

Madame Duchênes
22, bd des Peupliers
38 005 Forêt-sous-Bois

     Le 23 octobre ...

Messieurs,
Vous m'avez installé une cuisine et je suis très mécontente des travaux.

5.

Quoi ? Qui ? Pour dire quoi ?
Complétez le tableau.

Quel est le type de document ?	Qui a écrit ? un particulier/un client/un fournisseur			Pour dire quoi ?
1. une lettre			+	pour remercier d'une commande
2.				
3.				
4.				
5.				

---

1 Infociel

La Société Infociel
vous souhaite une excellente
nouvelle année
avec les compliments de Brigitte Pelletier

Info*ciel*

La Société Infociel
vous souhaite une excellente
nouvelle année
beaucoup de bonheur pour vous et vos enfants, Brigitte

Meilleurs vœux !

— Tu as vu les cartes de vœux ? Cette année elles sont très jolies.
— Ah, oui ! C'est vrai. Il faut envoyer nos vœux de nouvel an à tous nos clients.
— Moi, j'ai déjà préparé toutes les enveloppes et les cartes. J'ai ajouté un mot personnalisé sur chacune.
— Eh bien, moi, je suis débordé ! J'ai plein de choses à faire. Et chaque année, c'est pareil, il y a en plus ces cartes à envoyer !

Qu'est-ce qu'ils disent ?
Trouvez l'expression qui signifie que...

1. ...les employés de la société *Infociel* doivent envoyer leurs vœux à tous leurs clients.
2. ...tous les ans, c'est la même chose.
3. ...l'homme est débordé.
4. ...Brigitte n'a plus à préparer ses envois.
5. ...Brigitte a ajouté quelque chose sur les cartes.

au courrier ?

Pierre BOURDET
Président de la société ROSEFLOR

prie Madame Julie Corson
de lui faire le plaisir d'assister au cocktail
offert à l'occasion du lancement
du nouveau parfum « Eau de ROSE »

le mardi 15 janvier à 18h
dans les salons de l'hôtel Majestic - 06130 Grasse

Nous avons le plaisir de...

— Voilà les cartons d'invitation prêts ! Mais il faut joindre un plan avec un mot d'explication dans chaque enveloppe.
— Tu as raison. On doit donner des instructions simples.
— Tu peux noter ? ...Prenez l'autoroute E1, vers le sud. Vous trouverez la sortie vers Cannes... Dépêche-toi d'écrire !
— Pas si vite. Bon : il faut prendre la sortie Cannes. Et puis ?
— Vous prenez la N 85. Vous traversez Mougins. À environ 20 km, vous verrez un grand rond-point et vous suivrez le panneau direction Grasse. Plus loin à gauche...
— Arrête ! C'est impossible ! Il faut envoyer un plan avec les indications dessus, ce sera plus clair.

mots

le courrier :
- une carte de vœux (n. f.)
- une carte postale (n. f.)
- un carton d'invitation (n. m.)
- une enveloppe (n. f.)
- une facture (n. f.)
- un faire-part (n. m.)
- une lettre (n. f.)
- une télécopie (n. f.) /un fax (n. m.)
- un timbre (n. m.)

les célébrations :
- un anniversaire (n. m.)
- un buffet (n. m.)
- une cérémonie (n. f.)
- un cocktail (n. m.)
- un défilé (n. m.)
- un enterrement (n. m.)
- une fête (n. f.)
- une inauguration (n. f.)
- un mariage (n. m.)
- un vernissage (n. m.)
- un vin d'honneur (n. m.)

Un lancement

Choisissez la bonne réponse.

1. C'est...
☐ une carte de visite. ☐ un carton d'invitation.
☐ un prospectus publicitaire.

2. La manifestation aura lieu...
☐ dans les bureaux de l'entreprise.
☐ au domicile du Président.
☐ dans des salles de réception.

3. Cette manifestation est organisée pour présenter...
☐ un nouveau produit.
☐ les nouveaux services d'un hôtel.
☐ le nouveau Président.

4. On pourra...
☐ dîner. ☐ déjeuner. ☐ prendre une boisson.

Qu'est-ce qu'il disent ?

Repérez.

1. Pour donner des instructions. 2. Pour exprimer l'obligation.

Trouvez la bonne situation

Quelle carte ? Pour quel événement ? Avec quelle formule?

Faites correspondre.

Carte	Événement	Formule
1. un faire-part de mariage	des remerciements	ont le regret de vous faire part...
2. une carte postale	les fêtes du nouvel an	ont la joie de vous annoncer...
3. un faire-part de décès	des noces	vous souhaitent...
4. une carte de visite	un enterrement	ont l'honneur de vous convier...
5. une carte de vœux	les vacances	le temps est splendide...
6. un carton d'invitation	une exposition	a apprécié ce dîner...

1. Écoutez et dites autrement, comme dans les exemples.

Il faut écrire une lettre.
➡ *Il y a une lettre à écrire.*
Je dois envoyer une carte postale.
➡ *J'ai une carte postale à envoyer.*

1. ... ; **2.** ... ; **3.** ... ; **4.** ... ; **5.** ... ; **6.** ... .

 **2. Mode d'emploi.
De quel appareil s'agit-il ?**

Lisez les instructions. Retrouvez l'ordre des opérations, puis demandez à quelqu'un de faire ce qui est indiqué (utilisez l'impératif ou le verbe *devoir*).
Poser l'original sur la plaque. Mettre le compteur à zéro. Reprendre l'original. Brancher l'appareil. Appuyer sur le bouton marche/arrêt. Vérifier l'alimentation en papier. Choisir le nombre d'exemplaires. Choisir le format désiré. Faire un exemplaire d'essai.

Comment dire

● Pour donner un ordre ou inviter à faire quelque chose :
— **Écrivez une lettre de réponse !**
— **Asseyez-vous !**
— **Dépêche-toi !**

● Pour exprimer une obligation :
— **Il faut écrire une lettre.**
— **Vous devez écrire une lettre.**
— **Tu dois te dépêcher.**

● Pour dire ce qu'il y a à faire :
— **Vous avez une lettre à écrire.**
— **Il y a des cartes de vœux à envoyer.**

Attention !
Pour les verbes pronominaux, c'est le pronom tonique que l'on place après l'impératif, avec un trait d'union :
— **Levez-vous !**
— **Dépêche-toi !**

---

3. Transformez les phrases, comme dans l'exemple.
Tous les candidats doivent s'inscrire et payer par chèque.
➡ *Chaque candidat doit s'inscrire. Chacun doit payer par chèque.*

1. Toutes les secrétaires ont un nouvel ordinateur. Elles ont un logiciel performant.
2. Tous les employés envoient des cartes de vœux. Ils ajoutent un mot personnalisé.
3. Toutes les invitations viennent de Sarah. Elles sont toutes originales.
4. Tous les matins, je vais au bureau et je rencontre mes collègues. Ils me disent bonjour.
5. Toutes les fois que je vais en vacances, j'envoie des cartes postales. Elles sont toutes différentes.

Des indéfinis distributifs

chaque + nom (pour le masculin et le féminin)
chacun (à la place d'un nom masculin)
chacune (à la place d'un nom féminin)

Exemples :
Chaque participant doit envoyer une fiche d'inscription.
Je vois d'ici les participants ; chacun porte un numéro sur son maillot.
Les enveloppes sont prêtes ; il faut mettre un timbre sur chacune.

4. Écoutez et complétez avec le participe passé.

1. Est-ce que tu as … les cartes dans les enveloppes ?
2. J'ai … tous mes amis à mon mariage.
3. Nous avons … un excellent restaurant.

4. Elles ont … des lettres d'excuse.
5. Il a … très beau pendant les vacances.
6. Vous avez … vous marier à l'église.

5. Transformez en mettant les verbes au passé composé.

1. Le commercial fait un voyage au Japon.
2. Le directeur donne des ordres très précis.
3. Les parents invitent leurs amis au mariage de leurs enfants.
4. La serveuse oublie l'eau et le pain.

5. Mes collaborateurs finissent à l'heure.
6. Je veux descendre dans un hôtel de luxe.
7. Elle prend le vol de dix-huit heures.
8. Tu écris les noms des invités sur la liste.

Le passé composé

sujet
+
verbe auxiliaire conjugué au présent
+
participe passé

Exemples avec l'auxiliaire « avoir » :
J'ai mis les noms sur les enveloppes.
Tu as envoyé des cartes postales.
Il a dansé toute la nuit.
Nous avons invité nos amis.
Vous avez préparé les cartons d'invitation.
Ils ont fini de travailler très tard.

Les participes passés

danser - dansé / finir - fini / écrire - écrit /
faire - fait / mettre - mis / prendre - pris /
vouloir - voulu / pouvoir - pu…

---

6. Donnez des instructions.

Vous êtes responsable de l'organisation d'un vernissage. Faites la liste des tâches à effectuer. Demandez à vos collaborateurs de s'occuper des cartons d'invitation. Dites qui doit être invité et ce qu'ils doivent écrire. Ils vont préparer les enveloppes, mettre les cartons dedans, coller les enveloppes, mettre des timbres…

Faire la liste des invités
Rédiger les cartons d'invitation

Carte :

 7. Jouez la scène.
Mettez-vous par deux.

Vous avez organisé un séminaire de deux jours pour les responsables de zone export de votre entreprise. Expliquez à votre directeur comment vous avez fait (transport, hôtel, documentation…).

Un courrier gênant

1 Ce matin, Daniel doit s'occuper du courrier. Un client a envoyé une lettre de réclamation pour une erreur de facturation. Écoutez...

Qu'est-ce que c'est ?

Faites correspondre.

1. C'est l'ensemble des lettres, fax et télex reçus. •
2. C'est un objet utilisé pour imprimer une date. •
3. C'est la personne qui envoie une lettre. •
4. C'est un document envoyé avec une lettre dans la même enveloppe. •
5. C'est la personne qui reçoit la lettre. •

• a. un tampon
• b. une pièce jointe
• c. le courrier
• d. l'expéditeur
• e. le destinataire

Recevoir le courrier

Faîtes correspondre et retrouvez l'ordre des opérations.

J'appose •　　　• les enveloppes
J'ouvre •　　　• le tampon
Je sors •　　　• les lettres

Enregister le courrier

Complétez le registre à la place de Daniel.

Registre des courriers

Date	N° d'enregistrement	Expéditeur	Destinataire	Objet	Pièce jointe

2 Daniel entre dans le bureau de Catherine Leblanc. Catherine Leblanc examine les commandes, les fax, les télex... et tombe sur la lettre de monsieur Dinga. Écoutez...

code du destinataire ———
jour de l'année et heure ———
code de l'émetteur ———

235 356
PARAGE　　235356 F
125 1457
RIOPLA　　369872 F

Pouvez-vous livrer le plus rapidement possible 50 pots de crème pour le visage ?
Merci - Salutations

Monsieur Dinga
Société PLC
Douala
Cameroun

Société Paragem
Philippe Cadet
Service commercial

Douala, le 28 mars

Philippe, à traiter immédiatement,
Monsieur Dinga est notre meilleur
client en Afrique occidentale.

Cher Monsieur,

Nous avons bien reçu votre facture datée du 6 mars.
Après vérification, nous avons constaté une erreur de facturation. Vous n'avez pas tenu compte des conditions habituelles.
Nous attendons une nouvelle facture et vous prions de croire, cher Monsieur, en l'assurance de nos sentiments distingués.

W. Dinga

P.J. : facture

feuilleton-radio

Chassez les intrus.

Dans le courrier reçu par *Paragem*, il y a :
des lettres - des télécopies - des cartes de visite - des factures -
des cartes postales - des commandes - des télex - des faire-part - des chèques.

Que dit madame Leblanc ?

1. Pour remercier Daniel et l'inviter à s'asseoir.
2. Pour demander si Daniel a apporté tout le courrier du matin.
3. Pour exprimer son étonnement devant la lettre de monsieur Dinga.
4. Pour dire ce qu'il faut faire pour traiter le courrier du matin.

Daniel apporte à Philippe Cadet tout son courrier. Il y a une lettre à traiter en urgence. Philippe Cadet a fait une erreur : il a oublié la remise de 5%. Il demande à Daniel de rédiger une lettre d'excuses. Écoutez…

Complétez le fax envoyé à Monsieur Dinga.

À : Monsieur Wilfred Dinga
Société : ....

De : ....
Société : ....

Nombre de pages incluant cette page de garde : 2
_____
                                  Paris, le ....

Cher ....,
    Suite à votre .... du ...., et après vérification,
nous confirmons notre .... de facturation. En effet, nous n'avons pas
appliqué la .... de .... convenue lors de votre
commande.
    Veuillez trouver-ci joint la nouvelle ....
    Nous vous prions de nous .... pour cette malencontreuse erreur et
nous vous adressons, cher ...., nos ....

                                  Philippe Cadet
                                  Responsable ....

P. J. : ....

Avez-vous bien compris ?

À propos du courrier.

1. Expliquez en quoi consiste le traitement du courrier.
2. Rappelez-vous les mots qui désignent les différents types de courrier et les personnes concernées.
3. Repérez l'expression qui permet de présenter ses excuses.
4. Repérez la formule qui annonce la présence d'une pièce jointe.
5. Repérez les formules de salutation dans la correspondance.

Variations

Téléphonez en toute simplicité

❶ Pour appeler un correspondant : composez son numéro et appuyez sur la touche « appel »

❷ Pour prendre un appel : lorsque le téléphone sonne, appuyez sur la touche « appel »

❸ Pour raccrocher : appuyez sur la touche « Marche/Arrêt, fin»

Marche/Arrêt, Fin

Sonnerie

Microphone

Appel

Comment ça marche ?

1. Un nouveau/une nouvelle collègue vient d'arriver. Vous lui expliquez comment marche le distributeur automatique de boissons.

2. Vous prêtez votre téléphone portable à votre collègue. Vous lui expliquez comment il marche.

Un carton d'invitation bien rédigé

Votre entreprise participe pour la première fois à un salon qui se tient à Paris.
Rédigez le carton d'invitation à envoyer aux clients francophones.

Paris expo – Porte de Versailles

Informations utiles

Transports

Métro : Ligne n° 12 – Station Porte de Versailles ; Ligne n° 8 – Station Balard

Autobus : Ligne 39 - Porte de Versailles ; Ligne 49 - Porte de Versailles ; PC - Porte de Versailles ; Ligne 89 – Gare d'Austerlitz – Vanves

Voiture : Périphérique, sortie : Porte de Versailles

Train : Des tickets de réduction Congrès/SNCF peuvent être obtenus sur demande

Avion : Renseignements, réservations et envoi des billets à domicile au (33) (0)8 36 64 08 02

Hébergement

A.T.I. Congrès et Salons
Centrale de réservation hôtellière.
Tél. : 33 (0)1 47 27 15 15

Horaires

Exposition : Hall 3
Les 9, 10, 11 février :
de 9h30 à 18h30 -
Vendredi 12 février : de 9h30 à 17h30

Conférences : Hall 7/niveau 3

Séminaires : de 9h30 à 12h30 - les 9, 10 et 11 février

Conférences : de 14h00 à 17h30 - les 9, 10 et 11 février

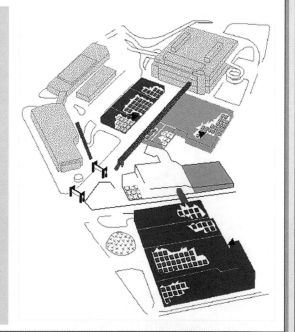

La France est la championne d'Europe des vacances : 5 semaines par an

Les jours fériés en France

1er janvier	le Nouvel An
1er mai	la fête du Travail
8 mai	la fête de la Libération
14 juillet	la Fête nationale
15 août	l'Assomption
1er novembre	la Toussaint
11 novembre	l'anniversaire de l'Armistice
25 décembre	le jour de Noël

Et, au printemps, à différentes dates :
le lundi de Pâques
le jeudi de l'Ascension
le lundi de Pentecôte

- **Jour férié** : jour où l'on ne travaille pas, à l'occasion d'une fête civile ou religieuse.
- **Jour chômé** : jour où l'on ne travaille pas, mais qui est payé.
- **Jour ouvré** : jour où l'on travaille.

L'accroissement du temps libre

41 % des Français disent faire un sport (47 % des hommes/ 35 % des femmes)
29 % quotidiennement
28 % de temps en temps
16 % plutôt le week-end
8 % plutôt en vacances

Les Français dépensent des milliards de francs pour le sport.
Les sports préférés des Français
1. le foot
2. le tennis
3. le judo
4. la pétanque
5. le basket
6. l'équitation
7. le ski
8. le rugby
9. le golf
10. la voile
11. le hand-ball
12. la natation

Quand le jour férié tombe un jeudi ou un mardi, les Français font parfois le pont : soit ils commencent leur week-end dès le jeudi, soit ils le prolongent jusqu'au mercredi.
En France, les salariés ont droit à cinq semaines de congés annuels, payés par l'employeur.
La majorité des Français prennent leurs vacances en été (6 Français sur 10). 8 départs sur 10 ont lieu en juillet et en août avec le maximum de départs la première semaine d'août. Seulement 12 % des Français partent à l'étranger.
Il est de plus en plus courant qu'on se réserve une semaine de vacances l'hiver pour aller aux sports d'hiver, soit en fin d'année, soit au mois de février.

VILLEROY PORCELAINES ❶
Manufacture de porcelaine depuis 1870
SARL au capital de 200 000 F
❷ 45, route de Clermont
87000 LIMOGES CEDEX
Tél. : 05 55 71 34 89
Fax : 05 55 71 87 67

❸ L'ART DE LA TABLE
45, avenue de Paris
78000 VERSAILLES

❺ Vos réf. : ML 05
❻ Nos réf. : GL/MJ/09

❼ Objet : V/appel d'offres
❽ P.J. : 1 catalogue
1 tarif

❹ Limoges,
Le 25 juin …

❾ Monsieur le directeur,

❿ Nous vous remercions de votre demande de documentation du 15 courant.

⓫ Nous avons le plaisir de vous adresser ci-joint notre catalogue de porcelaine avec nos tarifs.

Nos derniers modèles connaissent actuellement un vif succès.

⓬ Nous restons à votre disposition pour tous renseignements complémentaires.

⓭ Veuillez agréer, Monsieur le Directeur, l'expression de nos sentiments dévoués.

⓮ Directeur commercial
Gilbert Lefaure

❶❺ ❶❻
RCS Limoges B 786 875 987 / CCP Limoges 9876

Comment rédiger une lettre commerciale ?

❶ Nom de l'expéditeur
❷ Adresse de l'expéditeur
❸ Nom et adresse du destinataire
❹ Lieu et date d'expédition
❺ Identification de la lettre à laquelle on répond
❻ Identification de la lettre qu'on écrit
❼ Motif de la lettre
❽ Documents envoyés avec la lettre
❾ Titre de civilité

Corps de la lettre :
❿ introduction ⓫ développement
⓬ conclusion
⓭ formule de politesse
⓮ Signataire : Signature de celui qui écrit, son nom et son titre

Autres renseignements sur l'entreprise :
⓯ Numéro d'immatriculation au registre du commerce et des sociétés (RCS)
⓰ Numéro de compte postal (CCP) ou bancaire (CB)…

Expériences profes

Apprendre à...
- Décrire un fonctionnement
- Raconter des événements passés
- Rédiger un rapport
- Rédiger un curriculum vitæ et une lettre de motivation

◆ 1 Une visite d'entreprise

❶ D'abord, on cueille le raisin, puis on le verse dans un pressoir. Ce pressoir traditionnel contient 4 000 kg de raisin : on tire 2 550 litres de moût ; c'est le jus de raisin.

❷ Ici, vous avez la salle de fermentation avec les cuves pleines de jus de raisin. Il faut compter 10 à 20 jours avant de mettre le vin en bouteilles. Le vin devient alors du champagne.

❸ Ensuite, le champagne va vieillir en cave entre quinze mois et trois ans. Voilà la cave avec le stock de bouteilles. Avant la commercialisation, chaque bouteille de champagne passe de la position horizontale à la position verticale pendant plusieurs semaines.

❹ Enfin, avant de partir, vous pourrez goûter notre champagne. Nous avons plusieurs conditionnements : la bouteille classique et le magnum d'un litre et demi. Pour transporter vos bouteilles, nous pouvons les emballer dans des boîtes en carton.

Presser, stocker, emballer...

Faites correspondre.

un pressoir • • c'est la protection des bouteilles pendant le transport
la fermentation • • c'est la mise en bouteille du champagne
la cave • • c'est l'ensemble des bouteilles de champagne à vendre
le stock • • c'est un endroit sous terre ou sous une habitation
le conditionnement • • c'est la transformation du jus de raisin en vin/champagne
l'emballage • • c'est une machine pour écraser le raisin et faire du jus

◆ 2 À la recherche d'un stage

— Bonjour, monsieur Farge. Asseyez-vous. Vous recherchez un stage et votre candidature nous intéresse. Est-ce que vous pouvez parler de votre formation ?
— D'abord, j'ai suivi mes études au lycée d'Orsay jusqu'au bac* S. Après l'obtention de mon bac, je me suis inscrit à l'université de Paris-Dauphine : j'ai obtenu un D.E.U.G.**, puis une maîtrise*** de gestion. Pendant ces études, j'ai effectué différents stages en entreprise. Avant de commencer un troisième cycle avec une spécialisation en marketing, j'ai effectué un stage de trois mois aux États-Unis dans le groupe d'assurances AMA pour me perfectionner en anglais professionnel. Enfin, j'ai aussi une expérience dans le secteur de l'édition. Aujourd'hui, je recherche un stage de six mois pour terminer mon D.E.S.S.****.

*Bac : baccalauréat - **D.E.U.G. : diplôme d'études universitaires générales (Bac + 2 années d'études universitaires) - ***Maîtrise : Bac + 4 années d'études universitaires - ****D.E.S.S. : diplôme d'études supérieures spécialisées (Bac + 5).

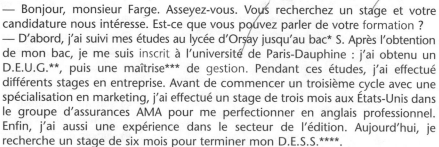

sionnelles

l'ANPE

Curriculum vitae

A. Complétez le CV de Monsieur Farge.

B. Faites correspondre chaque mention à la partie du CV qui convient.

Martin .....
17, avenue de Paris
91190 Orsay
Tél. : 01. 44. 27. 17. 80
25 ans – Célibataire

juin 1999	DESS à l'IAE (Institut d'Administration des entreprises) - spécialisation …
juin 1997	… de gestion à Paris Dauphine
juin 1995	Deug de gestion à Paris Dauphine
juin 1993	…S, mention bien - Lycée d'Orsay

Anglais   …
Espagnol   bonne maîtrise

juillet
septembre 1998 … AMA à Chicago, États Unis - Relations avec la clientèle
1997   Groupe Hachette : étude de marché dans le secteur de …..

Président d'une association culturelle
Membre d'une équipe de football (avant-centre)

Langues
Précisez le niveau.

Expérience professionnelle, stages
Indiquez les emplois précédents, le lieu et la durée des stages.
Précisez votre travail.

L'état civil
Indiquez :
votre nom, votre date de naissance ou votre âge,
votre adresse, votre numéro de téléphone,
votre fax ou votre e-mail,
votre situation de famille.

Activités extra-professionnelles
Donnez une idée positive de votre personnalité.

La formation
Utilisez un ordre antichronologique :
commencez par l'année la plus récente.

Trouver un boulot

— On t'a proposé un boulot aujourd'hui ?
— Non, je n'ai rien trouvé, j'ai juste pointé.
Je vais voir à l'agence d'intérim.
— Alors, je t'accompagne…
(…)
— Je cherche un poste de réceptionniste dans un hôtel ou une entreprise.
— Qu'est-ce que vous avez comme formation ?
— J'ai un BTS d'hôtellerie ; j'ai travaillé pendant deux ans et je suis au chômage depuis quatre mois parce qu'il y a eu une fusion de groupes et donc licenciement économique.
— Un instant, je consulte mon fichier pour voir si j'ai quelque chose... Oui, avec la chaîne d'hôtels *Confotel*.
— Ah oui, je les connais : ils offrent des contrats de trois mois, payés au SMIC !
— Ah non, là, c'est un CDD d'un an. Le salaire est calculé sur le SMIC + 15 %. Vous avez une indemnité de transports et les horaires sont de 7 heures à 15 heures avec une pause pour le déjeuner.
— Bon, je le prends.

A.N.P.E. : agence nationale pour l'emploi – C.D.D. : contrat à durée déterminée – S.M.I.C. : salaire minimum interprofessionnel de croissance – B.T.S. : brevet de technicien supérieur (2 ans après le Bac).

Fiche (3)

Nom de l'entreprise :
Poste :
Formation :

Type de contrat :
Durée du contrat :
Salaire :
Indemnité :
Horaires de travail :

Un poste d'intérim

Complétez la fiche de description du poste.

Trouvez la bonne situation

L'emploi et les jeunes

Décrivez.
Vous êtes journaliste et vous devez rédiger un article sur la formation des jeunes et l'emploi dans votre pays pour un journal francophone. Aidez-vous des deux dialogues et de la liste des mots.

mots

les études et la formation :
- une classe préparatoire (n. f.)
- un concours (n. m.)
- une discipline (n. f.)
- une faculté (n. f.)
- une grande école (n. f.)
- une inscription (n. f.)
- une filière (n. f.)
- une université (n. f.)
- un stage (n. m.)

les diplômes :
- le baccalauréat (n. m.)
- un D.E.U.G. (n. m.)
- une licence (n. f.)
- une maîtrise (n. f.)
- un D.E.S.S. (n. m.)
- un doctorat (n. m.)
- un brevet (n. m.)
- un B.T.S. (n. m.)

l'emploi :
- une agence d'intérim (n. f.)
- une candidature (n. f.)
- un contrat (n. m.)
- une formation (n. f.)
- les horaires (n. m. pl.)
- le mi-temps (n. m.)/ le plein temps (n. m.)
- un poste (n. m.)/ un boulot (n. m., familier)
- un salaire (n. m.)
- un secteur (n. m.)

le chômage :
- une allocation (n. f.)
- un demandeur d'emploi (n. m.)
- une indemnité (n. f.)
- un licenciement (n. m.)

Il regarde le livre/mon livre/ce livre
→ Il le regarde. /son /tou

1. Écoutez et répondez, comme dans les exemples.

— *Les études vous passionnent encore ? (oui)*
➠ — **Oui, les études me passionnent encore.**
— *Il remplit son dossier maintenant ? (non)*
➠ — **Non, il ne le remplit pas maintenant.**

1. ... ; 2. ... ; 3. ... ; 4. ... ; 5. ... ; 6. ... ; 7. ... .

2. Répondez négativement, comme dans les exemples.

— *Vous avez visité l'usine ? (bureaux)*
➠ — **Non, je ne l'ai pas visitée, mais j'ai visité les bureaux.**

1. Tu as visité la nouvelle salle informatique ? (service commercial)
2. Elle a passé la licence ? (maîtrise)
3. Il a vu le directeur ? (assistant)
4. Vous avez trouvé vos enveloppes ? (photos d'identité)
5. Il a fait son stage à Madrid ? (Séville)
6. Les Lamy ont accompagné leur fille ? (fils)

P 142, 144

Les pronoms personnels COD

(compléments d'objet direct)

me	nous
te	vous
le, la, l'	les

❗ me, te, le/la -> m', t', l'
devant une voyelle ou un *h* aspiré.

Exemples :
Il me regarde. Je ne l'aime pas.
Vous ne les connaissez pas.
Je peux les inviter.
Elle ne veut pas le prendre.

3. Complétez les phrases avec *dans*, *quand*, *avant*, *pendant* et *après*.

1. Il fait un BTS à Paris. Mais ..., il a passé son bac à Lille.
2. J'ai travaillé ... trois mois aux États-Unis.
3. Je te raconterai mes vacances ... nous déjeunerons ensemble.
4. Nous partons ... trois jours et nous reviendrons ... quinze jours.
5. ... mon stage, je pourrai chercher un emploi.

Le passé composé

à la forme négative

• « **pas** » est placé entre l'auxiliaire et le participe passé : *Je n'ai pas téléphoné.*

• les pronoms personnels COD sont placés entre « **ne** » et l'auxiliaire :
Ton frère, je ne l'ai pas vu !   S + ne + Pronom + Aux + pas + P.P.

❗ Lorsque le pronom personnel COD est placé avant le verbe et qu'il remplace un nom féminin ou pluriel, le participe passé s'accorde :
Ta collègue, je l'ai rencontrée hier, à midi.
Vos collègues, je les ai accompagnés chez la directrice.

Comment dire

● Pour exprimer la simultanéité au présent, au passé ou au futur :
— **Quand j'ai de l'argent, je vais au restaurant.**
— **Quand j'ai obtenu mon bac…**
— **Quand j'aurai du travail…**

● Pour exprimer le temps du déroulement d'une action :
— **Ne viens pas pendant la journée, on travaille.**
— **Je l'ai observé pendant la cérémonie.**

● Pour présenter le moment d'une action par rapport à une autre, antérieure ou postérieure :
— **Avant d'aller à l'université, on doit passer le bac.**
— **Après les inscriptions, les cours commencent.**

● Pour dire la quantité de temps avant une action future :
— **Nous visiterons le laboratoire dans une heure.**
— **Je t'appellerai dans trois jours.**

Je regarde la, ma, cette peinture
ta
sa

prenez les/vos lces enveloppes
→ Prenez - les .

 4. Écoutez et repérez.

1. L'événement entre le 17 et le 20 septembre.
2. La conséquence de cet événement dans la distribution du courrier.
3. Les problèmes de l'entreprise auprès de ses clients.
4. Les types de réclamation.
5. La solution proposée en cas de grève.

Comment dire

● Pour raconter une suite d'événements :
— D'abord,…
— Puis/Ensuite,…
— Enfin…

 5. Présentez à vos collègues votre nouvel équipement informatique.

Racontez comment vous l'avez choisi, expliquez ses performances, puis répondez à leurs questions.

Comment dire

● Pour s'informer sur le fonctionnement de quelque chose :
— **Comment ça marche ?**
— **Comment ça fonctionne ?**
— **Vous pouvez me montrer le fonctionnement ?**

● Pour décrire le fonctionnement de quelque chose :
— **Ici, vous avez…**
— **Ici, par exemple…**
— **Voici/voilà…**
— **Quand…**

6. Jouez la scène.

Vous recevez un visiteur francophone dans votre entreprise.
– Vous lui faites visiter les bureaux…
– et vous lui expliquez le fonctionnement des services.

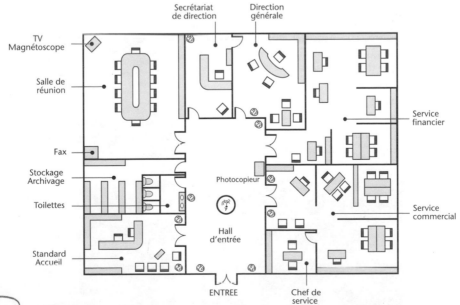

de la regarde.

Chez le sous-traitant !

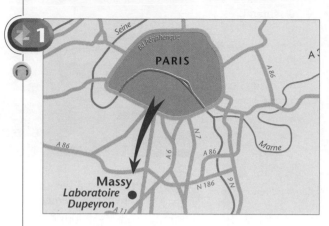

1

L'entreprise Dupeyron est un laboratoire pharmaceutique. Il fabrique des produits pour *Paragem*. Chaque mois, Catherine Leblanc effectue une visite de contrôle. Aujourd'hui, Daniel l'accompagne. Écoutez...

Vrai ou faux ?

A. Choisissez la bonne réponse.

	vrai	faux
1. Le laboratoire Dupeyron est à Massy, dans le sud de Paris.	☐	☐
2. *Paragem* a trois laboratoires sous-traitants.	☐	☐
3. *Paragem* a trois produits dans sa gamme.	☐	☐
4. Le laboratoire Dupeyron peut produire toute la gamme des produits *Paragem*.	☐	☐
5. *Paragem* n'a pas toujours traité avec Dupeyron.	☐	☐
6. *Paragem* sous-traite sa production pour réduire ses investissements.	☐	☐
7. *Paragem* a emprunté de l'argent pour la production	☐	☐

B. À l'aide des bonnes réponses, faites par écrit une courte présentation du laboratoire Dupeyron (où il se trouve, depuis quand il traite avec *Paragem*...).

2

Quand Catherine Leblanc et Daniel arrivent, il se passe quelque chose d'anormal. Écoutez...

Catherine Leblanc fait visiter le laboratoire à Daniel. Elle commence par la ligne de production qui est arrêtée parce qu'il n'y a pas de courant.

Puis ils passent dans la salle réservée au conditionnement.

Et ils terminent leur visite par le magasin. Écoutez...

1. Ligne de production

2. Conditionnement

3. Emballage

Comment ça fonctionne ?

A. Retrouvez les explications de Catherine Leblanc, puis reconstituez les phrases.

la ligne de production • • mélangent • • automatisée
l'ordinateur • • contrôle • • toutes les machines
les machines • • est • • le processus de fabrication
                • commande • • les principes actifs

B. Faites correspondre, puis retrouvez l'ordre des opérations.

1. on emballe • • contrôlent le conditionnement
2. l'emballage, • • c'est la mise en tube, c'est la présentation
                          du produit pour la vente
3. la commande, • • nous l'utilisons pour transporter les produits
4. le conditionnement • • il la prépare dans les 48 heures, c'est le « juste-à-temps »
5. les femmes • • les produits pour le transport

La panne est réparée. Mais Catherine Leblanc se demande si la production n'a pas souffert. Écoutez...

De retour à Paris, Catherine Leblanc trouve sur son bureau le rapport du technicien de maintenance.

PRODUITS ANTI-MOUSTIQUES

Rapport sur l'arrêt de la production de ce jour.

Les faits
Suite à une … de courant annoncée par EDF, le … électrique n'a pas fonctionné et a interrompu la production … 25 minutes. La … de la production n'a pas souffert de cet incident.

Les causes
La … est due à un fusible usagé, identifié et remplacé immédiatement.

Les mesures proposées
Nous avons demandé une révision complète du … au … de cet appareil.

R. Machinon
Roger Machinon
Le responsable de la maintenance

Vous êtes le responsable de la maintenance.

Complétez le rapport avec les mots suivants : *coupure, fournisseur, générateur, panne, pendant, qualité.*

Avez-vous bien compris ?

À vous de rédiger un compte rendu de visite.

Catherine Leblanc demande à Daniel de rédiger un compte rendu sur leur visite au laboratoire Dupeyron. Aidez-le à l'écrire.

Variations

Vous souhaitez faire un stage dans une entreprise française.

Comment rédiger une lettre de motivation

Introduction
Posez votre candidature
Formulez votre demande de stage

Développement
Donnez des renseignements
vous concernant

Joignez votre CV

Concluez

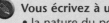 1. **Rédigez votre curriculum vitæ.**

2. **Rédigez votre lettre de motivation.**

3. **Vous êtes reçu pour un entretien par le chef du personnel. Vous lui expliquez votre cursus de formation et vous répondez à ses questions. Mettez-vous par deux.**

Nom :
Prénom :
Adresse :
Tél. :

le ... / ... / ...

Objet :

Madame, monsieur,

Je viens de terminer mes études et je suis à la recherche d'un stage de ... .

Très intéressé(e) par votre offre de recrutement parue le ... (date) dans ... (journal ou autre), je pose ma candidature pour le poste de ... .

Titulaire du ... (diplôme), je souhaiterais travailler dans ... .

Mon expérience professionnelle m'a conduit(e) à tenir plusieurs postes ... .

Je souhaiterais vivement mettre à votre service ... (qualités).

Mon curriculum vitæ ci-joint vous fournira les principaux renseignements me concernant.

Je me tiens à votre disposition pour un entretien.

J'espère avoir l'occasion de vous convaincre de l'intérêt de ma candidature lors d'un entretien.

Rapport sur la panne du système informatique.

Les faits
- -
- -

Les causes
- -
- -

Les mesures proposées
- -
- -

Vous effectuez un stage dans une entreprise française.

Le système informatique a connu une panne. Vous rédigez un compte rendu.

Une plaquette de présentation.

Vous devez préparer une plaquette de présentation d'un produit fabriqué dans votre entreprise (voiture, téléviseur...). Dites où il est fabriqué, depuis quand, par qui, expliquez sa fabrication, le fonctionnement de la ligne de production, l'emballage, le conditionnement, le stockage.

Vous recherchez un stage en France.

Vous écrivez à un ami français. Vous demandez son aide. Vous précisez :
- la nature du poste recherché ;
- votre cursus de formation.

Le système éducatif français

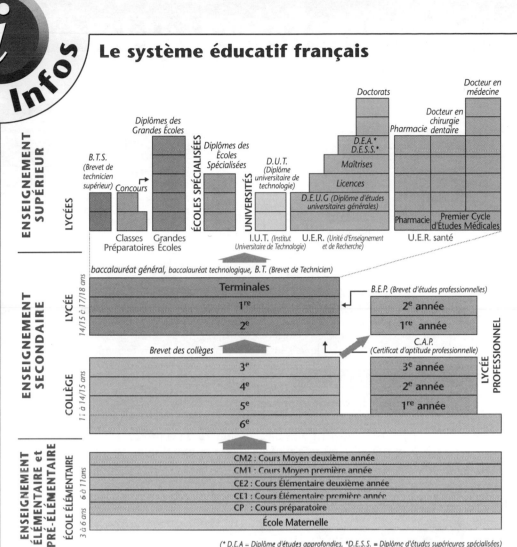

(* D.E.A = Diplôme d'études approfondies, *D.E.S.S. = Diplôme d'études supérieures spécialisées)

Les salariés français qui possèdent un niveau d'enseignement supérieur ont des revenus 57 % plus élevés que ceux qui ont un niveau d'études secondaires ;
- 40 % au Royaume-Uni ;
- 35 % en Suède ;
- 32 % en Espagne.

- 77 % des jeunes Français ont le bac ;
- 38 % des bacheliers font des études supérieures.

Sur 37 millions de Français âgés de plus de 18 ans, 2,3 millions sont illettrés.
1,1 million n'a pas eu le français comme langue maternelle.

Le contrat de travail

Contrat	à durée indéterminée (CDI)	à durée déterminée (CDD)
Forme	oral ou par écrit	par écrit obligatoirement
Durée	Vous pouvez démissionner quand vous voulez mais la rupture du contrat doit respecter les règles de préavis	18 mois maximum

À la banque

Apprendre à...
- Raconter des événements passés (suite)
- Exprimer la surprise et l'étonnement
- Formuler des souhaits

 1 Au guichet de la banque

— Je viens retirer un chéquier, s'il vous plaît.
— Oui, vous me rappelez votre nom ?
— Leroux, Sylvie Leroux. Je vous ai téléphoné il y a deux jours pour savoir s'il était disponible.
— Votre numéro de compte ?
— O5433 Y. C'est un renouvellement automatique.
— Ah oui, il est bien là. Mais je ne peux pas vous le donner, il y a un problème.
— Vous ne pouvez pas me le donner, mais j'ai des chèques à faire !
Je souhaiterais voir la personne responsable de mon compte...
— Monsieur Girat... Je vais lui demander s'il peut vous recevoir.

Vrai ou faux ?

Choisissez la bonne réponse.

	vrai	faux
1. Sylvie Leroux téléphone à sa banque.	☐	☐
2. Elle ne se souvient plus de son numéro de compte.	☐	☐
3. Son chéquier est en renouvellement automatique.	☐	☐
4. On ne veut pas lui donner son chéquier.	☐	☐
5. Elle veut voir le responsable de son compte.	☐	☐

 **2 Un découvert bancaire**

— Asseyez-vous, mademoiselle Leroux. Que puis-je faire pour vous ?
— Je crois que j'ai un problème avec mon compte : je viens de passer au guichet, mais on n'a pas voulu me donner mon chéquier. Et je ne sais même pas pourquoi.
— Je vais regarder l'état de votre compte... Ce n'est pas surprenant ! Votre compte est débiteur depuis vendredi dernier : il y a un découvert de 533 euros.
— Un découvert de 533 euros ? Ça m'étonne ! Mon salaire n'a pas encore été versé ?
— Non, je ne vois rien. Habituellement votre compte est crédité le 28 de chaque mois ?
— Oui, et on est le 2. Je vais téléphoner au service de la comptabilité.
— Oui, demandez-leur s'ils savent pourquoi vous n'avez pas reçu de virement.
— Alors, je vais devoir vous payer des agios ?
— Non, si c'est une affaire de quelques jours, ça ira. On vous fait confiance.
Vous n'avez jamais été à découvert. Mais tenez-moi au courant !

Que se passe-t-il ?

Répondez.
1. Quel est le problème de Sylvie Leroux ? 2. Quel est l'état de son compte ?
3. Pourquoi est-il à découvert ? 4. Que va faire Sylvie ? 5. De quoi a-t-elle peur ?
6. Pourquoi monsieur Girat lui fait-il confiance ?

Comprendre le lexique bancaire

Faites correspondre.

1. Un compte est débiteur •
2. Un découvert, •

3. Un compte est créditeur •
4. Verser un salaire/ •
   une somme,
5. Faire un virement, •
6. Les agios, •

• a. quand on met de l'argent au crédit du compte.
• b. c'est mettre de l'argent sur un compte.
• c. quand on a dépensé une somme supérieure
     au crédit du compte.
• d. c'est une avance d'argent faite par une
     banque à un client.
• e. c'est une somme due à la banque par un
     client pour payer les frais d'un découvert, par exemple.
• f. c'est donner l'ordre de transférer une somme d'un compte
     sur un autre compte.

À crédit ou comptant

— Tiens, regarde, c'est étonnant, je viens de voir Isabelle ! Isabelle !
— Frédéric, Annie, quelle bonne surprise ! Comment ça va ?
— Très bien ; toi aussi, tu cherches une voiture ?
— Oui. Je rêve d'acheter la VT 35. Je l'ai conduite cet été quand j'étais dans ma famille. Elle est super !
— Nous aussi, on aimerait bien. Mais tu as vu les prix ? Elle est très chère. Surtout qu'on souhaite l'acheter comptant.
— L'acheter comptant ! Quelle drôle d'idée ! Il faut acheter à crédit. En ce moment, c'est très facile d'obtenir des prêts, les taux d'intérêt sont très bas.
— Oui, mais avec un apport personnel important, je suppose ?
— Pas vraiment. Pour acheter ta voiture, on va te demander un apport de 10 % avec des taux à 2,95 % sur 24 mois.
— 2,95 % ! C'est incroyable ! Moi, je pensais qu'ils étaient encore à 6 ou 7 % !
— Alors, dans ces conditions, empruntons !

mots

la banque :
• un agio *(n. m.)*
• un apport *(n. m.)*
• un chèque *(n. m.)*
• un chéquier *(n. m.)*
• la comptabilité *(n. f.)*
• un compte (en banque) *(n. m.)*
• le crédit *(n. m.)*
• le débit *(n. m.)*
• un découvert *(n. m.)*
• un emprunt *(n. m.)*
• un guichet *(n. m.)*
• un numéro de compte *(n. m.)*
• un renouvellement automatique *(n. m.)*
• un salaire *(n. m.)*
• un taux d'intérêt *(n. m.)*
• un versement *(n. m.)*
• un virement *(n. m.)*
• un prêt *(n. m.)*

Ça veut dire...

Choisissez la bonne réponse.

1. Acheter comptant : ☐ acheter en comptant son argent. ☐ payer la somme totale.
2. Je rêve d'acheter la VT 35 : ☐ j'espère acheter la VT 35. ☐ je refuse d'acheter la VT 35.
3. Je l'ai conduite cet été : ☐ je l'ai achetée cet été. ☐ je l'ai essayée cet été.
4. Un apport personnel : ☐ des économies ☐ un salaire.
5. Empruntons : ☐ achetons la voiture. ☐ obtenons un prêt.

Trouvez la bonne situation

Qu'est-ce qu'il disent ?

Repérez.

1. Pour exprimer leur surprise. 2. Pour formuler un souhait.

Décrivez.

1. Les problèmes rencontrés par Sylvie Leroux.
2. L'attitude du responsable de son compte.
3. L'attitude des personnages au garage Renault.

1. Écoutez et répondez.

Vous avez téléphoné au responsable ? (oui) ➡ **Oui, je lui ai téléphoné.**

1. ... ; **2.** ... ; **3.** ... ; **4.** ... ; **5.** ... ; **6.** ... .

Les pronoms personnels COI

(Compléments d'objet indirect)

me	nous
te	vous
lui	leur

Exemples : *Je lui envoie un courrier.*
Ils ne leur téléphoneront pas.
Elle ne lui a pas dit bonjour.
Nous ne pouvons pas vous répondre.

2. Complétez avec un pronom personnel COD ou COI.

1. Tu as écrit à la comptable pour ... dire de ... envoyer un chèque ?
2. Vos clients africains ... ont envoyé un fax. Il faut ... répondre immédiatement.
3. Si vous souhaitez ... contacter aujourd'hui, je serai à l'usine, alors appelez-... au poste 324 !
4. Garçon, apportez-... une grande bouteille d'eau, elle a soif !
5. Ne ... appelle pas, ne ... envoie pas de fleurs, elle ne veut plus ... parler !
6. Tu vas ... raccompagner et ... demander leur adresse.

> **Avec l'impératif affirmatif, les pronoms se placent après le verbe :**
> *Regarde-la ! Parle-lui !*
> **Avec l'impératif négatif, les pronoms se placent avant le verbe :**
> *Ne **la** regarde pas ! Ne lui parle pas !*

Comment dire

● Pour exprimer la surprise ou l'étonnement :

— **Quelle surprise !**   — **Ça m'étonne/Ça m'étonnerait !**
— **Quelle bonne surprise !**   — **C'est incroyable !**
— **C'est surprenant !**   — **Je rêve !**
— **C'est étonnant !**   — **Quelle drôle d'idée !**

---

3. Répondez en exprimant votre étonnement.

La machine a avalé ma carte.
➡ *Votre carte a été avalée par la machine, c'est étonnant/incroyable/ça m'étonnerait !*

1. La banque a perdu mon chèque.
2. La grève a interrompu la production.
3. On n'a pas encore crédité mon compte ce mois-ci.
4. On a fait une erreur sur mon relevé de compte.
5. La direction a renvoyé ma secrétaire.
6. On n'a pas beaucoup développé le réseau bancaire.

La forme passive

Forme active	Forme passive
La banque a crédité mon compte.	Mon compte a été crédité par ma banque.

Sujet	verbe	complément		Sujet	être + participe passé	compl.
				= ancien compl.		= ancien sujet

> **La forme passive est parfois employée sans complément.**
> *On a construit une nouvelle usine. - Une nouvelle usine a été construite.*

L'imparfait

Il s'emploie pour…

– exprimer une habitude :
Quand tu habitais en Chine,
tu circulais toujours à vélo ?

– décrire :
Il faisait froid, le vent soufflait,
on ne voyait personne dans les rues.

– présenter une action qui est en train
de se dérouler et qui est interrompue par
une autre :
Nous parlions avec le journaliste
quand la secrétaire nous a appelés.

4. Transformez, comme dans l'exemple.
lire journal/téléphone sonner (il)
➞ ***Il lisait le journal quand le téléphone a sonné.***

1. Marcher rue/rencontrer patron *(je)*
2. Être dans métro/grève commencer *(nous)*
3. Visiter usine/coupure de courant
commencer *(elle)*
4. Dormir/entendre explosion *(on)*
5. Être fatigué/prendre la route *(ils)*
6. Être en pleine discussion/Isabelle vous
voir *(vous)*

5. Jouez la scène.
Mettez-vous par deux.

Vous avez gagné une somme importante au
loto ou à un autre jeu.
Que souhaitez-vous faire de votre argent ?
Votre ami/votre collègue exprime sa surprise.

6. Transformez, comme dans l'exemple.
Vous voulez voir le directeur ? ➞ ***Je lui ai demandé s'il voulait voir le directeur.***

1. Vous avez un problème avec votre carte de crédit ?
2. Pourquoi la machine est-elle hors service ?
3. Comment tes collègues vont-ils chez toi ?
4. Qu'est-ce qui se passe ?
5. Qu'est-ce qu'elle fait dans ton service ?
6. Vous pouvez me prêter votre voiture ?

L'interrogation indirecte

Elle est introduite par des verbes comme « demander », « dire »,
« savoir » suivis de **si** ou d'un mot interrogatif (« comment », « pourquoi », « quand », etc.).

Avec le passage à l'interrogation indirecte, on observe plusieurs changements :

Interrogation directe	Interrogation indirecte
« Marie, vous allez à la banque ? »	*Je lui ai demandé si elle allait à la banque.*
« Quand rentres-tu chez toi, Brigitte ? »	*Je lui ai demandé quand elle rentrait chez elle.*
« Pierre, tu peux me donner ton adresse ? »	*Je lui ai demandé s'il pouvait me donner son adresse.*
« Les jeunes, qu'est-ce que vous faites samedi ? »	*Je leur ai demandé ce qu'ils faisaient samedi.*

7. Jouez la scène.
Mettez-vous par deux. Vous déjeunez à la cantine avec l'un(e) de vos collègues.

Il/Elle vous raconte qu' :

● il/elle a rencontré son chef de service dans le train
● ils ont discuté pendant tout le voyage
● il/elle a posé des questions sur l'entreprise :
les affaires marchent très bien, l'entreprise a
fait d'excellentes ventes à l'étranger, une partie
des bénéfices sera partagée entre les salariés.

Vous exprimez

● votre surprise
● votre contentement

Ensemble, vous imaginez ce que vous allez faire avec tout cet argent et vous formulez des souhaits.

À la banque

 1 Avant d'aller au bureau, Daniel passe à sa banque pour retirer de l'argent au distributeur. Écoutez..

Introduisez votre ....
.... votre ....
Code .... ,
recommencez
.... non restituée

Au distributeur automatique de billets

A. Le système informatique marche mal. Des mots sont effacés sur l'écran du distributeur. À vous de compléter les instructions.

B. Trouvez l'expression qui convient.

– Vous n'avez pas composé le bon code :
– La machine a avalé votre carte :

C. Repérez ce que dit Daniel…

– quand il suit les instructions du distributeur ;
– quand il entend un bruit anormal ;
– quand il cherche sa carte ;
– quand il ne comprend pas le message du distributeur.

2 Daniel ne comprend rien. Il est sûr d'avoir composé le bon numéro, mais la machine a gardé sa carte. Il entre dans l'agence bancaire pour avoir des explications.
Il rencontre Stéphane Petibon qui a un sérieux problème avec le compte de l'entreprise. Écoutez…

Des questions d'argent

A. Complétez le relevé de compte de *Paragem* avec les sommes que vous entendez.

	Crédit	Débit
	…	110 000 (16 768, 29 €)
Solde	…	…

B. Que dit Stéphane Petibon ?

1. Pour exprimer sa surprise de voir Daniel.

2. Pour exprimer son inquiétude concernant le découvert de *Paragem*.

3. Pour demander le solde du compte.

4. Pour exprimer sa satisfaction devant la confiance que lui accorde madame Brunelle.

• • a. Nous avons reçu notre relevé de compte et je suis inquiet.

• • b. Je vous remercie de votre confiance.

• • c. Pouvez-vous me donner notre solde aujourd'hui ?

•   • d. Daniel, quelle surprise !

C. Que dit madame Brunelle...

1. pour exprimer son agacement concernant le distributeur.
2. pour inviter Stéphane Petibon. dans son bureau.
3. pour demander à un employé de s'occuper de la carte de Daniel.
4. pour donner le solde du compte de *Paragem*.
5. pour exprimer sa confiance envers *Paragem*.

- a. Gérard... peux-tu lui ramener sa carte et mettre la machine hors service ?
- b. Encore ! La machine a avalé votre carte.
- c. À nous deux, monsieur Petibon.
- d. Nous avons confiance en votre société.
- e. Votre compte est créditeur de 62 607 francs (9 543,75 €).

Daniel et Stéphane Petibon se retrouvent dans la rue. Daniel est impressionné par le bon accueil de la BIP, la banque de *Paragem*. Écoutez...

Les prêts de la BIP : *une offre sur mesure*

Le Logiprêt

- Adaptable à toutes les situations
- Amortissable sur la période de votre choix, ce prêt offre la possibilité d'opter pour un taux fixe ou un taux révisable

Notre avis :
votre passe-partout
Le Logiprêt est un produit simple et souple destiné à s'adapter à votre projet.

Le crédit « in fine »

Le crédit spécial investisseur

Dans le cas du crédit « in fine » destiné à financer une acquisition à but locatif, les intérêts sont réglés au fur et à mesure mais le capital est remboursé en une seule fois à la fin du prêt (« in fine »).

Notre avis :
un montage judicieux pour les investisseurs
Ce crédit est intéressant pour ceux qui ont déjà un patrimoine immobilier, puisqu'il permet de réduire considérablement le taux apparent du crédit.

Investimur

- Pour les investissements immobiliers commerciaux à but locatif
- Vous souhaitez acheter un local dans une galerie marchande ou des bureaux dans la nouvelle zone d'activité de votre région afin de les louer ? *Investimur* s'adapte à votre projet

Notre avis :
spécial investisseurs
Le produit qui permet de gérer au mieux vos investissements immobiliers à vocation commerciale.

Une bonne banque

A. Complétez et remettez dans l'ordre.

1. Et puis après ils... .
2. Ah non ! Dans cette banque et surtout dans cette agence, ils... .
3. À la création de *Paragem*, nous sommes venus...
4. Et comment avez-vous fait pour... ?
5. On est toujours aussi bien... ?
6. Pour le financement, ils nous...

B. Écoutez une deuxième fois et présentez les services de la banque BIP.

Avez-vous bien compris ?

Que doit-on faire ?

1. Pour retirer de l'argent.
2. Quand la machine a avalé la carte.
3. Quand on a dépassé le découvert autorisé.

Racontez comment *Paragem* a obtenu un prêt de la BIP et décrivez ses relations avec cette banque.

Variations

Votre emprunt

- Vous avez l'intention d'acheter une voiture/une moto/un appartement/une maison, de faire des travaux...
Vous allez à la banque. Lisez les brochures concernant les prêts.

 • Préparez une liste de questions que vous voulez poser au banquier. (quel apport personnel, quel remboursement mensuel, quel emprunt, quel taux d'intérêt... ?)

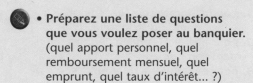

PRÊTS IMMOBILIERS

Pour bien préparer votre projet immobilier

Vous êtes tenté par l'idée de **devenir propriétaire**,
avoir **votre propre toit**,
agrémenter **votre appartement** à votre goût,
vous constituer un patrimoine...

Vous avez un plan épargne-logement ...
Si vous envisagez de recourir à un emprunt, vous vous posez sans doute
les trois questions suivantes :
- « Combien puis-je rembourser chaque mois ? »
- « Avec cette somme, combien pourrais-je emprunter ? »
- « Quel pourra être le montant global de mon investissement ? »

Pour savoir dans quelles conditions vous pourrez réaliser ce souhait, nous vous aidons à répondre dès maintenant à ces questions.

Évaluation de vos possibilités d'emprunt
– Quelques conseils. – À la recherche du meilleur plan de financement – Nos formules de financement.

De la première visite à la signature de l'acte de vente – La marche à suivre.

Votre Prêt Auto-Moto
à partir de **6,69%**

Votre Prêt Travaux
à partir de **8,68%**

... N'hésitez plus, sauf pour la couleur !

BANQUE SOFINCO

 ## Écrivez une lettre à votre banquier.

- Notez vos coordonnées, votre numéro de compte courant et l'objet de votre lettre.
- Présentez-vous, rappelez le montant de vos revenus, la situation de vos comptes...
Je suis client de votre banque depuis...
Titulaire d'un compte dans votre banque depuis...,
je dispose de revenus réguliers d'un montant de...

- Expliquez la raison de votre demande.
Je souhaite acheter...

- Demandez des renseignements concernant un prêt, précisez le montant d'investissement...
Je désire obtenir...
Je vous serais reconnaissant(e) de...

- Demandez un rendez-vous.

PRÊT AUTO-MOTO

1 Vous souhaitez **financer l'achat de votre voiture** neuve ou d'occasion ?

2 Alors, profitez d'un taux exceptionnel de **6,69%**

PRÊT TRAVAUX

1 Vous souhaitez **effectuer des travaux** dans votre logement ?

 2 Alors, profitez d'un taux exceptionnel de **8,68%**

unité 14 — *À la banque*

L'euro

Comment le passage à l'euro va-t-il s'effectuer ?

- 1er janvier 2002 : mise en circulation progressive dans les 11 pays de la zone euro des billets de banque et des pièces de monnaie en euro ;
- 30 juin 2002, au plus tard : disparition définitive des billets de banque et des pièces de monnaie en francs.

Quelle est la valeur de l'euro ?

6,55957 francs pour 1 euro.
Les billets :   5, 10, 20, 50, 100 et 500 euros (€).
Les pièces :   1, 2, 5, 10, 20, 50 cents.
1 et 2 euros.

Les pays de l'UEM
(Union Économique et Monétaire)

1 euro =

Finlande
5,94573 Marks finlandais

Irlande
0,787564 Livres

Pays-Bas
2,20371 Florins

Allemagne
1,95583 Marks

Belgique
40,3399 Francs belges

Luxembourg
40,3399 Francs luxembourgeois

Autriche
13,7603 Schillings

France
6,55957 Francs

Espagne
166,386 Pesetas

Italie
1 936,27 Lires

Portugal
200,482 Escoudos

À la poste

Apprendre à...
- Décrire le déroulement des actions
- Mettre en garde

 1 **Faites attention la prochaine fois !**

— Trois paquets de cigarettes, un briquet et un carnet de tickets de métro… Ce sera tout ?
— Oui, merci. Tenez !
— Voilà votre monnaie. Je vous remercie, monsieur.
(…)
— Et pour vous, madame, ce sera ?
— Un carnet de timbres et une carte téléphonique, s'il vous plaît. Pour affranchir une lettre pour l'Espagne, ça coûte combien ?
— C'est comme pour la France…
— Est-ce qu'il y a une boîte aux lettres dans le coin ?
— Oui, juste en face. Mais méfiez-vous, ça ne partira que demain matin.
(…)
— S'il vous plaît ! Vous m'avez rendu un billet de cinq au lieu de dix.
— Oh ! Excusez-moi, monsieur. Je me suis trompée. Voilà votre billet de dix.
— D'accord. Et faites attention la prochaine fois !

Dans un bureau de tabac

Qu'est-ce qu'on peut acheter…

…pour allumer une cigarette - …pour prendre le métro - …pour téléphoner - …pour affranchir des lettres ?

Vrai ou faux ?

Choisissez la bonne réponse, puis justifiez-la avec des exemples du dialogue.

	vrai	faux
1. Un homme achète une carte téléphonique.	☐	☐
2. Une femme achète des cigarettes.	☐	☐
3. Il n'y a jamais de boîte aux lettres près d'un bureau de tabac.	☐	☐
4. La femme s'est trompée quand elle a rendu la monnaie.	☐	☐
5. Le courrier est déjà parti.	☐	☐

2

Quelle journée !

— Oh, quelle journée ! Je n'ai pas arrêté de courir.
— Tu as pu arriver à la poste avant la fermeture ?
— Oui, mais je n'ai pas pu passer à l'agence *France Télécom*.
— Mais qu'est-ce que tu as fait pendant tout ce temps ?
— D'abord, j'ai dû faire la queue pour récupérer le paquet en recommandé. Tout de suite après, je me suis mise à faire une autre queue pour retirer de l'argent sur le compte postal. Puis je suis passée au bureau pour m'occuper d'un dossier.
— Et ensuite, quel était le problème ?
— Ensuite, j'ai pris un taxi jusqu'à l'agence *France*

Télécom pour aller changer mon portable, mais avec tous les embouteillages, on ne pouvait pas rouler. Enfin, quand on s'est arrêté devant l'agence, c'était déjà fermé.
— En conclusion, tu iras demain, je suppose.
— Exactement !

Dans quel ordre ?

Mettez les actions dans l'ordre.

1. La jeune femme s'est rendue à l'agence *France Télécom*.
2. La jeune femme a récupéré un paquet en recommandé.
3. La jeune femme a retiré de l'argent.
4. La jeune femme a rencontré des embouteillages.
5. La jeune femme a travaillé sur un dossier.

À vous de raconter !

À l'aide des phrases de l'activité précédente, racontez la scène.

Employez des pronoms et servez-vous des expressions suivantes : *d'abord - tout d'abord - premièrement - ensuite - puis - dans un deuxième temps - après - peu après - plus tard - à la fin - enfin - pour finir…*

3 Une histoire de portable

— Bonjour, monsieur. En quoi puis-je vous être utile ?
— Tout d'abord, j'aimerais avoir des factures de téléphone détaillées. Je voudrais savoir pourquoi nous payons toujours aussi cher.
— La facture de ce mois sera encore comme la précédente car elle a déjà été postée, mais votre prochaine facture comportera tous les appels… Autre chose ?
— Par ailleurs, je me suis procuré, le mois dernier, un téléphone portable. Je vous le rapporte parce qu'il ne fonctionne pas bien. Au début, ça allait, mais maintenant, je ne peux plus obtenir de communication quand je suis dans la maison.
— Vous êtes-vous approché d'une fenêtre ?
— J'ai tout essayé. Ça ne marche jamais.
  J'ai un autre modèle à vous offrir, plus puissant. Mais je vous préviens, ce sera plus cher. Celui-là était en promotion…

Fait ou à faire ?

Choisissez la bonne réponse.

1. La prochaine facture du client…   ☐ a déjà été postée. ☐ n'a pas encore été envoyée.
2. Avec son téléphone portable,   ☐ obtient toujours ses communications.
   le client…   ☐ n'obtient jamais ses communications.
3. Le nouveau portable proposé   ☐ est encore plus puissant que le précédent.
   par l'employée…   ☐ est encore moins puissant que le précédent.
4. Les factures de téléphone   ☐ sont de plus en plus élevées. ☐ sont toujours aussi élevées.
   du client…   ☐ sont de moins en moins chères.

mots

la poste :
- une boîte aux lettres *(n. f.)*
- un carnet de timbres (10 timbres) *(n. m.)*
- un colis postal *(n. m.)*
- un compte postal *(n. m.)*
- un courrier en RAR *(n. m.)* (recommandé avec accusé de réception)
- un courrier en recommandé *(n. m.)*
- une enveloppe *(n. f.)*
- un guichet *(n. m.)*
- un paquet *(n. m.)*

le téléphone :
- une cabine téléphonique *(n. f.)*
- une carte téléphonique *(n. f.)*
- une communication *(n. f.)*
- un téléphone *(n. m.)*
- un téléphone portable *(n. m.)*

Trouvez la bonne situation

Que disent-ils ?

Pour avertir que…

1. le courrier est déjà parti.
2. il faut rendre la monnaie correctement.
3. les bons téléphones portables coûtent plus cher.

Faites correspondre.

1. un ticket •		• a. de timbres
2. un paquet •		• b. à puce
3. un carnet •		• c. de 10 euros
4. une boîte •		• d. en recommandé
5. un billet •		• e. de téléphone
6. une facture •		• f. de métro
7. une carte •		• g. aux lettres

1. Écoutez et complétez avec le participe passé.

1. Ce matin tu t'es … de très bonne heure.
2. Il a … sa voiture pour aller au bureau.
3. Elle s'est … au bureau de tabac pour acheter des timbres.
4. Delphine et Sylvie se sont … dans leurs factures.
5. Nous avons … dans un grand restaurant.
6. Ils n'ont pas encore … le dernier mot.

Le passé composé des verbes pronominaux

se lever
Pour la conjugaison du verbe « se lever »
voir la page 179.

> Avec les verbes pronominaux,
> on emploie l'auxiliaire « être ».
> Le participe passé s'accorde alors
> avec le sujet.
> *Elle s'est mise à faire la queue.*
> *Ils se sont couchés très tard.*

2. Mettez au passé composé.

1. Pardon, je me trompe de numéro.
2. Il s'excuse des erreurs faites dans les comptes.
3. Paul achète une paquet de cigarettes.
4. Elle colle un timbre sur l'enveloppe.
5. Nous nous téléphonons tous les jours.
6. Tu te méfies de lui.

 3. Écoutez et dites le contraire.

1. … ; 2. … ; 3. … ; 4. … ; 5. … ; 6. … .

Le moment et la durée

une action achevée : **déjà**

qui n'a pas eu lieu mais qu'on attend : **ne … pas encore**
Exemples :
Nous avons déjà mangé. - Nous n'avons pas encore mangé.

qui dure mais qui peut se terminer : **encore**

qui a arrêté d'avoir lieu : **ne … plus**
Exemples :
Il fume encore un paquet par jour. - Il ne fume plus.

qui dure tout le temps : **toujours**

qui ne se fait pas : **ne … jamais**
Exemples :
Dans ce pays, il pleut toujours. - Dans ce pays il ne pleut jamais.

> Avec le passé composé, ces adverbes se placent entre l'auxiliaire et le participe passé :
> *Je n'ai pas encore posté la lettre. - Elle a toujours acheté les timbres au bureau de tabac.*
> *- Ils n'ont jamais vécu à l'étranger.*

4. Dites le contraire, comme dans l'exemple.
Il fait toujours froid dans ce bureau.
➡ ***Il n'a jamais fait froid dans ce bureau.***

1. La secrétaire fait encore des heures supplémentaires.
2. L'entreprise fait déjà un chiffre d'affaires important.
3. Elle se lève toujours très tôt.
4. Nous vivons encore dans cette ville.

5. Décrivez la situation.

6. Mettez ces gens en garde.

1. Une jeune femme veut retirer de l'argent : le distributeur de billets est en panne.
2. Le serveur du restaurant a mal fait l'addition. Il vous réclame 15 euros de plus que le prix réel.
3. Votre assistante met les lettres à l'envers dans les enveloppes à fenêtre. On ne voit plus l'adresse ni le nom du destinataire.

7. Jouez la scène.
Mettez-vous par deux.

Un client
● Il dépense beaucoup plus qu'il ne gagne.
● Il explique comment son entreprise a perdu des parts de marché avec la concurrence étrangère.

Un conseiller financier de la poste
● Il reçoit un client.
● Il le met en garde sur la situation de son compte et ses trop nombreux découverts.

Faites partir le courrier !

1 Daniel doit s'occuper de la mise sous pli du courrier. Françoise Vittel veut savoir s'il va bien se débrouiller. Écoutez…

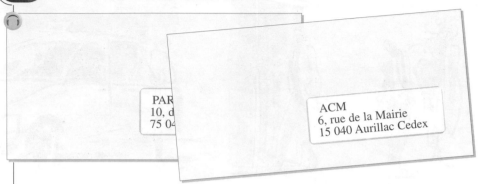

PAR
10, d
75 04

ACM
6, rue de la Mairie
15 040 Aurillac Cedex

Daniel ignore l'existence de la machine à affranchir le courrier pour les envois en nombre. Françoise Vittel ne se montre pas très patiente avec lui, mais, heureusement, Stéphane Petibon arrive pour tout lui expliquer. Écoutez…

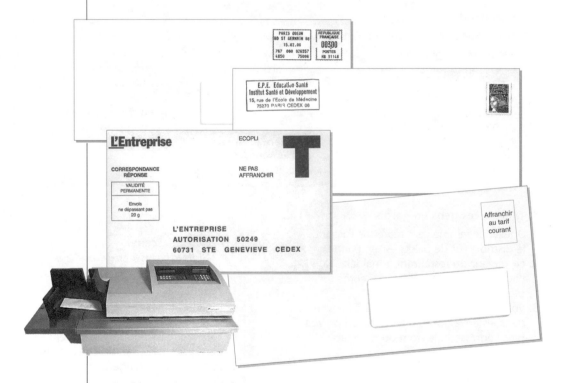

Qu'est-ce que c'est ?

Faites correspondre.

1. une enveloppe à fenêtre •
2. la mise sous pli •
3. l'affranchissement du courrier •
4. la machine à affranchir •

• a. Elle imprime en rouge la somme payée pour envoyer la lettre.
• b. Elle permet de voir le nom et l'adresse du destinataire.
• c. C'est mettre les lettres dans les enveloppes.
• d. C'est le paiement d'un timbre pour l'envoi d'une lettre/d'un paquet.

feuilleton-radio

2 Françoise Vittel et Daniel vont à la poste, au guichet d'envoi en nombre. Françoise doit aussi envoyer des lettres recommandées avec accusé de réception. Écoutez…

Qu'est-ce que c'est encore ?

Faites correspondre.

1. le guichet d'envoi en nombre •
2. les lettres recommandées avec • accusé de réception
3. le code postal •
4. le Cedex •

• a. C'est un numéro à 5 chiffres qui indique le bureau de poste distributeur du courrier.
• b. C'est le publipostage.
• c. C'est un sigle : il veut dire « Courrier d'Entreprise à Distribution Exceptionnelle ».
• d. C'est pour avoir une preuve de remise du courrier au destinataire.

Savoir remplir un formulaire postal

Remplissez le formulaire d'envoi en recommandé avec accusé de réception.

LA POSTE

ENVOI D'UN OBJET RECOMMANDÉ
AVEC AVIS DE RÉCEPTION
RA 0079 5442 1FR

RA 0079 5442 1FR

TAUX DE RECOMMANDATION R1☐ R2☐ R3☐
Cadre réservé au service

Présentation le _____

Distribution le _____
Signature du destinataire :

| Date | Prix | Contre-Remboursement | Nature de l'objet |

SIREN 356 000 000 RCS NANTERRE

DESTINATAIRE   LETTRE ☐   COLIS ☐

EXPÉDITEUR

UTILISER UN STYLO A BILLE / APPUYER FORTEMENT

PREUVE DE DISTRIBUTION

AVIS DE PASSAGE

PREUVE DE DÉPÔT

RECOMMANDÉ AR

Avez-vous bien compris ?

Racontez la matinée de Daniel.

Vous êtes Daniel. Vous rencontrez un ami le soir et vous lui racontez votre journée : la mise sous pli du courrier, l'affranchissement, quand vous vous êtes rendu à la poste avec Françoise et ce que vous avez fait avec elle.

Variations

Remplissez le formulaire.

Paragem envoie à monsieur Dinga du Cameroun (cf. unité 12) un colis contenant des échantillons de crème anti-moustiques pour le visage.

Communiquez les adresses par téléphone.

Vous êtes un détaillant et vous téléphonez à un grossiste pour lui passer des commandes de produits. Mettez-vous par deux.

Rédigez les instructions.

Pour aider les stagiaires de votre société, rédigez des instructions avec toutes les opérations concernant le courrier : enregistrement et distribution du courrier à l'arrivée, préparation du courrier au départ et publipostage.

Pharmacie Ledoux
43, rue Dorée
45200 Montargis

Dubois Pharmacien
35, rue Stephenson
75018 paris

Pharmacie du progrès
1, place St Pierre
14000 Caen

i Infos

LA POSTE ➤

Des engagements

VOS BESOINS		NOS ENGAGEMENTS
« J'ai un délai impératif »	« Mon envoi a de la valeur »	« Les produits et services que nous vous conseillons »
	Oui	La lettre Recommandée
	Oui	L'Enveloppe Internationale Recommandée
	Oui	Le Service Prioritaire ou Économique Export
	Oui	Le Postexport Recommandé
	Oui	La Valeur Déclarée
Oui	Oui	Chronopost
Oui	Oui	La gamme Coliposte
Oui	Oui	Le Colissimo recommandé
Oui		Le Colissimo

Des services

Avec votre compte courant de *La Poste*, vous disposez de toute une gamme de services.

Alimenter votre compte	**Régler vos achats, retirer de l'argent**	**Faire face aux découverts éventuels**	**Mettre facilement de côté l'argent qui dort sur votre compte**	**Suivre et gérer vos comptes**	**Protéger vos cartes et votre chéquier contre la perte ou le vol**
• Automatique par virement • Quand et où vous voulez dans l'un des 17 000 bureaux de poste	• Choisissez le moyen selon la situation • Chéquier • Carte Bleue Nationale • Carte visa • Prélèvements • Virements	• Découvert personnalisé jusqu'à 305 € dès l'ouverture de votre compte. • Vous êtes tranquille.	• Avec le Service C. CePargne, l'argent de votre compte vous rapporte.	• Par courrier : relevé de compte. • Ou 24h/24, 7 jours sur 7 : • Par téléphone • Par Minitel • Sur votre ordinateur.	• Alliatys protège votre carte et votre chéquier • Alliatys Plus protège tous vos moyens de paiement et vos papiers

& france telecom

Le nouveau profil

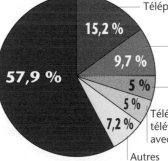

Répartition du chiffre d'affaires

Téléphone fixe **57,9 %**

Téléphone mobile (*Itinéris*) **15,2 %**

Transmission de données (notamment pour Internet et l'Intranet des entreprises) **9,7 %**

Accès à Internet (*Wanadoo*) et services en ligne (*Voilà*) **5 %**

Télévision (télédiffusion avec TDF, télévision par câble et par satellite avec *GlobeCast*) **5 %**

Autres **7,2 %**

Télécartes

La France est le premier pays au monde en ce qui concerne l'utilisation des cartes téléphoniques. Elle en est également le premier fabricant, avec la société *Gemplus*.

1
2
3
4
5
6
7
8
9
10
11
12
13
14
15
16
17
18
19
20

Apprendre à...
- Faire des requêtes
- Négocier
- Refuser (suite)
- Formuler des hypothèses

Télémarché
Vos courses en direct

Viandes et volailles   Charcuterie   Poissons

Crémerie   Épicerie   Fruits et légumes   Pains et gâteaux   fruits de mer   Fromages

Du nouveau chez Télémarché :
Le poisson frais, encore plus sensible que la viande, est entré dans notre gamme de produits.

Si vous voulez gagner du temps, passez votre commande en 4 clics.

Si vous voulez des courses prêtes à ranger, commandez nos produits qui sont emballés et classés selon leur destination de rangement.

Si vous voulez être sûr de la qualité, faites-vous livrer nos produits frais et surgelés dans des emballages spécifiques qui leur conservent toute leur fraîcheur.

Si vous voulez un paiement sécurisé, payez avec votre carte de crédit sur notre serveur sécurisé qui est le moyen le plus sûr.

Faire ses courses en direct

Dans quelle rubrique faut-il cliquer pour commander...

...du café - des huîtres - des pommes - de la salade - des tomates - du chocolat - du lait - du thé - des haricots verts - une tarte aux poires - des côtelettes d'agneau - un poulet - un saucisson - du miel - du riz.

Un clic sur le net

Trouvez sur le site Internet la formulation équivalente.

- Pour mettre vos achats plus vite dans le congélateur, le réfrigérateur, la salle de bains... nous emballons les marchandises par groupe de produits.
- Pour perdre moins de temps, utilisez l'ordinateur pour faire vos achats.
- Nous vous proposons un nouveau produit.
- Nous vous garantissons la confidentialité de votre règlement.
- Nous vous assurons la meilleure conservation de vos produits.

2 ## Extrait de conditions de vente

 Livraison gratuite, si vous habitez dans un rayon de 30 Km :
- de votre gros électroménager d'une valeur supérieure à 305 €
- de votre téléviseur couleur

 Échange
Si votre appareil présente dans le mois qui suit votre achat un défaut de fonctionnement, nous l'échangerons après un contrôle de notre service technique.

 Intervention
Si votre appareil tombe en panne, nous interviendrons dans les 48 heures :
- à domicile, pour le gros électroménager ou votre téléviseur
- dans nos ateliers pour votre micro-ondes ou votre magnétoscope

 Promotion
Vous achetez un appareil. Si dans les 30 jours qui suivent, il est en promotion, nous vous rembourserons la différence.

Délais
Si la réparation d'un appareil sous garantie dure plus de 30 jours, nous vous le rembourserons.

Prêt
Si la réparation de votre téléviseur, magnétoscope, réfrigérateur et congélateur sous garantie dure plus de 10 jours, nous vous prêterons un appareil.

Comprendre des conditions de vente

Trouvez le début des explications.

- ..., vous aurez un appareil de remplacement pendant la durée de la réparation.
- ..., vous ne paierez pas la livraison.
- ..., nous vous verserons le montant de votre achat.
- ..., nous viendrons chez vous réparer votre appareil.
- ..., nous vous donnerons un nouvel appareil.
- ..., nous vous rendrons la somme versée en trop.

Si la presse l'apprend...

— Un autre fax est arrivé ce matin.
— Encore un cas d'intoxication ?
— Oui. On signale cette fois dix adolescents qui sont tombés malades après avoir bu nos jus de fruits en petites bouteilles. Si ça continue, nous allons devoir les retirer du marché.
— Si ça ne tenait qu'à moi, je convoquerais tous nos distributeurs…
— Ma décision est prise. Faites le nécessaire dès à présent. Demandez à tous nos distributeurs de reprendre tous les stocks chez les détaillants.
— Si la presse l'apprend, nous ferons la une des journaux.
— Justement ! Convoquez une conférence de presse. C'est nous qui devons rassurer le public.

Problèmes et solutions

Trouvez le début des explications en fonction du dialogue.

1. ...ils seront obligés d'enlever les petites bouteilles de jus de fruit de chez tous les commerçants.
2. ...les gros titres des journaux parleront des intoxications alimentaires.
3. ...c'est pour rassurer les gens à propos du sérieux de l'entreprise.

mots

les produits alimentaires :
- de la charcuterie *(n. f.)*
- l'épicerie *(n. f.)*
- du fromage *(n. m.)*
- des fruits *(n. m. pl.)*
- des huîtres *(n. f. pl.)*
- des légumes *(n. m. pl.)*
- un marché *(n. m.)*
- du poisson *(n. m.)*
- de la viande *(n. f.)*
- de la volaille *(n. f.)*
- la conservation *(n. f.)*
- l'intoxication *(n. f.)*
- un produit frais *(n. m.)*
- un produit surgelé *(n. m.)*

les appareils électroménagers :

le gros électroménager
- le congélateur *(n. m.)*
- le réfrigérateur *(n. m.)*
- le téléviseur *(n. m.)*

le petit électroménager
- la cafetière électrique *(n. f.)*
- le fer à repasser *(n. m.)*
- le grille-pain *(n. m.)*
- le magnétoscope *(n. m.)*
- le micro-ondes *(n. m.)*
- le robot ménager *(n. m.)*

Trouvez la bonne situation

Donnez votre avis.

Imaginez un débat sur la qualité des produits alimentaires et les conséquences sur la santé publique. Que peut-on demander aux professionnels de l'alimentation pour consommer en toute tranquillité ? Préparez une liste d'arguments.

1. Complétez avec l'auxiliaire qui convient.

1. Un client … appelé ce matin.

2. Nous lui … demandé son adresse.

3. Ils … allés à un congrès de médecine.

4. Je suis désolé, j'… oublié de vous rendre la monnaie.

5. Vous … venus nous voir et vous nous avez laissé un message.

6. Elles nous … garanti la rapidité de livraison de leurs produits.

 2. Écoutez et complétez.

1. Je vous … parce que j'… la nouvelle.

2. Il … en réunion et je … vous le passer.

3. La banque … de découvert et … le prêt que nous … .

4. Nous … des conditions commerciales favorables à nos clients.

5. Nous … absents quand la vente … conclue.

Les auxiliaires

Dans la formation des temps composés, on emploie l'auxiliaire « être » avec les verbes qui signifient un déplacement du sujet dans une certaine direction :
aller - venir - entrer - sortir - arriver - partir - rester - monter - descendre - tomber - naître - mourir

ainsi que leur composés : **revenir**, **devenir**, **rentrer**…

• N'oubliez pas l'emploi du verbe « **être** » avec les verbes pronominaux
(« se lever », « s'appeler », « se souvenir »…) et dans la construction passive.

• N'oubliez pas que chaque fois qu'on emploie l'auxiliaire « **être** »,
le participe passé s'accorde avec le sujet.

Exemples :
Elle s'est levée très tôt et elle est allée chez le médecin.
Des intoxications alimentaires ont été signalées.

---

3. Transformez, comme dans l'exemple.

Nous fabriquons des produits. Ces produits sont d'excellente qualité.
➟ *Les produits que nous fabriquons sont d'excellente qualité.*

1. J'ai rencontré le directeur. Le directeur m'a proposé du travail.

2. Ils vendent des produits de beauté. Ces produits de beauté sont très chers.

3. Un homme traverse la rue. Cet homme est mon collègue de bureau.

4. Tu achètes des fruits et légumes sur le marché. Ces fruits et légumes sont très frais.

5. Nous avons été reçus par une hôtesse. Cette hôtesse a été très gentille avec nous.

Les pronoms relatifs

sujet	COD
qui	**que**

* Le pronom relatif relie deux phrases en évitant la répétition du nom.

Exemples :
Nous avons un label qui confirme notre mise aux normes.
Notre label confirme les normes que nous pratiquons.

Quand le pronom **que** est placé devant une voyelle,
on utilise l'apostrophe :
Les gâteaux qu'elle préfère la font grossir.

4. Écoutez et résumez la situation.

Où est allé l'homme qui est interrogé par sa femme ?
Qu'est-ce qu'il voulait ?
Qui a-t-il vu ?
Savez-vous s'il a obtenu ce qu'il cherchait ?
Que doit-il faire ?

5. Complétez librement.

1. Si vous achetez cet ordinateur, …
2. Je viendrai te voir demain si …
3. Si tu voulais que je reste …
4. Nous accepterions votre offre si …
5. Viens manger à la maison si …

Comment dire

● Pour exprimer une hypothèse ou une condition :
— **Si vous avez froid, fermez la fenêtre.**
— **Si tu arrives à l'heure, tu auras une bonne place.**
— **Si je suis trop occupé, je commanderai les produits par Internet.**

● Pour exprimer une éventualité qui peut se réaliser, mais pas dans les circonstances actuelles :
— **Si l'ordinateur était vraiment en panne, tu ne pourrais plus du tout travailler.**

Constructions :

si + présent → présent/futur/impératif
si + imparfait → conditionnel

 6. Jouez la scène.
Mettez-vous par deux.

Un de vos appareils électroménagers est en panne. Vous
téléphonez au service après-vente (S.A.V.). Un technicien
vous répond et vous explique les conditions de vente.

7. Préparez une note.

L'un de vos collaborateurs va vous remplacer pendant votre
absence. Vous mettez par écrit ce qu'il doit faire si quelqu'un
vous appelle, si un client vient vous voir, si les ordinateurs
tombent en panne…

Négociation des mo

1 Daniel reçoit un appel téléphonique d'une cliente potentielle. Il passe la communication à Isabelle Mercier, chargée des clients européens. Écoutez…

À propos des conditions de paiement

Faites correspondre.

1. Payer au comptant •

2. Une facilité de paiement •

3. Une lettre de change •

• a. C'est un moyen de paiement qui permet de régler plus tard.

• b. C'est un crédit.

• c. C'est régler immédiatement à la réception de la facture.

Rédiger des conditions de vente

Compléter les conditions de vente de *Paragem*.

PRODUITS ANTI-MOUSTIQUES

Service Commercial

À propos des conditions de paiement

* Le paiement doit s'effectuer au .... à réception de la ....
* Des .... de paiement peuvent être accordées dans le cas d'une commande importante.
* Pour bénéficier d'un règlement à ...., le montant de la commande doit dépasser .... francs HT. Le client pourra alors régler un ou .... mois après la livraison.
* Les règlements peuvent se faire par chèque, par virement bancaire ou par .... (en cas de paiement à crédit).

Rédiger une fiche client

Prenez des notes pour aider Isabelle à faire une fiche avec les coordonnées de la cliente et le motif de son appel.

PRODUITS ANTI-MOUSTIQUES

Service Commercial

Fiche client

Nom de la cliente .... Ville ....

Société .... Région ....

Motif de l'appel ....

Par rapport à la documentation envoyée ....

Par rapport au concurrent ....

yens de paiement

 2

Philippe Cadet a reçu un fax d'un client de Taiwan. Il demande à Isabelle son avis. Selon Isabelle, c'est un bon client. Philippe décide de lui téléphoner pour négocier une remise. Écoutez…

Medicasia
Taipei
Taiwan

TÉLÉCOPIE / FAX

De : **Dave Wang**
À : **Phillipe Cadet – Société Paragem**   Nombre de pages : **1**
Date : **22/04/…**

Cher Monsieur,
Nous avons bien reçu vos nouveaux tarifs qui, à notre grande surprise, ont augmenté de 3 %. Cette augmentation nous paraît abusive et risque de compromettre la vente de vos produits à Taiwan.
Nous vous serions reconnaissants de bien vouloir réexaminer vos tarifs et de nous tenir informés de votre décision.

Cordialement,
Dave Wang

Ça s'explique

Dites pourquoi.

1. Monsieur Wang est surpris.
2. La vente des produits à Taiwan peut baisser.
3. Philippe Cadet est agacé à la lecture du fax de monsieur Wang.
4. Isabelle Mercier ne veut pas risquer de perdre ce client.
5. Philippe Cadet veut téléphoner à Taiwan tout de suite.
6. Les tarifs du concurrent sont plus intéressants.
7. Les conditions de *Paragem* sont moins souples.
8. Ils finissent par se mettre d'accord.

P
aragem   PRODUITS ANTI-MOUSTIQUES

Service Commercial

Fiche client

Client : *Monsieur Dave Wang*   Ville : *Taipei*
Société : *Medicasia*   Pays : *Taiwan*
Paiement au comptant.
Client fidèle et solvable.

Avez-vous bien compris ?

Qu'est-ce qu'ils disent ?

Écoutez et faites correspondre.

1. J'ai bien reçu la documentation… •
2. Je vous passe la personne… •
3. Voilà encore un client… •
4. En plus, c'est un client… •
5. J'ai bien reçu votre fax… •
6. *Gripoux* propose des conditions de paiement… •

• a. qui est responsable des ventes pour la Corse.
• b. qui est solvable et qui paie au comptant.
• c. qui m'a surpris.
• d. qui veut des produits efficaces et qui ne veut pas payer.
• e. que je trouve beaucoup plus souples.
• f. que vous m'avez envoyée.

Quelle est votre opinion ?
Croyez-vous que *Gripoux* vend moins cher et donne plus de facilités de paiement parce que ses produits sont de moins bonne qualité ? Justifiez votre opinion.

Variations

Discussion ou comment obtenir un label

 1. Votre entreprise souhaite obtenir un label de qualité. Vous discutez avec vos collègues du département qualité pour mettre au point vos arguments. Vous rédigez une charte qualité à l'intention des consommateurs.

 2. Mettez-vous par deux. Vous souhaitez acheter un télécopieur. Vous avez vu une annonce qui vous intéresse. Vous téléphonez pour obtenir des renseignements sur les qualités de l'appareil et les conditions de vente.

Les signes de la qualité pour les produits alimentaires

 L'appellation d'origine contrôlée (AOC) garantit l'origine du produit ainsi que le savoir-faire propre aux producteurs de la région.

Le label rouge garantit la qualité supérieure d'un produit.

Les labels régionaux indiquent que les produits possèdent des caractéristiques spécifiques d'une région.

L'agriculture biologique
Le mode de production biologique, qui exclut l'utilisation de produits chimiques de synthèse, est attentif à l'environnement, ainsi qu'au bien-être des animaux.

Les signes de la qualité pour les produits industriels et les services

La marque NF (produits industriels)
Les caractéristiques du produit sont fixées en concertation avec des professionnels, des représentants des associations de consommateurs, des pouvoirs publics par l'AFNOR (association française de normalisation).

 3. Vous travaillez chez *Cuir Center*. Vous répondez aux demandes de renseignements des clients.

Canon
N°1 mondial de la télécopie

Laser Fax-L770 F

Vos fax deviennent de vrais documents.

La qualité laser sur vrai papier

- Le nouveau Fax-L770F de Canon, c'est la qualité laser des fax reçus sur du vrai papier : vos documents sont plus lisibles et directement utilisables…
- Télécopieur résolument haut de gamme (rapidité, mémoire puissante, multi-diffusion, multi-envois…)

Cuir Center Montlhéry
Paris Sud-Ouest – La ville du Bois RN 20
Tél. : 01 64 49 04 40 – Ouvert le dimanche

Les services Cuir Center

- Livraison gratuite dans un rayon de 50 km.
- Garantie 5 ans.
- Tous les crédits possibles :
  - crédit total 100 %
  - payer en plusieurs fois sans frais : un acompte à la commande et un à la livraison le solde en 3 mensualités sans frais.
- Le choix : plus de 300 canapés et fauteuils, tous styles.
- Service conseil décorateur gratuit.
- Détaxe à l'exportation.
- Essai gratuit à domicile.

Comment rédiger une demande de renseignements

LA DEMANDE

Nom
Adresse

Date

Exprimez vos besoins/votre intérêt
→ *J'ai lu avec intérêt votre annonce…*
→ *Votre offre/annonce m'a vivement intéressé.*
→ *Notre société serait intéressée par l'achat de…*

Demandez les renseignements
→ *Nous recherchons des fournisseurs…*
→ *Nous vous prions de/Nous vous serions reconnaissants de bien vouloir nous envoyer/nous adresser votre dernier catalogue/une documentation complète sur votre production/vos conditions les plus avantageuses/quelques échantillons de vos dernières fabrications…*

Remerciez
→ *Nous vous remercions d'avance et…*

LA RÉPONSE

Nom
Adresse

Date

Accusez réception de la demande et remerciez
→ *Nous avons bien reçu votre lettre du… et nous vous en remercions/dont nous vous remercions.*

Donnez les renseignements
→ *Nos conditions de vente sont les suivantes…*
→ *Nous vous adressons ci-joint une documentation complète de nos produits/nos articles.*
→ *Nous nous tenons à votre entière disposition.*

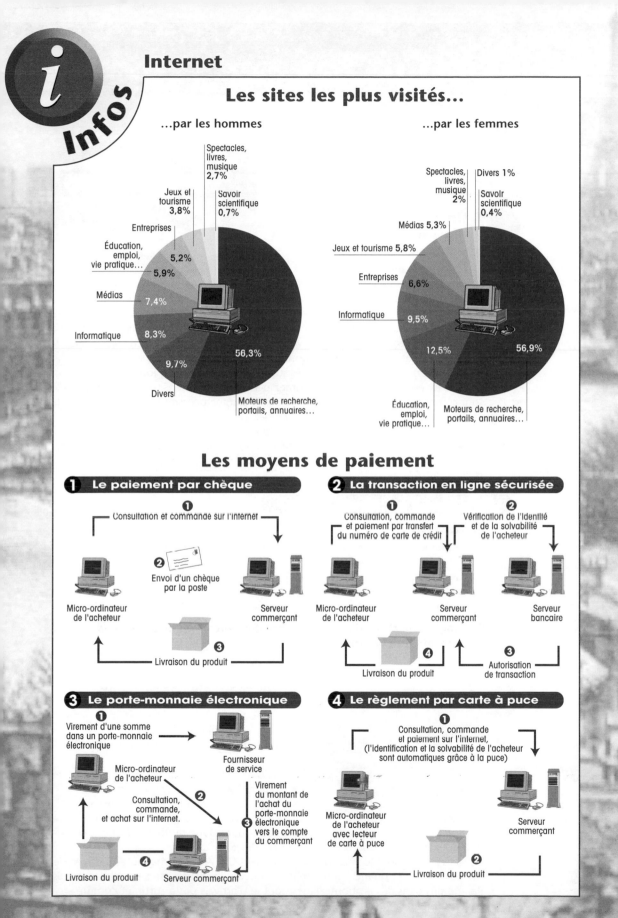

Internet

Les sites les plus visités...

...par les hommes

Spectacles, livres, musique 2,7%

Jeux et tourisme 3,8%

Savoir scientifique 0,7%

Entreprises 5,2%

Éducation, emploi, vie pratique... 5,9%

Médias 7,4%

Informatique 8,3%

9,7%

Divers

56,3%

Moteurs de recherche, portails, annuaires...

...par les femmes

Spectacles, livres, musique 2%

Divers 1%

Savoir scientifique 0,4%

Médias 5,3%

Jeux et tourisme 5,8%

Entreprises 6,6%

Informatique 9,5%

12,5%

56,9%

Éducation, emploi, vie pratique...

Moteurs de recherche, portails, annuaires...

Les moyens de paiement

1 Le paiement par chèque

❶ Consultation et commande sur l'internet

❷ Envoi d'un chèque par la poste

Micro-ordinateur de l'acheteur

Serveur commerçant

❸ Livraison du produit

2 La transaction en ligne sécurisée

❶ Consultation, commande et paiement par transfert du numéro de carte de crédit

❷ Vérification de l'identité et de la solvabilité de l'acheteur

Micro-ordinateur de l'acheteur

Serveur commerçant

Serveur bancaire

❹ Livraison du produit

❸ Autorisation de transaction

3 Le porte-monnaie électronique

❶ Virement d'une somme dans un porte-monnaie électronique

Fournisseur de service

Micro-ordinateur de l'acheteur

❷ Consultation, commande, et achat sur l'internet.

❸ Virement du montant de l'achat du porte-monnaie électronique vers le compte du commerçant

❹ Livraison du produit

Serveur commerçant

4 Le règlement par carte à puce

❶ Consultation, commande et paiement sur l'internet, (l'identification et la solvabilité de l'acheteur sont automatiques grâce à la puce)

Micro-ordinateur de l'acheteur avec lecteur de carte à puce

Serveur commerçant

❷ Livraison du produit

1 Un contrat d'assurance

— Nous venons de nous installer en France et nous aurions voulu nous assurer.

— De quoi avez-vous besoin exactement ? Vous avez des enfants, une voiture ?

— Nous avons une petite fille de deux ans, nous louons un trois pièces dans un immeuble récent... En fait, nous venons surtout pour l'appartement.

— Oui, je vois ; nous avons une police d'assurance ordinaire qui vous couvre en matière d'incendie, de dégâts des eaux et de vol par effraction. La prime est de 8 euros par mois.

— Et on est entièrement assurés pour les dommages faits à l'appartement ?

— Oui, et vos meubles sont assurés jusqu'à 18 292 euros. Nous avons aussi un produit exceptionnel dont vous pourriez bénéficier où tous les membres de la famille sont couverts en matière d'accident, au travail comme pendant les loisirs, au domicile ou en déplacement, en France ou à l'étranger.

— Cela comporte aussi une assurance-décès ?

— Oui, jusqu'à 60 975 euros de capital garanti. Et bien sûr, les mêmes dispositions sont prévues pour votre appartement. Le tout pour une prime de 29 euros par mois. C'est très avantageux !

Qu'est-ce qu'ils disent ?

A. Repérez.

1. Ce que le couple dit pour...
   - demander une assurance ;
   - décrire sa situation ;
   - parler de ses besoins en termes d'assurance.

2. Ce que l'assureur...
   - demande au couple pour connaître leurs besoins ;
   - leur propose comme types d'assurances.

B. Imaginez le choix du couple et justifiez votre réponse avec des éléments du dialogue.

2 Un mauvais conducteur

— Bonsoir monsieur. Veuillez vous garer ici... Vos papiers, s'il vous plaît.

— Voilà mon permis, ma carte grise et mon assurance.

— Bien. Vous savez à quelle vitesse vous rouliez quand vous avez traversé le carrefour ?

— Je devais être à 60 km/h, j'imagine.

— Non, à 110 ; et comme vous étiez à 110, vous n'avez pas pu freiner assez vite pour vous arrêter et vous avez brûlé le feu rouge. Donc double infraction, ce qui entraîne une suspension du permis de conduire !

— Mais je proteste ! Je vais faire un scandale ! Ce n'est pas ma faute ! Essayez de me comprendre : quand j'ai quitté mon bureau, j'étais déjà très en retard et puis j'ai été pris dans des embouteillages dont je n'arrivais pas à sortir, et comme j'avais un rendez-vous très urgent...

blème ?

— Inutile de vous énerver ! S'il y avait eu d'autres voitures, vous auriez provoqué un très grave accident. On ne discute pas la loi, monsieur ! Veuillez me suivre pour remplir un formulaire.

Leurs arguments

Donnez les raisons...

du gendarme pour arrêter l'automobiliste ; de l'automobiliste pour justifier son excès de vitesse ; de la gravité de la sanction.

Un arrêt maladie

— Bonjour, docteur.
— Qu'est-ce qui ne va pas ?
— J'ai beaucoup de fièvre et j'ai très mal à la tête.
— D'autres symptômes.
— Oui, j'ai aussi mal à la gorge et je n'arrête pas de tousser et de me moucher.
— Bon, je vais vous examiner... C'est bien ce que je pensais : vous avez attrapé la grippe. Je vais vous mettre en arrêt maladie pendant cinq jours.
— Mais je ne peux pas m'absenter en ce moment ! Si je m'étais senti très mal, je serais venu plus tôt.
— En tout cas, ce n'est pas la peine d'aller transmettre vos microbes à vos collègues de bureau. Si vous vous étiez fait vacciner contre la grippe, vous ne seriez pas malade.

Vrai ou faux ?

Choisissez la bonne réponse.

	vrai	faux
1. L'homme est allé chez le médecin parce qu'il se sent malade.	☐	☐
2. Le médecin dit au malade de continuer à travailler.	☐	☐
3. Le patient demande cinq jours de repos.	☐	☐
4. L'homme s'est déjà fait vacciner contre la grippe.	☐	☐
5. Si l'homme restait chez lui, il ne transmettrait pas la grippe à ses collègues.	☐	☐

Votre collègue est en arrêt maladie.

Informez-vous sur sa santé. Demandez-lui la cause de son arrêt, de son accident, de son hospitalisation...

mots

l'assurance :
- une assurance-décès (n. f.)
- un assureur (n. m.)
- un cabinet d'assurances (n. m.)
- un dégât des eaux (n. m.)
- un dommage (n. m.)
- une effraction (n. f.)
- un incendie (n. m.)
- une police d'assurance (n. f.)
- une prime (n. f.)
- un vol (n. m.)

la conduite :
- un accident (n. m.)
- un carrefour (n. m.)
- une carte grise (n. f.)
- un feu rouge (n. m.)
- un formulaire (n. m.)
- une infraction (n. f.)
- une loi (n. f.)
- un permis de conduire (n. m.)
- une suspension de permis (n. f.)
- la vitesse (n. f.)

la santé :
- une grippe (n. f.)
- une maladie (n. f.)
- un mal de gorge (n. m.)
- un mal de tête (n. m.)
- un microbe (n. m.)
- un symptôme (n. m.)
- un vaccin (n. m.)
- un virus (n. m.)

Trouvez la bonne situation

Qui dit quoi ?

Complétez et indiquez qui dit quoi.

1. ...je serais venu plus tôt.
2. S'il y avait eu d'autres voitures...
3. On est entièrement assurés...
4. Si vous vous étiez fait vacciner contre la grippe...
5. Nous avons aussi un produit exceptionnel...
6. Vous savez à quelle vitesse... ?
7. Nous avons une police d'assurance qui...

 Racontez les trois situations, puis choisissez l'un des personnages que vous décrirez.

1. Mettez au plus-que-parfait, puis faites correspondre.

1. Je (traverser) déjà le carrefour…
2. Nous avons reçu la commande…
3. Depuis qu'il (se faire) arrêter par la police, …
4. Comme ils (ne pas nous répondre), …
5. Vous (ne pas encore s'assurer)…
6. Je n'ai pas compris pourquoi, avant de partir, …

- • a. elle (ne pas passer) à la banque.
- • b. nous leur avons envoyé une lettre en recommandé.
- • c. lorsqu'il y a eu le dégât des eaux ?
- • d. que vous nous (poster) la semaine dernière.
- • e. quand une voiture est arrivée sur ma droite.
- • f. il roulait nettement moins vite.

Le plus-que-parfait

Auxiliaire à l'imparfait + participe passé

Exemples :
J'avais assuré ma maison.
Il était arrivé dans la nuit.

Le plus-que-parfait exprime une action antérieure à une autre action du passé :
Elle avait déjà déjeuné quand il est arrivé.

 2. Écoutez et transformez, comme dans l'exemple.

Je n'ai pas traversé, donc vous ne m'avez pas renversé.
➡ *Si j'avais traversé, vous m'auriez renversé.*

1. … ; 2. … ; 3. … ; 4. … ; 5. … ; 6. … .

Comment dire

● Pour exprimer une hypothèse concernant le passé, la condition ne s'étant pas réalisée :
— S'il était allé moins vite, il ne se serait pas fait arrêter.
Attention !
Construction : si + plus-que-parfait ➡ conditionnel passé

Le conditionnel passé

**Auxiliaire au conditionnel présent
+
participe passé**

Exemples :
J'aurais demandé à Pierre.
Il serait allé en Espagne.
Nous ne nous serions pas dépêchés.

3. Complétez librement.

1. Si vous aviez fait attention…
2. Si j'avais raté mon avion…
3. Si nous avions vécu à l'étranger…
4. Si tu avais rencontré le président…
5. S'il s'était énervé avec le gendarme…
6. S'il y avait eu une inondation…

4. Caractérisez.

Décrivez la personnalité de l'automobiliste et du gendarme du dialogue 2 en vous aidant des répliques (autoritaire, de mauvaise foi, agressif…).

5. Reliez les phrases avec les pronoms *qui, que, dont, où.*

1. Je te présente Marie Boustard…   •   • **a.** il est très fier.
2. Vous connaissez la ville…   •   • **b.** comportait une erreur.
3. Il vient d'acheter une voiture…   •   • **c.** l'usine s'est implantée ?
4. Elle ne retrouve plus la facture…   •   • **d.** on a rencontré des gens charmants.
5. On est allés à une fête…   •   • **e.** sera responsable des ventes.
6. As-tu embauché l'ingénieur…   •   • **f.** je t'avais parlé au téléphone ?

Les pronoms relatifs (suite)

compl. de nom	compl. de lieu/temps
dont	**où**

Exemples :
Voici le propriétaire dont la cuisine a été innondé.
Le quartier où j'habite est très loin. - Le jour où tu m'as appelé je n'étais pas là.

> **On emploie également « dont » pour remplacer un complément introduit par « de » :**
> *Il a besoin d'un ordinateur.*
> *Cet ordinateur n'est plus disponible en ce moment.*
> → *L'ordinateur dont il a besoin n'est plus disponible en ce moment.*

---

 6. Écoutez et écrivez en rétablissant la ponctuation.

— un tiret   : deux points
, une virgule   ? un point d'interrogation
. un point   ! un point d'exclamation
; un point virgule   « » des guillemets

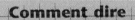

Comment dire

● Pour se justifier :
— Ce n'est pas ma faute !
— Je n'avais pas compris.
— Je n'avais pas le temps.
— J'avais trop de travail.
— Je n'ai pas fait exprès.

---

 7. Jouez la scène.
Mettez-vous par deux.

Vous avez garé votre voiture en stationnement payant mais vous avez dépassé l'horaire autorisé de quelques minutes. Vous arrivez au moment où l'on vous met une contravention. Vous justifiez votre retard et essayez d'éviter la contravention.

Un mauvais payeur

 1 Aujourd'hui, Daniel travaille avec Stéphane Petibon : ils pointent ensemble les factures impayées. Écoutez...

Pragem

10, rue de Paradis, 75 010 Paris
Tél. : 33 (0)1 40 30 20 10
Fax : 33 (0)1 40 30 20 20

PRODUITS ANTI-MOUSTIQUES

 **IMPAYÉ**

Facture n° 56312

Monsieur Vasseur
23, rue de la Mairie
31000 Toulouse

Paris, le 3 janvier...

Le client

**À l'aide d'éléments du dialogue, décrivez monsieur Vasseur.
Expliquez pourquoi c'est un gros et mauvais client.**

 2 Stéphane Petibon dicte à Daniel une lettre de rappel de paiement adressée à monsieur Vasseur. Écoutez...

Pragem

10, rue de Paradis, 75010 PARIS
Tél. : 33 (0) 1 40 30 20 10
Fax : 33 (0) 1 40 30 20 20

PRODUITS ANTI-MOUSTIQUES

Objet : rappel de facture – Client n° 280763

Date de la facture : 5 mars
Numéro de la facture : 56312
Échéance de la facture : 4 avril
Montant de la facture : 49 000 francs
(7 469,51 €)

Monsieur Vasseur
23, rue de la Mairie
31000 Toulouse

Paris, le 11 Avril ...

Messieurs,

La facture

A. Choisissez la bonne définition.

régulariser   ☐ tirer un trait   ☐ se mettre en règle

CCP   ☐ Compte chèque postal   ☐ Certificat de comptabilité de Paris

dans les meilleurs délais   ☐ le plus vite possible   ☐ très en retard

PS   ☐ Parti socialiste   ☐ Post scriptum

B. Écoutez encore et prenez en notes la lettre adressée à monsieur Vasseur.

Cette lettre de rappel est restée sans réponse. Stéphane Petibon envoie encore deux lettres de rappel. Elles aussi restent sans réponse. Il décide alors de téléphoner à monsieur Vasseur. Écoutez...

Que disent-ils ?

A. Trouvez ce que dit Stéphane Petibon pour... :

1. annoncer le motif de son appel ;
2. réclamer le paiement de la facture ;
3. exprimer son étonnement.

B. Trouvez ce que dit monsieur Vasseur pour... :

justifier le non-paiement de la facture.

C. À votre avis, les excuses de monsieur Vasseur sont-elles de bonnes excuses ?

Avez-vous bien compris ?

À propos de la lettre de rappel de paiement.

Mettez les éléments dans le bon ordre.

Objet – montant de la facture – PS – date de la facture – nom de la ville où est écrite la lettre – échéance de la facture – date de la lettre – numéro du client – numéro de la facture.

Répondez.

1. À quoi sont associées les dates suivantes :
   3 janvier, 5 mars, 4 avril, 11 avril ?
2. À combien s'élève la facture de monsieur Vasseur ?
   À 53 000 F (8 079,27 €) ? À 49 000 F (7 469,51 €) ?
3. Monsieur Vasseur est-il comme Stéphane Petibon l'a décrit à Daniel ? Donnez des exemples.
4. Que pensez-vous de la façon dont Stéphane Petibon a décrit monsieur Vasseur à Daniel ?

Variations

Faire un constat d'accident

Vous venez d'avoir un accident de voiture (vous étiez dans la voiture A et l'autre conducteur dans la voiture B). Mettez-vous par deux, lisez le constat à l'amiable et remplissez-le.

constat amiable d'accident automobile

Ne constitue pas une reconnaissance de responsabilité, mais un relevé des identités et des faits, servant à l'accélération du règlement

à signer obligatoirement par les DEUX conducteurs

| 1. date de l'accident : | heure | 2. lieu (pays, n° dépt, localité) | | 3. blessé(s) | même léger(s) |
| | | | | non □ | oui □ |

4. dégâts matériels autres qu'aux véhicules A et B   non □   oui □

5. témoins noms, adresses et tél. (à souligner s'il s'agit d'un passager de A ou B)

véhicule A

6. assuré souscripteur (voir attest. d'assur.)
Nom (majusc.)
Prénom
Adresse (rue et n°)
Localité (et c. postal)
N° tél.(de 9 h. à 17 h.)
L'Assuré peut-il récupérer la T.V.A. afférente au véhicule ?   non □   oui □

7. véhicule
Marque, type
N° d'immatr. (ou de moteur)

8. sté d'assurance
N° de contrat
Agence (ou bureau ou courtier)
N° de carte verte (Pour les étrangers)
Attest. ou carte verte valable jusqu'au
Les dégâts matériels du véhicule sont-ils assurés ?   non □   oui □

9. conducteur (voir permis de conduire)
Nom (majusc.)
Prénom
Adresse
Permis de conduire n°
catégorie (A,B...) délivré par
le
permis valable du au
(pour les catégories C, C1, D, E, F et les taxis)

12. circonstances

Mettre une croix (x) dans chacune des cases utiles pour préciser le croquis.

A			B
□	1	en stationnement	1 □
□	2	quittait un stationnement	2 □
□	3	prenait un stationnement	3 □
□	4	sortait d'un parking, d'un lieu privé, d'un chemin de terre	4 □
□	5	s'engageait dans un parking, un lieu privé, un chemin de terre	5 □
□	6	s'engageait sur une place à sens giratoire	6 □
□	7	roulait sur une place à sens giratoire	7 □
□	8	heurtait l'arrière de l'autre véhicule qui roulait dans la même file et sur la même file	8 □
□	9	roulait dans le même sens et sur une file différente	9 □
□	10	changeait de file	10 □
□	11	doublait	11 □
□	12	virait à droite	12 □
□	13	virait à gauche	13 □
□	14	reculait	14 □
□	15	empiétait sur la partie de chaussée réservée à la circulation en sens inverse	15 □
□	16	venait de droite (dans un carrefour)	16 □
□	17	n'avait pas observé un signal de priorité	17 □

◄ indiquer le nombre de cases marquées d'une croix ►

véhicule B

6. assuré souscripteur (voir attest. d'assur.)
Nom (majusc.)
Prénom
Adresse (rue et n°)
Localité (et c. postal)
N° tél.(de 9 h. à 17 h.)
L'Assuré peut-il récupérer la T.V.A. afférente au véhicule ?   non □   oui □

7. véhicule
Marque, type
N° d'immatr. (ou de moteur)

8. sté d'assurance
N° de contrat
Agence (ou bureau ou courtier)
N° de carte verte (Pour les étrangers)
Attest. ou carte verte valable jusqu'au
Les dégâts matériels du véhicule sont-ils assurés ?   non □   oui □

9. conducteur (voir permis de conduire)
Nom (majusc.)
Prénom
Adresse
Permis de conduire n°
catégorie (A,B...) délivré par
le
permis valable du au
(pour les catégories C, C1, D, E, F et les taxis)

10. Indiquer par une flèche(→) le point de choc initial

11. dégâts apparents

13. croquis de l'accident
Préciser : 1. le tracé des voies – 2. la direction (par des flèches) des véhicules A,B – 3. leur position au moment du choc – 4. les signaux routiers – 5. le nom des rues (ou routes).

10. Indiquer par une flèche(→) le point de choc initial

11. dégâts apparents

14. observations

15. signature des conducteurs
A
A

● En cas de blessures ou en cas de dégâts matériels autres qu'aux véhicules A et B, relever les indications d'identité, d'adresse, etc.   Ne rien m... la séparation...

1, 2, 3, 4. Ces renseignements sont importants.

5. Indiquez les noms et adresses des témoins, et précisez éventuellement s'ils sont passagers de A ou de B.

6, 7, 8. Ces renseignements sont indispensables. N'oubliez pas d'en vérifier l'exactitude auprès de votre adversaire.

10. À l'aide d'une flèche, précisez uniquement le point de choc initial.

13. Faire un croquis : il doit être précis. Identifiez les véhicules A et B, ainsi que le sens de la circulation.

14. Inscrivez toute observation complémentaire avant de signer.

Notez le nombre de croix (1, 2, 3, ...ou 0).

Écrivez une lettre à votre assurance en lui racontant les circonstances de votre accident. Joignez à cette lettre votre constat à l'amiable.

Informez du sinistre

Décrivez les circonstances du sinistre (date, heure, témoins, causes et étendue des dommages).

Informez du document joint (le procès verbal de gendarmerie ou de police, des attestations, des témoignages, un rapport d'expertise).

Nom
Adresse

Le .../.../...

Objet : Déclaration d'accident

« Je tiens à vous informer que j'ai été victime... »

« Vous trouverez ci-joint... »

« Je reste à votre disposition pour tout renseignement complémentaire »

Concluez

Votre entreprise organise une vaccination contre la grippe.

Rédigez une note d'information pour tout le personnel.

La sécurité sociale

• En France, les principaux risques sociaux sont couverts par un système de sécurité sociale, créé en 1945.
Il s'agit essentiellement :
- de risques personnels : maladie, maternité, accidents, invalidité, vieillesse et décès ;
- de risques professionnels : accidents du travail, maladies professionnelles.

carte d'assurance maladie

vitale

BO 250 00002 5

EMISE LE 20/03/1999

2 77 03 37 261 000 53

LECOUVE
FLORENCE

FEUILLE DE SOINS
assurance maladie

cerfa
N° 10441*01

RENSEIGNEMENTS CONCERNANT L'ASSURÉ(E) (1)

NUMÉRO D'IMMATRICULATION : 2 77 03 37 261 000 [53]   N° DE CENTRE

NOM-Prénom : LECOUVE Florence

ADRESSE : 34, rue du Fer à Moulin
75005 Paris

NUMÉRO DE TÉLÉPHONE : 01 43 37 14 59

SITUATION DE L'ASSURÉ(E) A LA DATE DES SOINS
☒ AUTRE CAS ► lequel : étudiante

MODE DE REMBOURSEMENT
VIREMENT A UN COMPTE POSTAL, BANCAIRE OU DE CAISSE D'ÉPARGNE

Signature de l'assuré(e) ► Lecouve

• **Les assurances sociales donnent droit à :**
- un remboursement des dépenses de santé ; l'assuré doit établir une demande de remboursement (feuille de soins) délivrée par le médecin ;
  une compensation des pertes de salaires ; un certificat d'arrêt de travail, établi par le médecin, doit être adressé à la sécurité sociale.
Les accidents du travail et les maladies professionnelles bénéficient d'une indemnisation plus favorable.
Pour bénéficier de ces prestations, il faut justifier d'un certain temps de travail.

Les assurances complémentaires :
votre choix de garanties

	Remboursement Sécurité Sociale	BNP Santé 1	BNP Santé 2
Hospitalisation Frais de séjour, soins Forfait journalier hospitalier	80 % ou 100 %	100 % Frais réels	150 % Frais réels
Dentaire Soins et consultation	70 %	100 %	100 %
Optique (forfait)	100 €	120 €	200 €
Maternité Prise en charge, chambre particulière Soins, accouchement	100 %	100 %	150 F/jour maxi 100 %
Soins et Prescriptions médicales Soins des cures thermales acceptées S.S.	60 ou 70 %	100 %	150 % + Forfait 500 F/an maxi
Pharmacie	35, 65 ou 100 %	100 %	100 %
Médecins	70 %	100 %	150 %

Apprendre à...
- Analyser un problème
- Proposer des solutions
- Donner son avis

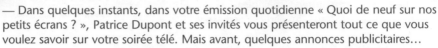

➜ 1   Une annonce publicitaire

— Dans quelques instants, dans votre émission quotidienne « Quoi de neuf sur nos petits écrans ? », Patrice Dupont et ses invités vous présenteront tout ce que vous voulez savoir sur votre soirée télé. Mais avant, quelques annonces publicitaires…
— *Il faut que vous veniez la voir… Il faut que vous tombiez amoureux d'elle… Certains l'ont déjà fait et sont sous le charme. Elle vous attend pour vous dire…*
— *Je veux que tu me conduises où tu voudras… Je veux être ta nouvelle compagne, discrète, inséparable…*
— *La toute petite et ô combien intelligente : Mini Maxel !*

Radio ou télé ?

Choisissez la bonne réponse.

1. Vous pouvez entendre cela…
   ☐ au cinéma   ☐ à la télé   ☐ à la radio

2. D'abord, on présente…
   ☐ une émission de radio   ☐ une annonce publicitaire

3. Avant l'émission, on passe…
   ☐ une annonce publicitaire   ☐ la météo   ☐ les informations

4. C'est une publicité pour…
   ☐ une boisson   ☐ une voiture   ☐ une série télé

5. L'émission qui va suivre l'annonce publicitaire parle de…
   ☐ cinéma   ☐ télévision   ☐ politique

6. Le « petit écran » désigne…
   ☐ un poste de télévision   ☐ une petite salle de cinéma

Terminez les phrases.

1. Il faut que vous…   2. Il faut que vous…   3. Je veux que…   4. Je veux…

La publicité

— Dis donc, dans ce magazine, il y a autant de pubs que d'articles !
— À mon avis, il y a plus de pubs que d'articles.
— C'est presque ça.
— Et partout la *Mini Maxel*, même dans les quotidiens. Regarde !
— Je crois qu'ils n'ont pas eu peur de la dépense. Leur campagne publicitaire pour la nouvelle voiture électrique est incroyable !
— Remarque, les affiches dans le métro sont plutôt sympa. En ce qui me concerne, je la trouve jolie, cette petite voiture.
— En tous cas, on ne peut pas la rater : tous les matins à la radio, tous les soirs à la télé…
— Tu ne veux pas qu'on aille la voir chez le concessionnaire ?
— Tu plaisantes, j'espère !

Vrai ou faux ?

Choisissez la bonne réponse.

	vrai	faux
1. Dans le magazine, les publicités sont moins nombreuses que les articles.	☐	☐
2. La campagne publicitaire pour la *Mini Maxel* a coûté très cher.	☐	☐
3. Il n'y a pas de publicité à la radio.	☐	☐
4. La petite voiture est électrique.	☐	☐
5. Sur les affiches publicitaires, la *Mini Maxel* paraît jolie.	☐	☐
6. Il n'y a aucun moyen d'échapper à la publicité de la nouvelle voiture.	☐	☐

À chacun son avis

Sur quoi la femme donne-t-elle son avis ? Et l'homme ?

3

Un peu de lecture

— Bonjour, monsieur.

— Bonjour, madame. Je suis représentant commercial des Éditions Dupalmier. Puis-je vous parler quelques instants ?

— Je n'ai pas beaucoup de temps. Vous voyez, ce matin nous avons beaucoup de monde.

— Je voudrais vous montrer certains titres de notre nouvelle collection de guides pratiques : *Tout sur le jardinage, Tout sur le bricolage, Tout sur vos entretiens d'embauche, Tout sur les maladies de bébé...*

— En effet, ces petits guides ne prennent pas trop de place. S'ils ne sont pas trop chers, on doit pouvoir les vendre facilement.

— Justement. J'ai une photo de notre présentoir à vous montrer. Il contient huit titres en dix exemplaires et on peut le poser sur la table centrale, ou près de la caisse...

— Oh non ! À côté de la caisse nous avons déjà les stylos, les porte-clés, tout ça... Et la table centrale est consacrée aux nouvelles parutions et aux prix littéraires. Mais je vais réfléchir.

— Voulez-vous que je repasse cet après-midi ?

— La semaine prochaine, ce sera mieux.

mots

les médias :
- un article *(n. m.)*
- un journal *(n. m.)*
- une émission *(n. f.)*
- un magazine *(n. m.)*
- la presse *(n. f.)*
- un quotidien *(n. m.)*
- une radio *(n. f.)*
- la télévision *(n. f.)*

la publicité :
- une affiche *(n. f.)*
- une annonce *(n. f.)*
- une campagne *(n. f.)*
- un film *(n. m.)*
- un présentoir *(n. m.)*

À chacun son guide

Quel guide peuvent-ils acheter ?

1. Un jeune qui est à la recherche d'un emploi.
2. Une femme qui adore les fleurs.
3. De jeunes parents.

4. Un homme qui aime s'occuper en fabriquant des choses pour la maison et en réparant tout lui-même.

Chassez l'intrus

Dans un magasin de presse, on peut acheter...

des journaux - des magazines - des parfums - des livres - des stylos - des crayons - des bijoux - des porte-clés - du papier

Trouvez la bonne situation

Décrivez les deux types de promotion lors du lancement d'un nouveau produit en comparant les moyens utilisés.

1. Écoutez et complétez.

1. ... le monde aime « Radio-Actu ».
2. ... publicités sont très surprenantes.
3. Depuis ... jours, il se plaint de maux de tête.
4. Je n'ai invité que ... de mes amis.
5. ... viendront probablement.
6. Tu voulais me dire ... ?
7. Nous aimons ... les chansons de ce compositeur.

2. Transformez, comme dans l'exemple.
As-tu récupéré le paquet à la poste ?
(tout à l'heure) ➡ ***Je vais le récupérer tout à l'heure.***
(demain) ➡ ***J'irai le récupérer demain.***

1. Je t'ai demandé de fermer la fenêtre. *(tout à l'heure)*
2. Notre client est arrivé en France. Veux-tu l'inviter à dîner ? *(demain)*
3. Aujourd'hui, on a reçu beaucoup de lettres. Réponds à tout le monde ! *(demain)*
4. Vous avez déjà enregistré le courrier ? *(tout à l'heure)*
5. As-tu préparé la salle de réunion ? *(demain)*

Les indéfinis « quelque/s », « certains/es », « tout le/toute la/tous les/toutes les » précèdent les noms :
Quelques livres - Certains jours - Certaines publicités - Tout le monde - Toute la page - Tous les matins - Toutes les émissions.

Ils peuvent remplacer un nom :
quelques-uns/quelques-unes/
quelque chose
certains/certaines
tout
— Quels journaux préférez-vous ?
— Quelques-uns me plaisent beaucoup. Certains me déplaisent. Mais je lis tout.

« Tout » peut aussi précéder des adjectifs : tout petit/toute petite

 3. Écoutez et répondez, comme dans l'exemple.
J'irai le récupérer demain.
➡ ***Il faut que tu le récupères tout de suite.***

1. ... ; **2.** ... ; **3.** ... ; **4.** ... ; **5.** ... ; **6.** ... .

Le subjonctif

tomber – finir – partir
Pour la conjugaison du verbe « tomber », « finir » et « partir », voir la page 180.

- **Le mode subjonctif s'emploie après des verbes exprimant une volonté ou une obligation :**
Je veux que tu finisses avant ce soir. - Il faut que je parte maintenant.
Elle exige qu'ils mangent tout.

- **Des subjonctifs irréguliers :**
que je sois... (être) - que j'aie... (avoir)
que je fasse... (faire) - que j'aille... (aller)

La comparaison de quantité

plus de
moins de ⎱ + nom   que de + nom
autant de ⎰

> **On peut comparer directement une action par rapport à sa quantité :**
> *Elle travaille plus que lui.*
> *Il travaille moins qu'elle.*
> *Il vend autant qu'elle ?*
>
> **On peut aussi comparer une action par rapport à sa qualité :**
> *Il bricole moins bien que moi.*
> *Tu bricoles aussi bien que lui.*
> *Je bricole mieux que lui.*

5. Donnez votre avis.

1. Ce fabricant automobile fait très peu de publicité.
2. Il a attrapé la grippe et il veut aller travailler.
3. Nous faisons toujours nos courses dans un hypermarché.
4. On n'a pas lancé de nouveaux produits depuis longtemps.
5. Personne n'a répondu à cette annonce d'emploi.
6. Tu devrais lui donner un conseil.

4. Comparez, comme dans l'exemple.
acheter - journaux (+) - magazines (–) - Paul
➡ ***Paul achète plus de journaux que de magazines.***

1. vendre - crème pour le visage (+) - gel douche (–) - nous
2. avoir - clients (=) - notre concurrent - nous
3. vendre - robes (+) - pantalons (–) - elle
4. travailler - le stagiaire (–) - la secrétaire (+)

Comment dire

● Pour poser un problème ou demander une opinion :
 — **Pensez-vous que…**
 — **Croyez-vous que…**
 — **Il faut trouver une solution…**
● Pour proposer des solutions ou une simple opinion :
 — **Je crois que…**
 — **Je pense que…**
 — **Il me semble que…**
 — **Ce serait mieux si…**
● Pour donner son avis :
 — **À mon avis…**
 — **D'après moi…**
 — **Selon moi…**
 — **En ce qui me concerne…**

 6. Jouez la scène.

Lors d'une réunion de travail, on discute du lancement de la *Mini Maxel*. Les différents membres proposent différentes solutions.

Un prix de lancement.

Une journée « portes ouvertes ».

Un essai.

Des accessoires en plus : climatisation, volant cuir…

Une série limitée.

 7. Donnez des instructions.

Vous avez une équipe de collaborateurs qui vont participer au lancement d'une nouvelle voiture. Vous avez laissé des notes qui ont été déchirées. Retrouvez les parties qui correspondent.

rédiger des annonces   chez les concessionnaires   un publipostage
envoyer des cartons   se rendre   d'invitation   au salon de l'auto
préparer   organiser   réserver un stand   à paraître dans la presse   une campagne publicitaire

Vous réunissez vos collaborateurs et vous leur dites ce qu'il faut qu'ils fassent et qu'ils obtiennent.

Paragem, mini-prix, mi

 1

Catherine Leblanc a réuni ses collaborateurs pour faire le point sur les produits *Paragem* et pour mieux concurrencer *Gripoux*. Isabelle propose un nouveau conditionnement de leurs produits. Philippe Cadet n'est pas convaincu. Écoutez…

mini-prix, mini-tube,
maxi-protection

1 **Avec quelle fréquence voyagez-vous ?**
☑ très souvent - ☐ parfois - ☐ rarement

2 **Vous voyagez en tant que…**
☐ touriste - ☑ homme d'affaires

3 **Quels continents visitez-vous en général ?**
☐ l'Europe - ☑ l'Afrique
☐ l'Asie - ☐ l'Amérique

4 **Quel type de bagages emportez-vous ?**
☑ un sac de voyage
☐ une valise
☐ plus d'une valise

5 **Quelle est la durée de vos déplacements ?**
☑ un ou deux jours - ☐ une semaine
☐ un mois ou plus

mini-prix, mini-tube,
maxi-protection

1 **Avec quelle fréquence voyagez-vous ?**
☐ très souvent - ☑ parfois - ☐ rarement

2 **Vous voyagez en tant que…**
☑ touriste - ☐ homme d'affaires

3 **Quels continents visitez-vous en général ?**
☐ l'Europe - ☐ l'Afrique
☐ l'Asie - ☑ l'Amérique

4 **Quel type de bagages emportez-vous ?**
☐ un sac de voyage
☑ une valise
☐ plus d'une valise

5 **Quelle est la durée de vos déplacements ?**
☐ un ou deux jours - ☑ une semaine
☐ un mois ou plus

Comprendre le lexique de la mercatique

Faites correspondre.

1. des parts de marché   • • a. mettre pour la première fois en vente
2. mener une enquête   • • b. la clientèle que l'on veut toucher
3. des groupes cibles   • • c. la demande
4. un créneau   • • d. une place sur le marché
5. le besoin du marché   • • e. un moyen pour faire augmenter
6. lancer un nouveau produit   •   les ventes
7. la promotion   • • f. poser des questions
                                 • g. des ventes

Vous avez pris des notes pendant la discussion

Comparez les produits *Gripoux* et les produits *Paragem*.

	Gripoux	Paragem
Qualité des produits		
Prix des produits		
Type d'emballage		
Solution proposée		

 2

Une semaine plus tard, une nouvelle réunion est organisée pour mettre au point les moyens de promotion de la nouvelle trousse de voyage de *Paragem*. Isabelle propose une campagne très ambitieuse.
Écoutez…

La campagne publicitaire

Quels moyens pour quel type d'action ?

Deux types d'action sont envisagés auprès des consommateurs, par l'intermédiaire des distributeurs. Faites correspondre les moyens utilisés au bon type d'action. Choisissez la bonne réponse.

	La promotion des ventes	La campagne publicitaire
un dépliant	☐	☐
un présentoir	☐	☐
une affiche	☐	☐
une publicité sur le lieu de vente	☐	☐
un message publicitaire	☐	☐

Qui propose quoi ? Isabelle, Philippe ou Françoise ?

1. Disposer la trousse de voyage *Paragem* dans un endroit stratégique.
2. Un présentoir bien en évidence à côté de la caisse.
3. Des dépliants sur les lieux de vente.
4. Une campagne d'affichage dans les quartiers d'affaires.
5. Une annonce publicitaire.

3 Le lendemain, toute l'équipe se réunit à nouveau pour trouver un slogan publicitaire. Chacun propose une idée. Écoutez...

Un bon slogan

Rendez à chaque auteur son slogan.

1. Catherine Leblanc

2. Françoise Vittel

3. Stéphane Petibon

4. Isabelle Mercier

5. Philippe Cadet

a. **Paragem** *la petite trousse qui vous protège des moustiques.*

Plus pratique et plus économique, la trousse de voyage
b. **Paragem**  *vous sauve la vie*

c. La trousse de voyage *Paragem*, ne partez pas sans elle !

Votre compagnon de voyage, la trousse anti-moustiques
e. **Paragem**

d. **Paragem** mini-prix, mini-tube, maxi-protection

La mercatique, c'est quoi ?

Faites correspondre.

1. le groupe cible •
2. un slogan •
3. une campagne d'affichage •
4. un budget publicitaire •

• a. une dépense d'argent
• b. des affiches dans les quartiers d'affaires, les grands hôtels, les aéroports internationaux
• c. les touristes, les hommes d'affaires
• d. « *Paragem*, mini-prix, mini-tube, maxi protection »

Avez-vous bien compris ?

Expliquez.

 Exposez le problème commercial qui se pose à la société *Paragem* et expliquez les propositions que Catherine Leblanc a retenues pour mieux faire face à la concurrence.

Variations

Les dépliants publicitaires

1. Rédigez un slogan publicitaire radiophonique sur l'un des deux produits présentés.
2. Rédigez un questionnaire pour mener une enquête sur l'un de ces produits et posez les questions à votre groupe.

Comment rédiger un questionnaire

▶ **1. Mettez un mot pour expliquer les objectifs de l'enquête**

> *Pour mieux vous satisfaire, nous avons besoin de connaître votre avis.*
>
> *Pouvez-vous répondre aux questions suivantes ?*

▶ **2. Faites une liste des thèmes à aborder**
- habitudes d'achat
- intentions d'achat
- nature de l'achat
- budget d'achat
- fréquence d'achat

▶ **3. Posez des questions sur l'identité de la personne**

Vous êtes un(e)	homme	femme	marié(e)	célibataire
Votre âge	15-20 ans	20-30 ans	30-40 ans	+ de 40 ans
etc.				

▶ **4. Remerciez**

unité 18 — Un lancement réussi

Infos

Les médias et la grande distribution

LA PRESSE

1,3 milliard de francs
(40,4 % du total) +16,5 %
(marché : + 4,7 %).

Les points forts
Capacité d'argumenter de manière qualitative ;
Possibilité de diffuser les messages dans le temps ;
Convient particulièrement pour les MDD*.

Les points faibles
Pas de capacité de mobilisation immédiate.

Les grands utilisateurs :
Intermarché, Carrefour, Leclerc.

LA RADIO

1 milliard de francs (31,1 % du total)
− 8, 3 % (marché : + 0,7 %).

Les points forts
Favorise le trafic immédiat.

Le points faibles
A une image trop promotionnelle.

Les grands utilisateurs :
Carrefour et système U tout au long de l'année,
Intermarché, Champion, Atac, Auchan et Leclerc
pour les temps forts promotionnels.

L'AFFICHAGE

881,3 millions de francs
(27,4 % du total), + 4 % (marché : + 9,3 %).

Les points forts
De plus en plus qualitatif.

Les points faibles
Comme la presse, pas de capacité de
mobilisation rapide.

Les grands utilisateurs :
Carrefour, Leclerc.

LE CINÉMA

27,2 millions de francs (0,8 % du total),
+10,9 % (marché : + 25,8 %)

Les points forts
Touche un public jeune.
Peut faire passer un message long.

Les points faibles
Pas de capacité de mobilisation.

Les grands utilisateurs :
Auchan, Leclerc.

*MDD : Marques de distributeurs
LSA, n°1546

La publicité

La publicité ne représente plus que 40 % des dépenses
des annonceurs, qui privilégient les actions de promotion
directes.

Les dépenses des annonceurs

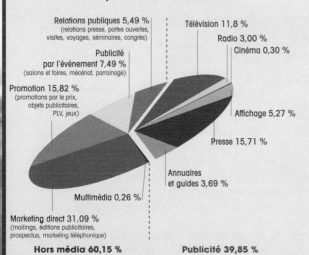

Relations publiques 5,49 %
(relations presse, portes ouvertes,
visites, voyages, séminaires, congrès)

Publicité
par l'événement 7,49 %
(salons et foires, mécénat, parrainage)

Promotion 15,82 %
(promotions par le prix,
objets publicitaires,
PLV, jeux)

Multimédia 0,26 %

Marketing direct 31,09 %
(mailings, éditions publicitaires,
prospectus, marketing téléphonique)

Télévision 11,8 %

Radio 3,00 %

Cinéma 0,30 %

Affichage 5,27 %

Presse 15,71 %

Annuaires
et guides 3,69 %

Hors média 60,15 %   **Publicité 39,85 %**

Exemple
d'une campagne de publicité

MARKETING
Étude du marché
du produit et des
conditions de son
lancement : quels
sont les produits
semblables ?
Leur prix ? Où sont-ils
vendus ? A qui ?

CRÉATION
Conception
et réalisation des
annonces (presse,
radio, cinéma…).

PROMOTION
Répartition
et vente de la
publicité.

**ÉTUDE
DE MOTIVATION**
Enquête sur les
réactions et les désirs
des gens devant
le produit.

**CHOIX DES
MÉDIAS**
À qui veut-on
transmettre le
message et pour
combien de temps ?

FABRICATION
Contrôle de la qualité
de la réalisation.
L'annonce est alors
donnée au public.

Temps libre

Apprendre à...
- Exprimer son point de vue (suite)
- Manifester son désaccord
- Marquer le doute

 1 Organiser une randonnée

— Bonjour Patrice, j'ai vu sur le tableau d'affichage que tu organisais une sortie en forêt de Fontainebleau.

— Oui, j'ai prévu une journée de marche à pied pour dimanche prochain. Tu viens avec ta famille ?

— Ça dépend beaucoup de la distance que vous comptez parcourir et de la météo.

— En ce qui concerne le temps, il fera gris, et il est possible qu'il pleuve mais seulement en fin de journée.

— Bertrand m'a dit qu'on marcherait une quarantaine de kilomètres. J'ai peur que ce soit trop long.

— Mais non, on ne va faire que 25 kilomètres. Il faudra prévoir 5 heures de marche.

— Bon, alors je crois que ça ira. De toute façon, je suppose que tu feras des pauses ?

— Mais oui, j'en ai prévu au moins deux et on s'arrêtera une heure pour pique-niquer.

— Bien. Tu peux m'indiquer où est le rendez-vous ?

— Il faut que tu prennes une carte détaillée de la région… C'est à la sortie ouest de Fontainebleau qu'est le point de rencontre, à 10h00 précises.

Le programme de la journée

A. Rédigez le programme de sortie que vous remettrez à vos collègues (jour, lieu, prévisions météorologiques, distance à parcourir, vêtements, lieu de rendez-vous et indications pour s'y rendre…).

B. Repérez la façon dont la femme exprime ses craintes.

2 Se maintenir en forme

— Combien de kilomètres avez-vous déjà fait depuis ce matin ?

— On en a fait au moins 50.

— Ça fait au moins deux heures que vous roulez ! Vous commencez aux aurores !

— Comme ça, on profite de la fraîcheur et puis, vous savez, ça nous gêne de plus en plus qu'il y ait autant de voitures sur les routes.

— Oh, tu exagères ! Le matin, je ne trouve pas qu'on soit dérangés.

— Je ne suis pas d'accord avec toi ; moi, j'ai l'impression d'être sans arrêt doublé par des automobilistes.

— Je suppose que vous n'avez pas le temps de vous entraîner tous les jours ! Un cycliste m'a expliqué qu'il faisait des exercices tous les jours pour garder la forme. Et vous, quel est votre secret ?

— Moi, je fais de la natation : c'est un sport qui me détend. Les copains sont plus professionnels : eux, ils font de la musculation trois fois par semaine dans un club !

Sur la route

Remettez les actions dans l'ordre.

1. Un cycliste affirme que les voitures ne sont pas un problème.
2. Un cycliste dit qu'il nage.
3. Un cycliste répond qu'il a fait un minimum de 50 kilomètres.
4. Un cycliste déclare qu'il y a trop de circulation.

3 Aller manifester

— Allô, Virginie ? C'est Juliette. Est-ce que tu as eu le tract pour la manifestation ?
— Oui, j'en ai eu un. En tout cas, j'y vais, mais je ne sais pas très bien d'où elle part, ni à quelle heure.
— On m'a dit que le cortège partirait du square Saint Jacques à 12h30 et qu'on arriverait en début d'après-midi devant la préfecture.
— Alors là, impossible : il n'est pas question que je rate mon cours de gymnastique.
— Oh pour une fois, tu peux bien faire une exception.
— Non, je préfèrerais te rejoindre plus tard.
— De toute façon, tu vas marcher toute la journée, tu feras aussi de l'exercice !
— Comment ça, toute la journée ? Ne me dis pas qu'il n'y aura aucun transport en commun demain !
— Non. Aucun transport.
— Bon, alors… je te rejoindrai. Disons qu'on se retrouve à 13h30 au pont François 1er, d'accord ?

Vrai ou faux ?

Choisissez la bonne réponse et justifiez-la avec des répliques du dialogue.

	vrai	faux
1. Virginie téléphone à Juliette à propos de la manifestation.	☐	☐
2. On leur a distribué des tracts.	☐	☐
3. La manifestation démarre au pont François 1er.	☐	☐
4. Juliette adore la gymnastique.	☐	☐
5. Virginie essaie de convaincre Juliette de ne pas aller à la gymnastique.	☐	☐
6. Juliette pourra circuler en bus.	☐	☐
7. Juliette n'ira pas à la manifestation.	☐	☐

mots

manifestation :
- un cortège (n. m.)
- un défilé (n. m.)
- un manifestant (n. m.)
- une préfecture (n. f.)
- un syndicat (n. m.)
- un tract (n. m.)

sports :
- l'athlétisme (n. m.)
- le cyclisme (n. m.)
- le vélo (n. m.)
- l'équitation (n. f.)
- l'escrime (n. f.)
- le football (n. m.)
- le golf (n. m.)
- la gymnastique (n. f.)
- la marche à pied (n. f.)
- la musculation (n. f.)
- la natation (n. f.)
- le rugby (n. m.)
- le ski (n. m.)
- le tennis (n. m.)
- la voile (n. f.)

Trouvez la bonne situation

Qu'est-ce qu'ils disent ?

Repérez.

- Pour donner leur avis.
- Pour exprimer leur désaccord.
- Pour rapporter des faits.
- Pour montrer leur mécontentement.

Repérez, pour chaque situation, les différentes actions, puis expliquez-les selon le modèle de l'exercice du dialogue 2.

1. Écoutez et répondez, comme dans les exemples.

— *Vous avez un vélo? (un bleu)*
➡ — *Oui, j'en ai un bleu.*
— *Elle a une carte détaillée ? (non)*
➡ — *Non, elle n'en a pas.*

1. ... ; 2. ... ; 3. ... ; 4. ... ; 5. ... .

2. Transformez à l'impératif, comme dans l'exemple.

Il faut que vous mangiez du fromage.
➡ *Mangez-en !*

1. Il faut que nous demandions des échantillons.
2. Il faut que tu prennes ce TGV.
3. Il faut que tu te dépêches.
4. Il ne faut pas que vous téléphoniez à la comptable.
5. Il faut que tu prennes un plan.

Le pronom « en »

Il remplace un nom précédé de :
« du », « de la », « des »/un, une, aucun, autre, peu, beaucoup, deux, dix, etc.

Exemples :
— *Il a des amis ? — Oui, il en a beaucoup.*
— *Vous avez acheté des journaux ?*
— *Non, je n'en ai pas acheté.*

> À la forme affirmative, on répète « un », « une ».
> À la forme négative, on ne les répète pas :
> — *Vous avez un téléphone portable ?*
> — *Oui, j'en ai un./Non, je n'en ai pas.*

L'impératif (récapitulatif)

Regarde !	Regardons !	Regardez !
Ne regarde pas !	Ne regardons pas !	Ne regardez pas !
Lève-toi !	Levons-nous !	Levez-vous !
Ne te lève pas !	Ne nous levons pas !	Ne vous levez pas !

Dis-moi/lui/nous/leur !	Ne me/lui/nous/leur/dis pas !
Achète-le/la/les !	Ne l'/les achète pas !
Prends-en (un/une) !	N'en prends pas !

---

3. Mettez les verbes aux temps et mode qui conviennent.

1. Je pense que les salariés (se mettre) bientôt en grève.
2. Ça m'étonne que tu (ne pas vouloir) aller à la manifestation.
3. Tu crois qu'il (comprendre) ce que je lui ai dit ?
4. Il est possible qu'ils (ne pas être) dans leur bureau.
5. Moi, ça me gêne qu'il y (avoir) tant de monde dans cette pièce.
6. Je ne pense pas qu'elle (savoir) négocier avec les syndicats.

Le subjonctif (suite)

Il s'emploie après une proposition principale...

- **exprimant un doute et une possibilité** : il est possible que, il se peut que, douter que...
  Il est possible qu'il pleuve.
- **exprimant un sentiment** : préférer, regretter, aimer....
  être désolé, gêné, étonné...
  ça m'étonne, ça m'agace, ça m'énerve...
  Ça m'étonne qu'il soit en retard.
- **avec un verbe d'opinion à la forme négative et interrogative** :
  Je ne trouve pas qu'on soit dérangés par le bruit. – Je ne crois pas qu'ils viennent.

4. Exprimez votre point de vue.

Votre comité d'entreprise (C.E.) vous invite à un débat sur la place du sport dans l'entreprise.

Indiquez si vous-même aimez le sport, si vous en pratiquez un ou plusieurs, si vous le/les pratiquez dans l'entreprise ou à l'extérieur, si vous êtes satisfait des services sportifs proposés par le C.E., si vous avez des suggestions à faire pour améliorer la situation (qualité des services, des locaux, horaires, enseignement…)

Comment dire

● Rappel des expressions pour donner son avis :

— à mon avis   — je crois que…
— selon moi   — je trouve que…
— en ce qui me concerne…   — je pense /je ne pense pas que…
— pour moi…

---

5. Un entrepreneur raconte. Retrouvez ses mots.

Après mon bac, je (s'interroger) : qu'est-ce que j'(avoir) envie de faire ? Ma motivation (être) de réussir ma vie. J'(aimer) le commerce, le contact avec les gens, je ne (vouloir) pas travailler dans l'administration. J'(chercher) un métier. Je n'(avoir) pas beaucoup de goût pour de trop longues études. Je (devenir) opticien. J'(ouvrir) mon premier magasin à 23 ans. À mes débuts, j'(devoir) affronter l'hostilité des autres opticiens. Les boutiques (être) vieilles. Mon premier magasin se (vouloir) plus moderne. On ne (pouvoir) pas faire du neuf avec du vieux. Dès la première année, j'(réaliser) un très bon chiffre d'affaires. J'(décider) d'ouvrir un deuxième magasin, je (devenir) entrepreneur. Deux autres boutiques (suivre). J'(innover) sur le plan des prix. C'(être) une bonne idée : mon chiffre d'affaires (exploser). Au début, mon entreprise (s'appeler) *Visual Optic*. Un ami publicitaire (conseiller) de donner mon nom à mes magasins. Nous (commencer) des campagnes publicitaires, on me (voir) dans les spots : les gens (aimer beaucoup) cela.

Comment dire

● Rappel des expressions pour manifester son désaccord :

— Je ne suis pas d'accord.
— Mais pas du tout !
— Vous dites n'importe quoi !
— Vous exagérez !
— Il ne faut pas exagérer !
— Vous n'avez rien compris.
— Ce n'est pas vrai !

---

6. Écoutez et transformez, comme dans l'exemple.

Je vais m'inscrire à un cours de tennis.
➡ *Il m'a dit qu'il allait s'inscrire à un cours de tennis.*

1. … ; **2.** … ; **3.** … ; **4.** … ; **5.** … .

Le discours indirect

Il est introduit par des verbes comme « affirmer, « ajouter », « annoncer », « déclarer », « dire », « expliquer », « promettre », « répondre » + que.

Avec le passage au discours indirect, on observe plusieurs changements :

Il m'a dit : « Tu peux passer me voir avec ta sœur ».
➡ *Il m'a dit que je pouvais passer le voir avec ma sœur.*

Elle leur a dit : « Je viendrai chez vous demain ».
➡ *Elle leur a dit qu'elle viendrait chez eux le lendemain.*

---

 7. Racontez, puis jouez la scène.

Racontez à un ami la rencontre qui a eu lieu entre la direction, les salariés en grève et les syndicats. Jouez ensuite la scène.

Jour de grève et jour

1 Daniel arrive au bureau avec une heure de retard. Que lui est-il arrivé ? Écoutez...

Les syndicats

A. À l'aide des explications de Stéphane Petibon, complétez les mots écrits sur les banderoles et écrivez à quoi correspondent les initiales.

B. Trouvez ce que dit...
– Françoise Vittel pour exprimer son désaccord avec les syndicats ;
– Daniel pour dire qu'il ne connaît pas très bien les syndicats.

2 Daniel se trouve dans le bureau des commerciaux, Philippe et Isabelle, lorsque Stéphane Petibon leur apporte une enveloppe à chacun. Écoutez...

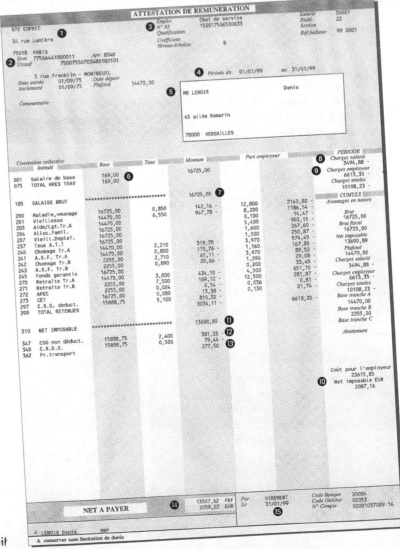

de paie   feuilleton-radio

Le bulletin de paie

❶ Nom et adresse de l'employeur

❷ Numéro d'identification de l'employeur

❸ Emploi et catégorie professionnelle du salarié

❹ Période de travail

❺ Nom du salarié

❻ Nombre d'heures

❼ Somme totale avant les retenues

❽ Cotisations salariales

❾ Cotisations patronales

❿ Montant du salaire imposable

⓫ Salaire net avant impôts

⓬ Impôts prélevés à la source

⓭ Somme versée pour certains frais

⓮ Somme versée au salarié à la fin du mois

⓯ Date de versement du salaire

Les cotisations

Répondez.

1. Quelles sont les assurances auxquelles un salarié doit cotiser ?
2. Donnez le pourcentage des cotisations patronales et celui des cotisations salariales.
3. Pourquoi Daniel ne paie-t-il pas de cotisations salariales ?

 Françoise Vittel consulte le Minitel pour savoir si la RATP, entreprise qui gère les transports parisiens, va ou non continuer la grève. Écoutez...

Le Minitel

Donnez des instructions.

1. Indiquez à Daniel comment se servir d'un Minitel.
2. Écrivez sur l'écran du Minitel les informations concernant la grève des transports à la RATP.

Gratuit 3 mn

LES PAGES JAUNES   3615 France Télécom

Nom :   RATP ....

Localité :   ....

                        ....

                        ....

                        Vous pouvez préciser

Département :   ....

Adresse :   ....

Le numéro demandé est le..

Avez-vous bien compris ?

Donner une opinion.

 Que pense Françoise Vittel des syndicats et de la grève de la RATP ?
Justifiez votre réponse avec des éléments des trois dialogues.

Variations

Le comité d'entreprise

1. Vous êtes membres du comité d'entreprise. Vous présentez aux salariés des activités sportives qu'ils peuvent pratiquer à des tarifs intéressants. Vous répondez à leurs questions (tarifs, heures, équipement, lieu, fréquence).

HORAIRES DE COURS

GYMNASIUM
AU MEILLEUR DE LA FORME

PARIS 14
226, Bd Raspail
Tél. : 01 43 21 14 4

PARIS 14

LUNDI		MARDI		MERCREDI	
9h30	Aqua-Gym	9h30	Abdos-Fessiers	10h30	Aqua-Gym
10h00	Gym douce	10h00	Stretching	11h00	Abdos-Fessiers
10h30	Abdos-Fessiers	10h30	Aqua-Gym	11h30	Stretching
11h00	Stretching	11h00	Abdos-Taille	12h30	Abdos-Fessiers
12h30	Body-sculpt		Aquavie	13h00	Aqua-Gym
13h00	Step Inter.	12h30	Pump		
	Aqua-Gym		Aqua-Gym	16h00	Aqua-Gym
				16h30	Body-sculpt
15h30	Aquavie	16h00	Body-sculpt	17h00	A.T.F.
16h00	Aqua-Gym	16h30	Aqua-Gym	17h45	Step Avancé
16h30	Body-sculpt	17h00	Step Début.	18h00	Aqua-Gym
17h00	A.T.F.	17h30	Body-sculpt	18h30	Aquavie
17h45	Pump	18h15	Aéro LIA		Abdos-Fessiers
18h00	Aqua-Gym		Aqua-Gym	19h00	Pump
19h00	Step Avancé	19h00	A.T.F.		Aqua-Gym
19h45	Salsa	19h45	Rock N'Roll	20h15	Danse Africaine
	Aqua-Gym		Aqua-Gym		

JEUDI		VENDREDI		SAMEDI	
9h30	Abdos-Fessiers	9h30	Aqua-Gym	10h00	Body-sculpt
10h00	Body-sculpt	10h00	Abdos-Taille	10h30	Abdos-Fessiers
10h30	Stretching	10h30	Leg Lifting	11h00	Stretching
11h00	Aqua-Gym	11h00	Stretching		Bébés Nageurs
12h30	Body-sculpt	12h30	Aqua-Gym	11h30	Aqua-Gym
13h00	Aqua-Gym	13h00	Abdos-Fessiers	12h30	Abdos-Fessiers
				13h30	Danse Orientale
16h00	Gym Douce	16h00	Aqua-Gym	14h30	Bébés Nageurs
16h30	Aqua-Gym	16h30	Abdos-Taille	15h00	Aqua-Gym
17h00	Body-sculpt	17h00	Pump	15h30	Pump
17h45	A.T.F.	18h15	Step Début.	16h45	Stretching
18h00	Aqua-Gym	18h45	A.T.F.	17h30	Rock'N Roll
18h30	Stretching	19h30	Karaté		Danse de Salon
19h00	Danse Orientale				

HORAIRES D'OUVERTURE

LUNDI - MARDI - JEUDI
VENDREDI
9 H 00 à 21 H 00

MERCREDI
9 H 00 à 22 H 00

SAMEDI
9 H 00 à 20 H 00

DIMANCHE DE
9 H 00 à 13 H 00

STEP : Simulateur d'escalier - Travail cardio-vasculaire.
STRETCHING : Assouplissement - Relaxation.
BODY SCULPT : Affermir et tonifier son corps.

DIMANCHE	
10h00	A.T.F.
10h45	Body-sculpt
11h30	Aqua-Gym

2. Préparez une affiche décrivant certaines activités pour le tableau d'affichage du comité d'entreprise, ainsi qu'une série de tracts à distribuer dans les bureaux.

Une demande d'augmentation

1. Vous écrivez une lettre à votre patron pour demander une augmentation de salaire. Vous justifiez votre demande.

2. Une augmentation de salaire a été décidée dans votre entreprise. Vous en informez le personnel par une note de service.

Nom
Prénom
Service

Date

M. ... (titre)

• Rappelez la dénomination du poste, vos responsabilités et dites depuis combien de temps vous occupez ce poste. *(J'occupe ce poste...)*

• Énoncez les tâches que vous effectuez et mettez en valeur vos compétences professionnelles. *(J'ai la responsabilité de... ces responsabilités m'ont permis d'acquérir...)*

• Exprimez votre demande d'augmentation. *(Je vous demande de bien vouloir...)*

• Concluez. Dites que vous espérez obtenir satisfaction.

Saluez

L'accroissement du temps libre

41 % des Français disent faire un sport (47 % des hommes/35 % des femmes)
29 % quotidiennement
28 % de temps en temps
16 % plutôt le week-end
8 % plutôt en vacances

Les Français dépensent 30 milliards de francs pour le sport

Les sports préférés des Français

1. le foot
2. le tennis
3. le judo
4. la pétanque
5. le basket
6. l'équitation
7. le ski
8. le rugby
9. le golf
10. la voile
11. le hand-ball
12. la natation

Des événements sportifs

1. Le football et la Coupe du monde de 1998
2. Le cyclisme et le Tour de France
3. La course automobile et les 24 heures du Mans
4. Le tennis et Roland-Garros

1.

3.

2.

4.

Les syndicats

Confédération générale du travail
(1 600 000 adhérents) : créée en 1895, d'abord surtout liée au secteur de la métallurgie, aujourd'hui l'organisation syndicale électoralement la plus importante.

Confédération française démocratique du travail :
créée en 1964, elle est devenue l'interlocuteur privilégié du patronat, et est désormais électoralement quasi aussi importante que la CGT.

Confédération française des travailleurs chrétiens
(260 000 adhérents) : créée en 1964, surtout présente dans la région Alsace-Lorraine.

Confédération française de l'encadrement-Confédération générale des cadres
(240 000 adhérents) : aujourd'hui en perte de vitesse ; les cadres, eux aussi touchés par le chômage, se tournent en effet plutôt désormais vers la CFDT.

Confédération générale du travail Force Ouvrière
(1 100 000 adhérents) : créée en 1948, elle est aujourd'hui en déclin, au profit de la CFDT.

« Made in France »

1
2
3
4
5
6
7
8
9
10
11
12
13
14
15
16
17
18
19
20

Apprendre à...
- Faire des critiques
- Exprimer sa déception
- Convaincre (suite)
- Organiser un discours

Le Beaujolais nouveau est arrivé !!

1 En direct du salon

— Nous sommes en direct du Salon de l'Agriculture, organisé tous les ans à Paris, Porte de Versailles. Monsieur Beauvin, directeur commercial d'une coopérative du Beaujolais est avec nous. Monsieur Beauvin, cette année a-t-elle été une bonne année pour vous ?
— C'est, en effet, une très bonne année, tout comme l'année dernière. Depuis la création de l'appellation de Beaujolais Nouveau, nos ventes à l'exportation n'ont pas cessé d'augmenter.
— Pourquoi avez-vous lancé le Beaujolais Nouveau ?
— Il nous fallait un bon coup promotionnel pour relancer les ventes. Nos concurrents exportaient mieux que nous et des vins venus d'autres continents, plus jeunes, plus légers, commençaient à envahir le marché.
— D'où l'idée de lancer un vin jeune, un vin primeur…
— Exactement. Et le phénomène médiatique autour de l'arrivée du Beaujolais Nouveau, lié à une date précise, a séduit aussi nos clients étrangers. Même au Japon, les restaurants fêtent l'événement.
— Eh bien, bravo pour cette opération marketing au service d'un vin français !

Un carton d'invitation

A. Complétez.

B. Répondez.

1. Quand a lieu cette manifestation ?
2. Depuis quand les ventes à l'exportation ont-elles augmenté ?
3. Pouvez-vous citer un des concurrents français du Beaujolais Nouveau qui s'exporte très bien ?
4. Connaissez-vous des vins produits en dehors de l'Europe ?
5. Savez-vous à quelle période de l'année arrive le Beaujolais Nouveau ?

> Monsieur …
> Directeur …
>
> *sera très heureux de vous accueillir sur le stand de la … au Salon de … qui aura lieu …, à Paris.*

2

Un festival

— Tu comptes aller au festival des Musiques du Monde ? Le comité d'entreprise propose des places à des prix intéressants.
— J'y vais tous les ans et j'adore.
— Moi, j'ai été déçue la dernière fois. Les groupes étaient de qualité très inégale.
— Mais non ! Tu ne vois pas que c'est une occasion rêvée pour rencontrer des gens venus de partout. Un

rendez-vous multiculturel comme celui-là est exceptionnel !

— D'accord, mais même à Paris on peut rencontrer des gens de partout... Et côté musique, nous sommes très bien servis !

— Je ne critique pas ta position, mais pour moi, le festival est encore autre chose. Je m'y rendrai cette année aussi.

Pour ou contre ?

Repérez...

1. ...comment l'un des personnages manifeste sa déception.
2. ...comment la jeune femme formule une critique du festival.
3. ...comment son ami essaie de la convaincre de l'intérêt du festival.
4. ...comment la jeune femme tente de le convaincre du multiculturalisme parisien.

mots

- l'agriculture (n. f.)
- une appellation (n. f.)
- un château (n. m.)
- un continent (n. m.)
- une coopérative (n. f.)
- une création (n. f.)
- un événement (n. m.)
- un festival (n. m.)
- un musée (n. m.)
- une occasion (n. f.)
- une opération (n. f.)
- un phénomène (n. m.)
- une place (n. f.)
- une position (n. f.)
- une prison (n. f.)
- un salon (n. m.)

3 Une visite guidée

— Comme prévu dans notre programme, ce matin, nous allons visiter le musée d'Orsay.

— C'est vrai que ce musée était autrefois une gare ?

— Tout à fait vrai. Il s'agissait de la gare d'Orsay qui desservait les banlieues sud.

— On m'a dit que cette gare était devenue un théâtre.

— C'est vrai aussi.

— Je sais qu'en France les châteaux sont devenus des musées, comme dans beaucoup d'autres pays européens. Mais je trouve drôle qu'une gare le devienne.

— Eh oui ! Et même une ancienne prison est aujourd'hui un musée !

— Ah bon ?

— Nous y sommes déjà allés. Vous ne vous en souvenez pas ? C'est la Conciergerie.

Vrai ou faux ?

Choisissez la bonne réponse.

	vrai	faux
1. L'ancienne gare d'Orsay est devenue un musée.	☐	☐
2. Avant, il y avait un cirque.	☐	☐
3. Il n'y a qu'en France que les châteaux sont devenus des musées.	☐	☐
4. Il y a à Paris un musée qui autrefois était une prison.	☐	☐

Trouvez la bonne situation

Qu'est-ce que ça signifie ?

Trouvez dans les dialogues des phrases équivalentes.

1. C'est une très bonne année, de la même manière que l'année dernière a été une bonne année.
2. Cela paraît surprenant, mais au Japon, on fête l'arrivée du Beaujolais Nouveau.
3. Un rendez-vous culturel du genre du festival des Musiques du Monde est exceptionnel.
4. À Paris aussi, on trouve des gens venus de partout.
5. Dans beaucoup de pays européens, des châteaux sont aussi devenus des musées.
6. Il est étonnant qu'une prison devienne un musée, mais c'est vrai.

 Pour chaque situation, décrivez les endroits, les personnages et les actions.

1. Écoutez et remplacez les lieux que vous entendez.

1. … ; **2.** … ; **3.** … ; **4.** … ; **5.** … ; **6.** … .

Le pronom « y »

Le pronom « y » remplace généralement un complément de lieu
(lieu où l'on est et lieu où l'on va).
Exemples :
Je vais au festival. – J'y vais.

> **Quand on vient d'un lieu, c'est le pronom « en » qui le remplace.**
> **Exemples :** *Je viens de Paris. – J'en viens.*

Le pronom « y » peut également remplacer un complément introduit
par la préposition « à » (quand il ne s'agit pas d'une personne).
Exemples :
Je pense à mon travail pendant la nuit.
J'y pense pendant la nuit.

2. Écoutez et rapportez ce qu'ils disent.

1. … ; **2.** … ; **3.** … ; **4.** … ; **5.** … ; **6.** … .

Comment dire

● Pour rapporter une affirmation : **Dire/répondre/affirmer que… (+ phrase à l'indicatif)**
● Pour rapporter une question : **Demander/chercher à savoir si… (+ phrase à l'indicatif)**
● Pour rapporter un ordre : **Dire/demander/conseiller/suggérer/ordonner de… (+ verbe à l'infinitif)**

3. Écoutez et rapportez ce qu'ils disent.

1. … ; **2.** … ; **3.** … ; **4.** … ; **5.** … ; **6.** … .

La concordance des temps dans le discours rapporté

(au présent)	**Il dit que**	le vin primeur est arrivé	(antériorité)
		le vin primeur arrive	(simultanéité)
		le vin primeur arrivera	(postériorité)
(au passé)	**Il a dit que**	le vin primeur était arrivé	(antériorité)
		le vin primeur arrivait	(simultanéité)
		le vin primeur arriverait	(postériorité)

4. Rapportez leur conversation.

Écoutez encore le dialogue 3 page 163 et rapportez les questions et les réponses des personnages.

5. Faites des phrases librement.

1. Pour exprimer une opinion.

2. Pour dire ce que vous sentez.

3. Pour exprimer une obligation.

4. Pour dire ce que vous désirez.

5. Pour demander à quelqu'un de faire quelque chose.

6. Pour raconter vos intentions.

L'emploi des modes (récapitulatif)

Expression de l'opinion et de la perception	+ indicatif penser, croire, savoir voir, sentir, espérer **que**	+ subjonctif ne pas penser ne pas croire	**que**
l'intention		pour, afin	**que**
l'obligation		il faut, il est nécessaire	**que**
le souhait, la volonté, le doute et le regret		vouloir, souhaiter, désirer, préférer, douter, regretter,	**que**

 6. Écoutez et complétez.

1. Je préfère que…

2. Je crois qu'…

3. Il regrette que…

4. Nous voulons tous que…

5. Elle sentait qu'…

6. Je suis allé chez le médecin pour qu'…

7. Jouez la scène.

Vous venez de visiter une exposition avec un groupe d'amis. Certains ont aimé, mais d'autres pas. Vous exprimez votre déception et vous critiquez l'organisation de l'exposition.

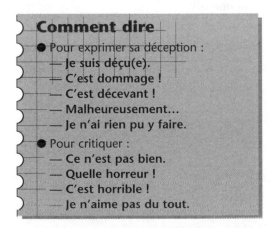

Comment dire

● Pour exprimer sa déception :

— Je suis déçu(e).

— C'est dommage !

— C'est décevant !

— Malheureusement…

— Je n'ai rien pu y faire.

● Pour critiquer :

— Ce n'est pas bien.

— Quelle horreur !

— C'est horrible !

— Je n'aime pas du tout.

L'interculturel au servi

 1 Isabelle et Philippe parlent des ventes à l'exportation. En Europe, elles augmentent. Mais au Japon, c'est toujours catastrophique. Isabelle pense qu'on ne doit pas avoir la même attitude commerciale d'un pays à l'autre et qu'il faut s'adapter aux habitudes locales. Écoutez…

Vente à l'exportation

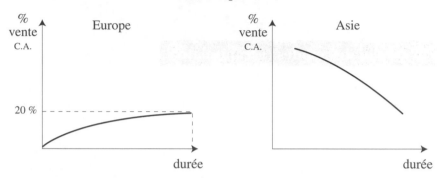

La réunion

A. Qui dit quoi ? Isabelle ou Philippe ?

1. Pas brillantes les ventes sur l'Asie !
2. Comment organises-tu les rendez-vous ?
3. Comme toi !
4. Et les hommes d'affaires japonais font comme toi ?
5. Les affaires sont les affaires !
6. Je comprends tes mauvais résultats.

B. Daniel prend des notes pendant la conversation. Aidez-le à faire un court compte rendu de la réunion entre Isabelle et Philippe.

 2 Philippe et Daniel sont au café. Philippe lui fait part de ses efforts et lui dit qu'il ne comprend pas la réaction de ses clients. Écoutez…

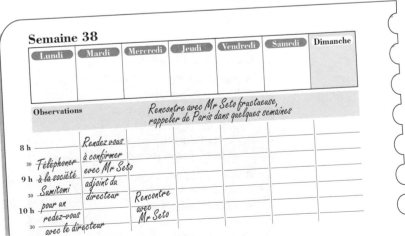

La mission au japon

Rapportez les explications de Philippe Cadet sur son attitude au Japon.

ce des PME-PMI

Isabelle, Daniel et Philippe se rendent à la conférence d'Albert Paterson, un grand spécialiste de l'interculturel dans le monde des affaires. Curieusement, il décrit l'attitude de quelqu'un comme Philippe…
Écoutez…

Qu'est-ce que l'interculturel ?

Prenons un exemple…

Monsieur Decca, commercial dans une PME exportatrice, part pour la première fois à la conquête du marché japonais. C'est un homme d'affaires sympathique, autodidacte, persuadé de savoir vendre ses produits dans le monde entier…

Il arrive au Japon, s'installe à l'hôtel, décroche son téléphone et prend des rendez-vous avec des entreprises japonaises. Il veut absolument rencontrer le directeur…

Sa première erreur, c'est de vouloir obtenir tout de suite un rendez-vous. Au Japon, pas de précipitation dans les affaires. Les premiers contacts se font par courrier, puis par téléphone et, à la fin seulement, on fixe un rendez-vous.

Monsieur Decca a fait une deuxième erreur : il a préféré le supérieur hiérarchique à l'employé. Pour un premier contact avec une entreprise, il ne faut pas avoir l'ambition de rencontrer le patron…

Le compte rendu

Répondez.

1. Où se rendent Daniel, Isabelle et Philippe ?
2. Quelle est la spécialité du conférencier ?
3. Pourquoi Isabelle les a-t-elle invités à écouter sa conférence ?
4. Pourquoi Philippe demande-t-il ce qui est drôle ?
5. Quelle est, d'après vous, l'attitude d'Isabelle pendant la conférence ?
6. Philippe a-t-il été convaincu par les propos du conférencier ?

Avez-vous bien compris ?

Comparez.

Faites un parallèle entre le récit de Philippe et l'exemple donné par le conférencier. En quoi sont-ils semblables ? Trouvez-vous des différences ?

Avez-vous des exemples similaires à donner ? Quels conseil donneriez-vous à un homme/une femme d'affaires francophone en voyage professionnel dans votre pays pour l'aider dans ses négociations ?

Variations

Votre exposé

 Regardez le document et commentez les résultats.

Vous devez faire un exposé devant un groupe de francophones sur les résultats de l'activité de votre entreprise. À vous de choisir l'activité et les produits.

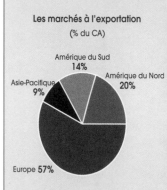

Les marchés à l'exportation
(% du CA)

Amérique du Sud **14%**
Amérique du Nord **20%**
Asie-Pacifique **9%**
Europe **57%**

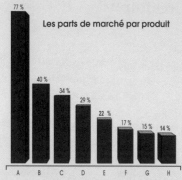

Les parts de marché par produit

77 % — 40 % — 34 % — 29 % — 22 % — 17 % — 15 % — 14 %

A B C D E F G H

en milliers d'unités

Le volume des ventes

J F M A M J J A S O N D

Commenter des chiffres

Pour commencer
Le but de cet exposé est de…
D'abord/Tout d'abord/Premièrement, je voudrais/j'aimerais vous parler de…

Pour continuer

Sur ce graphique, ce tableau,	on peut voir/observer on constate on voit on observe	une progression une augmentation de…/une diminution de… une croissance de… une hausse de…/une baisse de… une amélioration de…
Ce graphique Ces chiffres	montre (ent) indique (ent)	une stabilisation de…

Le chiffre d'affaires est de/s'élève à/est en augmentation de…/en diminution de…/a augmenté de…/a diminué de…/se maintient/a doublé (x 2)/a triplé (x 3)/a quadruplé (x 4)…

L'Europe représente plus de/environ/moins de un quart de…/la moitié de…/les trois quarts de…

Pour conclure
Pour finir, … – En conclusion, …

Votre rapport

 Vous êtes chargé de rédiger un rapport sur les possibilités de vente d'un produit français (de votre choix) dans votre pays :
marchés cibles, gamme de produits choisie, niveau de prix, concurrence, circuit de distribution, précisions du volume des ventes, promotion…

Les premiers produits exportés

Rang	Secteurs
1	Produits de la construction automobile
2	Produits de la construction aéronautique et spatiale
3	Produits de la chimie organique
4	Équipement pour automobile
5	Produits pharmaceutiques
6	Matériel électrique
7	Machines de bureau et matériel informatique
8	Produits de la culture et de l'élevage

Infos

Quelques grandes manifestations culturelles en France

Le cinéma

Le festival de Cannes
(du 13 au 24 mai)

Le théâtre

Le festival de d'Avignon
(du 6 au 30 juillet)

L'opéra

Le festival d'Aix-en-Provence
(du 15 juin au 7 juillet)

La musique

Le fête de la musique
(21 juin)

L'interculturel

Check-list

Quinze facteurs qui font les différences.
Avant d'expédier votre produit dans
un pays étranger, vérifiez qu'aucun de
ces facteurs naturels, culturels ou techniques
ne le rend inadapté ou inutile, ou ne
constitue un handicap.

- ✓ Altitude
- ✓ Climat
- ✓ Morphologie des habitants
- ✓ Langue
- ✓ Religion
- ✓ Référents culturels
- ✓ Goûts de la population
- ✓ Usages sociaux
- ✓ Habitudes alimentaires et vestimentaires
- ✓ Unités de mesure
- ✓ Normes en vigueur
- ✓ Réglementation
- ✓ Mentions légales
- ✓ Niveaux de prix
- ✓ Système de distribution

Le camenbert Gérard
met les Japonals en boîte :
Pour tenir compte de la phobie
Japonaise des microbes, Bongrain a
doté son camenbert Gérard d'une
boîte métallique.

celio*

taille size		
france	europe	usa / uk
S	S	S
prix price		
france	FF	50
españa	PTAS	1.295
belgique	FB	299
italia	LIRE	15.000
portugal	ESC	1.590
Ελλάδα	ΔΡΧ	3.300
polska	PLN	40

Csebastien orange

3 059665 094579

Pratique :
Sur les
étiquettes des
vêtements Celio
et Zara, entre
autres, figurent
les prix des
articles dans
toute l'Europe.
Pratique pour
transférer des
stocks d'un pays
à l'autre...

Leçon 1 : Qui sont-ils ?

Dialogue 1

DANIEL : Bonjour, Mademoiselle.
FRANÇOISE VITTEL : Bonjour... ? Ah, vous êtes Daniel, notre stagiaire !
DANIEL : Oui, mademoiselle.
FRANÇOISE VITTEL : Je suis Françoise Vittel, la secrétaire.
DANIEL : C'est Françoise Vittel, la secrétaire.

Dialogue 2

FRANÇOISE VITTEL : Madame Leblanc, je vous présente Daniel, notre stagiaire.
CATHERINE LEBLANC : Enchantée, Daniel et bienvenue !
DANIEL : Merci.
FRANÇOISE VITTEL : Madame, merci, madame.
DANIEL : Merci, madame.
CATHERINE LEBLANC : Excusez-moi, je suis très occupée.
FRANÇOISE VITTEL : C'est madame Leblanc, la directrice.

Dialogue 3

FRANÇOISE VITTEL : Stéphane Petibon, Daniel.
STÉPHANE PETIBON : Enchanté, Daniel.
DANIEL : Enchanté monsieur Petibain.
STÉPHANE PETIBON : Non, Petibon... Ah c'est difficile !
DANIEL : Oui, très difficile monsieur Petibon.
FRANÇOISE VITTEL : Stéphane Petibon est notre directeur administratif.

Dialogue 4

FRANÇOISE VITTEL : Daniel, je vous montre votre bureau ?
DANIEL : Mon bureau ?
FRANÇOISE VITTEL : Oui, votre bureau.
(...)
FRANÇOISE VITTEL : Voici votre bureau, votre téléphone et votre micro-ordinateur !
DANIEL : Mon bureau, mon téléphone et mon ordinateur !
FRANÇOISE VITTEL : C'est normal, vous travaillez chez *Paragem*.
DANIEL : Merci, mademoiselle.
FRANÇOISE VITTEL : Non, Daniel, merci Françoise et à demain.

Leçon 2 : Les produits Paragem

Dialogue 1

ISABELLE MERCIER : Oui ?
DANIEL : Bonjour, mademoiselle. Je suis Daniel, votre nouveau stagiaire.
ISABELLE MERCIER : Ah oui, enchantée Daniel. Bienvenue chez *Paragem* !
DANIEL : Merci, mademoiselle.
ISABELLE MERCIER : Mademoiselle pff... Isabelle! Isabelle Mercier. Je suis commerciale ici.
DANIEL : Ah oui ! Vous êtes commerciaux.
ISABELLE MERCIER : Non, Philippe Cadet et moi, nous sommes commerciaux. Moi je suis commerciale.
DANIEL : D'accord, vous êtes commerciale.
ISABELLE MERCIER : Oh ! on se dit « tu ».
DANIEL : D'accord, tu es commerciale.
ISABELLE MERCIER : Eh oui ! je suis commerciale, tu es stagiaire.

Dialogue 2

DANIEL : Qu'est-ce que c'est ?
ISABELLE MERCIER : Ce sont des échantillons. Tu connais nos produits Daniel ?
DANIEL : Non, mademoiselle, euh... Isabelle.
ISABELLE MERCIER : Ce sont des produits anti-moustiques. La marque *Paragem*, c'est 3 produits : il y a une crème pour le visage... un lait hydratant pour le corps... et un gel douche pour les cheveux et le corps.
DANIEL : Trois produits seulement ?
ISABELLE MERCIER : Oui, oui, la marque *Paragem*, c'est une gamme de 3 produits.
DANIEL : Je peux avoir un exemple des produits ?
ISABELLE MERCIER : Un exemple... Ah ! un échantillon. Oui, bien sûr !

Dialogue 3

PHILIPPE CADET : Bonjour, Isabelle ! Comment ça va ?
ISABELLE MERCIER : Ça va, Philippe et vous ?
PHILIPPE CADET : Ça va...
DANIEL : Bonjour, monsieur...
PHILIPPE CADET : Oui, bonjour.
ISABELLE MERCIER : Ah ! Philippe, voici Daniel, notre stagiaire.
PHILIPPE CADET : Stagiaire ?
ISABELLE MERCIER : Oui, Daniel fait un stage de 3 mois chez nous !
PHILIPPE CADET : Ah oui, bien sûr ! Mais qu'est-ce que vous faites, Daniel et toi ?
ISABELLE MERCIER : Nous préparons les échantillons pour les grossistes.
DANIEL : Et pour *Paragem*, qui sont les grossistes ?
ISABELLE MERCIER : Ce sont les clients, les clients importants... Ils achètent nos produits et ils revendent nos produits à des détaillants.
DANIEL : Les détaillants ? Qui est-ce ?
ISABELLE MERCIER : En France ce sont les pharmaciens. Et les pharmaciens revendent nos produits aux consommateurs, à toi, à moi...

Dialogue 4

Daniel parle au téléphone avec un grossiste étranger. Il prend des notes, puis il communique la commande du client à Philippe Cadet.
DANIEL : C'est un grossiste, voici le nom, l'adresse, le numéro de téléphone. Il veut 100 échantillons.
PHILIPPE CADET : Formidable Daniel, vous êtes formidable. Vous avez carte blanche pour satisfaire notre futur client !

Leçon 3 : Où sont-ils ?

Dialogue 1

STÉPHANE PETIBON : Oui, entrez. Ah ! Catherine ! Bonjour !
CATHERINE LEBLANC : Bonjour, Stéphane. Comment ça va ?
STÉPHANE PETIBON : Ça va, merci.
CATHERINE LEBLANC : Ah, Daniel ! Vous êtes ici. Tout va bien ?
DANIEL : Tout va bien, madame.
CATHERINE LEBLANC : Isabelle est là ?
STÉPHANE PETIBON : Non, elle est en Espagne.
CATHERINE LEBLANC : Ah oui !
STÉPHANE PETIBON : Oui, elle est à Madrid.
CATHERINE LEBLANC : Et Philippe ?
STÉPHANE PETIBON : Il est au Japon.
CATHERINE LEBLANC : Au Japon ?
STÉPHANE PETIBON : Oui, oui, il est à Tokyo.
(...)
STÉPHANE PETIBON : Daniel, Daniel, vous rêvez ?
DANIEL : Oh, pardon.
STÉPHANE PETIBON : Où êtes-vous ?
DANIEL : Je suis à Paris, en France.

Dialogue 2

DANIEL : Que fait Isabelle à Madrid ?
STÉPHANE PETIBON : Elle rencontre nos grossistes. C'est le salon européen de la pharmacie et nous avons un stand, le stand *Paragem*.
DANIEL : Où est Isabelle ?
STÉPHANE PETIBON : Elle est sur le stand *Paragem* !
DANIEL : Le stand ?
STÉPHANE PETIBON : Oui, c'est là où les visiteurs passent pour rencontrer Isabelle, pour avoir des échantillons.

Dialogue 3

STÉPHANE PETIBON : Oui, allô ?
PHILIPPE CADET : Allô, Stéphane ?
STÉPHANE PETIBON : Philippe ?
PHILIPPE CADET : Oui, c'est moi.
STÉPHANE PETIBON : Où es-tu ?
PHILIPPE CADET : Je suis en France.
STÉPHANE PETIBON : En France, tu n'es pas au Japon ?
PHILIPPE CADET : Eh non ! Je suis à Paris, à l'aéroport !
STÉPHANE PETIBON : Ce n'est pas possible !
PHILIPPE CADET : Mais si c'est possible ! Je ne suis pas au Japon, je suis en France !
STÉPHANE PETIBON : Philippe, ça va ?
PHILIPPE CADET : Non ça ne va pas.
STÉPHANE PETIBON : Les affaires vont bien au Japon ?
PHILIPPE CADET : Les affaires ne vont pas bien.
STÉPHANE PETIBON : Tu rentres au bureau ?
PHILIPPE CADET : Non je rentre chez moi, je suis fatigué...
STÉPHANE PETIBON : Bien, à demain.

Leçon 4 : B comme Balifol

Dialogue 1

OPÉRATRICE : Renseignements, bonjour.
DANIEL : Bonjour. Je voudrais le numéro de téléphone du restaurant Balifol à Paris.
OPÉRATRICE : Vous pouvez épeler s'il vous plaît ?
DANIEL : Epeler... euh... P...
OPÉRATRICE : Comme Pierre ?
DANIEL : Oh non ! B comme... Berthe.
OPÉRATRICE : Ensuite...
DANIEL : B comme Berthe, A, L, I, Fe...
OPÉRATRICE : Fe ?
DANIEL : L, I, Fe...
OPÉRATRICE : F peut-être...
DANIEL : Oui, oui, F comme Philippe.
OPÉRATRICE : Comme Philippe ?
DANIEL : Ah non, non ! Comme...
OPÉRATRICE : F comme François.
DANIEL : Oui, c'est ça.
Daniel obtient le numéro de téléphone du restaurant Balifol. C'est le 01 43 69 13 06. Il note le numéro dans son répertoire, par groupes de deux chiffres. Il découvre alors que tous les numéros de Paris commencent par 01, mais que le numéro du pharmacien de Tours commence par 02. Et quand on appelle en France de l'étranger, après le 33, il n'y a pas de zéro, juste 1, 2, 3, ou 4, selon les régions, suivis des huit autres chiffres.

Dialogue 2

RÉCEPTIONNISTE DU RESTAURANT : Restaurant Balifol, Bonjour.
DANIEL : Bonjour. Je voudrais réserver une table s'il vous plaît.
RÉCEPTIONNISTE DU RESTAURANT : Oui, pour quand ?
DANIEL : Pour aujourd'hui.
RÉCEPTIONNISTE DU RESTAURANT : Pour déjeuner ou pour dîner ?
DANIEL : Pour dîner.
RÉCEPTIONNISTE DU RESTAURANT : Combien de couverts ?
DANIEL : Pardon, vous pouvez répéter s'il vous plaît ?
RÉCEPTIONNISTE DU RESTAURANT : Combien de couverts ? Combien de personnes pour votre table ?
DANIEL : Une table pour 5 personnes.
RÉCEPTIONNISTE DU RESTAURANT : Pour 5 couverts donc. C'est à quel nom ?

DANIEL : Société *Paragem*.
RÉCEPTIONNISTE DU RESTAURANT : Vous pouvez épeler *Paragem*, s'il vous plaît ?
DANIEL : P comme Pierre - A comme Anatole - R comme Raoul - A comme Anatole - G comme Gaston - E comme Eugène - M comme Marcel.
RÉCEPTIONNISTE DU RESTAURANT : C'est noté. Cinq couverts pour la société *Paragem*.
DANIEL : Merci beaucoup. Je peux avoir votre adresse exacte ?
RÉCEPTIONNISTE DU RESTAURANT : Bien sûr, vous avez un stylo ?
DANIEL : Oui.
RÉCEPTIONNISTE DU RESTAURANT : C'est le 21 rue Rocher, R-O-C-H-E-R. Notre restaurant est à côté de la station de métro Villiers.
DANIEL : 21, rue, Rocher, métro, Viller, V-I-L-L-E-R.
RÉCEPTIONNISTE DU RESTAURANT : Non, Villiers, V-I-2L-I-E-R-S.
DANIEL : Ah oui, oui, Villiers. Merci. Au revoir monsieur.
RÉCEPTIONNISTE DU RESTAURANT : À votre service.

Leçon 5 : Horaires de travail

Dialogue 1

DANIEL : Est-ce que je réponds ?
FRANÇOISE VITTEL : Oui, s'il vous plaît. Je suis occupée.
DANIEL : Société *Paragem*, bonjour.
CORRESPONDANTE TÉLÉPHONIQUE : Allô ! Bonjour. À quelle heure fermez-vous vos bureaux aujourd'hui ?
DANIEL : À quelle heure... euh...
CORRESPONDANTE TÉLÉPHONIQUE : À quelle heure fermez-vous vos bureaux aujourd'hui ?
DANIEL : Aujourd'hui, nous fermons à... euh... je crois... à 18 heures.
CORRESPONDANTE TÉLÉPHONIQUE : À 18 heures. Vous croyez ou vous êtes sûr ?
DANIEL : Je crois... Attendez... Françoise, à quelle heure fermons-nous les bureaux aujourd'hui ?
FRANÇOISE VITTEL : Aujourd'hui, c'est vendredi. Alors...
DANIEL : Ah oui, c'est vrai ! Le vendredi, c'est à 5 heures.
FRANÇOISE VITTEL : Non, 17 heures, 17 heures.
DANIEL : Oui, excusez-moi, le vendredi nous fermons à 17 heures.
CORRESPONDANTE TÉLÉPHONIQUE : À 17 heures. Bien, je vous remercie. Au revoir.

Dialogue 2

FRANÇOISE VITTEL : C'est de la part de qui ?
DANIEL : Je ne sais pas.
FRANÇOISE VITTEL : Vous ne savez pas ?

FRANÇOISE VITTEL : Le vendredi, nous terminons le travail à 17 heures.
DANIEL : Et les autres jours ?
FRANÇOISE VITTEL : Les autres jours de la semaine, les lundi, mardi, mercredi et jeudi, nous terminons à 18 heures.
DANIEL : Et le samedi ?
FRANÇOISE VITTEL : Le samedi et le dimanche, c'est le week-end. On ne travaille pas.

Dialogue 3

DANIEL : Françoise, excusez-moi encore, mais vous faites une pause déjeuner de combien de temps ?
FRANÇOISE VITTEL : Une pause de une heure, entre 13 heures et 14 heures.
DANIEL : Ah, je comprends, en France vous faites toujours une pause déjeuner de une heure ?
FRANÇOISE VITTEL : Non. Pas toujours ! A Paris et dans les grandes villes, la pause déjeuner dure souvent une heure. Mais dans les petites villes ou à la campagne, elle dure deux heures.
DANIEL : Deux heures !
FRANÇOISE VITTEL : Oui, 2 heures, mais leurs horaires de travail sont différents : 8 heures/12 heures/14 heures-18 heures.
DANIEL : Françoise, j'ai très faim.
FRANÇOISE VITTEL : Vous avez raison Daniel, il est 13 heures, c'est l'heure de déjeuner.
RÉPONDEUR TÉLÉPHONIQUE DE LA SOCIÉTÉ PARAGEM : Bonjour. Vous êtes en communication avec le répondeur téléphonique de la société *Paragem*. Nos bureaux sont ouverts les lundi, mardi, mercredi, jeudi de 9 heures à 13 heures et de 14 heures à 18 heures ainsi que le vendredi de 9 heures à 13 heures et de 14 heures à 17 heures.

Leçon 6 : La commande de fournitures

Dialogue 1

STÉPHANE PETIBON : Philippe !
PHILIPPE CADET : Oui, Stéphane.
STÉPHANE PETIBON : On va passer la commande de fournitures de bureau. Est-ce que tu as besoin de quelque chose ?
PHILIPPE CADET : Comment ça, quelque chose ?
STÉPHANE PETIBON : Oui, des fournitures de bureau. Du papier, de la colle, des crayons, des enveloppes. Je ne sais pas moi !
PHILIPPE CADET : Je ne sais pas... Peut-être...
STÉPHANE PETIBON : Nous passons la commande de fournitures aujourd'hui.
PHILIPPE CADET : Bien, bien, bien, bien...

PHILIPPE CADET : Du papier... non. De la colle... non. Des crayons... non. Des enveloppes, des enveloppes... Ah oui, je veux des enveloppes.
PHILIPPE CADET : Oui, entrez.
DANIEL : J'aide monsieur Petibon et Françoise pour la commande.
PHILIPPE CADET : Ah oui, la commande de fournitures...
DANIEL : C'est ça. Que voulez-vous commander ?
PHILIPPE CADET : Alors... il me faut des enveloppes.
DANIEL : Des enveloppes. De la colle ?

PHILIPPE CADET : Non, pas de colle.
DANIEL : Des crayons ?
PHILIPPE CADET : Non, pas de crayon.
DANIEL : Voulez-vous du papier ?
PHILIPPE CADET : Non, non, non. Pas de papier.
DANIEL : Donc, seulement des enveloppes.
PHILIPPE CADET : C'est ça, seulement des enveloppes.

Dialogue 2

STÉPHANE PETIBON : Ah Daniel ! Vous avez les commandes de tout le monde ?
DANIEL : Oui, sauf la commande d'Isabelle, elle est absente.
STÉPHANE PETIBON : D'accord. Je récapitule et vous prenez note. Des crayons : deux boîtes... Des chemises : cent... Des enveloppes : mille... Des Post-it : quatre-vingt-dix... Du papier : quatre-vingt rames... Du scotch : quatre-vingt dix rouleaux... Du Tipp-Ex : quatre-vingt... De la colle : quatre-vingt-dix tubes...
DANIEL : Monsieur Petibon, je ne suis pas sûr de comprendre tout ce que j'écris.
STÉPHANE PETIBON : Eh bien relisez...
DANIEL : Il faut 2 boîtes de crayons, 100 chemises. 100 c'est 2 fois 50, monsieur Petibon ?
STÉPHANE PETIBON : Oui, c'est ça.
DANIEL : Il faut... M... mille enveloppes.
STÉPHANE PETIBON : Oui, 10 fois 100.
DANIEL : Il faut... 80 rames de papier...
STÉPHANE PETIBON : Oui, 4 fois 20 paquets de papier, quatre-vingt rames de papier. Une rame c'est un paquet de mille feuilles.
DANIEL : ... 90 Post-it.
Stéphane Petibon : Oui, 4 fois 20 + 10, quatre-vingt-dix.
DANIEL : 80 Tipp-Ex. 90 rouleaux de scotch et 90 tubes de colle.

Dialogue 3

ISABELLE MERCIER : Salut Philippe !
PHILIPPE CADET : Ah salut Isabelle ! Au fait Isabelle ! As-tu besoin de fournitures ? Stéphane passe la commande aujourd'hui.
ISABELLE MERCIER : Est-ce que tu connais le Logimax 420 ?
PHILIPPE CADET : Le nouvel ordinateur ?
ISABELLE MERCIER : C'est un ordinateur extrêmement rapide.
PHILIPPE CADET : Donc, tu n'as pas besoin de fournitures. Tu n'as besoin de rien.
ISABELLE MERCIER : Si, j'ai besoin de quelque chose.
PHILIPPE CADET : De quoi ?
ISABELLE MERCIER : J'ai besoin d'un ordinateur.
PHILIPPE CADET : D'un quoi ?
(...)
PHILIPPE CADET : Entrez !
(...)
PHILIPPE CADET : En fait, Daniel, nous n'avons besoin de rien.
ISABELLE MERCIER : Si, moi j'ai besoin d'un nouvel ordinateur, le Logimax 420.
FRANÇOISE VITTEL : Logimax 420... Qu'est-ce que c'est que ça ? Un ordinateur ! Pourquoi pas une voiture ?

Leçon 7 : Paragem fait des achats

Dialogue 1

VENDEUR ORDIPLUS : Je peux vous renseigner ?
ISABELLE MERCIER : Nous cherchons un ordinateur et une imprimante.
VENDEUR ORDIPLUS : Qu'est-ce qu'il vous faut comme ordinateur ?
ISABELLE MERCIER : Il me faut le Logimax 420.
VENDEUR ORDIPLUS : C'est un excellent ordinateur. Rapide et très puissant.
ISABELLE MERCIER : Il coûte combien ?
VENDEUR ORDIPLUS : Le Logimax 420 est à 18 300 francs, madame.
ISABELLE MERCIER : Hors taxe ou TTC ?
VENDEUR ORDIPLUS : 18 300 francs TTC.
ISABELLE MERCIER : 18 300 francs TTC, ça fait environ 14 900 francs hors taxe...
VENDEUR ORDIPLUS : Oui, madame, exactement 14 896 francs HT.
ISABELLE MERCIER : Et l'imprimante ?
VENDEUR ORDIPLUS : Pour quel usage voulez-vous l'imprimante ?
ISABELLE MERCIER : Pour du travail de bureau.
VENDEUR ORDIPLUS : Pour une société ou un particulier ?
ISABELLE MERCIER : Une société.
VENDEUR ORDIPLUS : Dans ce cas, je vous recommande... ce modèle. C'est le dernier modèle de Tompaz, la CX. Nous vendons cette imprimante couleur à de nombreuses sociétés. Elle est particulièrement rapide et c'est appréciable.
ISABELLE MERCIER : Elle prend beaucoup de place, votre imprimante ?
VENDEUR ORDIPLUS : Oui, elle est un peu encombrante mais elle a un grand bac.
ISABELLE MERCIER : Combien de feuilles ?
VENDEUR ORDIPLUS : Cent feuilles.
ISABELLE MERCIER : Et l'impression ?
VENDEUR ORDIPLUS : C'est une imprimante laser, madame. L'impression est d'excellente qualité. Regardez ! Voici une page imprimée !
ISABELLE MERCIER : Oui, pas mal. Il n'y a pas de temps en temps des problèmes techniques, des pannes ?
VENDEUR ORDIPLUS : Très rarement. C'est une machine très fiable. De toute façon, tous nos produits sont garantis 1 an.
ISABELLE MERCIER : Et le prix est de 11 990 francs hors taxe... C'est cher !
VENDEUR ORDIPLUS : Pour cette qualité, madame, c'est un prix extrêmement intéressant. De plus, nous offrons une réduction de 20 %. C'est une promotion exceptionnelle.
ISABELLE MERCIER : Une promotion exceptionnelle ?

VENDEUR ORDIPLUS : Oui, c'est un prix spécial jusqu'à la fin du mois. Ça vous fait 9 592 francs hors taxe au lieu de 11 990 francs...
ISABELLE MERCIER : Ah ! Daniel, quelle est ton opinion ?
DANIEL : C'est une imprimante belle !
ISABELLE MERCIER : Oui, c'est une belle imprimante.

Dialogue 2

ISABELLE MERCIER : Bien, je prends le Logimax 420 et l'imprimante CX Tompac.
VENDEUR ORDIPLUS : Nous pouvons vous livrer le matériel à votre société... Ou préférez-vous retirer le matériel vous-même?
ISABELLE MERCIER : Oui, je préfère retirer le matériel tout de suite.
VENDEUR ORDIPLUS : Dans ce cas, je remplis le bon de commande et le bon de garantie. Quelle est la société ?
ISABELLE MERCIER : Société *Paragem*.
VENDEUR ORDIPLUS : Et l'adresse ?
ISABELLE MERCIER : 10, rue de Paradis, 75010 PARIS.
VENDEUR ORDIPLUS : Donc, un Logimax 420, 14 896 francs... Une imprimante Tompac CX... 11 990 francs moins 20 %... 9 592 francs... Ça fait 24 488 francs, plus la TVA soit un total de 29 042 francs. Voilà. Vous pouvez régler à la caisse et retirer votre matériel au premier étage.
ISABELLE MERCIER : Je vous remercie.
VENDEUR ORDIPLUS : À votre service.

Leçon 8 : Un Suisse chez Paragem

Dialogue 1

MONSIEUR BARNIER : Bonjour madame.
FRANÇOISE VITTEL : Bonjour monsieur.
MONSIEUR BARNIER : Je suis monsieur Barnier de la société suisse Barnier. J'ai rendez-vous avec madame Leblanc.
FRANÇOISE VITTEL : Monsieur Barnier... Oui, c'est exact monsieur. Vous avez rendez-vous avec madame Leblanc à 9h30. Un instant s'il vous plaît.
FRANÇOISE VITTEL : Monsieur Barnier est ici, madame.
CATHERINE LEBLANC : J'arrive tout de suite.
FRANÇOISE VITTEL : Madame Leblanc arrive tout de suite.
MONSIEUR BARNIER : Merci madame... Mademoiselle Mercier est ici ?
FRANÇOISE VITTEL : Ah non Mademoiselle Mercier est en déplacement.
MONSIEUR BARNIER : Ah ! Elle voyage beaucoup, n'est-ce pas ?
FRANÇOISE VITTEL : Beaucoup. Elle adore voyager.
MONSIEUR BARNIER : C'est vrai, mais, mais c'est indispensable pour son travail.
FRANÇOISE VITTEL : Oui... oui...
(...)
CATHERINE LEBLANC : Ah monsieur Barnier ! Comment allez-vous ?
MONSIEUR BARNIER : Très bien, merci.
CATHERINE LEBLANC : Allons dans mon bureau.

Dialogue 2

CATHERINE LEBLANC: Asseyez-vous monsieur Barnier !
MONSIEUR BARNIER : Merci.
CATHERINE LEBLANC : Mademoiselle Mercier n'est pas ici aujourd'hui. Elle est en Italie.
MONSIEUR BARNIER : Mademoiselle Mercier voyage beaucoup.
CATHERINE LEBLANC : Oui, beaucoup. Nous vendons dans le monde entier. Malheureusement, monsieur Barnier, nous vendons peu en Suisse. Nous perdons chaque année des parts de marché.
MONSIEUR BARNIER : La situation est préoccupante.
CATHERINE LEBLANC : La situation est très préoccupante.
MONSIEUR BARNIER : C'est que... votre concurrent en Suisse, la société Gripoux...
CATHERINE LEBLANC : La société Gripoux est notre concurrent dans le monde entier, monsieur Barnier.
MONSIEUR BARNIER : C'est vrai, mais la société Gripoux est très active en Suisse, madame Leblanc, très active.
CATHERINE LEBLANC : Nous sommes aussi très actifs en Suisse... et les produits Gripoux sont de moins bonne qualité que nos produits, monsieur Barnier.
MONSIEUR BARNIER : C'est vrai, mais leurs prix sont plus compétitifs.
CATHERINE LEBLANC : Nos prix sont aussi très intéressants. Et notre principe actif *Paragem* donne à nos clients une meilleure protection contre les moustiques.
MONSIEUR BARNIER : C'est vrai, mais les prix de la société Gripoux sont particulièrement compétitifs. Leurs produits sont un peu moins chers que les produits *Paragem*.
CATHERINE LEBLANC : Il est difficile de baisser nos prix.
MONSIEUR BARNIER : C'est vrai, mais...
CATHERINE LEBLANC :... mais c'est peut-être nécessaire.
MONSIEUR BARNIER : De plus, la force de vente de la société Gripoux prospecte beaucoup. Elle prospecte auprès des pharmaciens et auprès des médecins.
CATHERINE LEBLANC : Vous voulez dire que leurs commerciaux sont plus actifs que nos commerciaux.
MONSIEUR BARNIER : Oui... c'est mon avis.
CATHERINE LEBLANC : Je vois, je vois...
MONSIEUR BARNIER : Mademoiselle Mercier va rarement en Suisse.
CATHERINE LEBLANC : Elle va en Suisse de temps en temps.
MONSIEUR BARNIER : C'est vrai, mais trop rarement. Mademoiselle Mercier est une excellente vendeuse et... euh... la situation en Suisse est très préoccupante... et... euh... Mademoiselle Mercier...
CATHERINE LEBLANC : ...doit aller en Suisse.

MONSIEUR BARNIER : C'est une excellente idée, madame Leblanc, une excellente idée !

Dialogue 3

PHILIPPE CADET : Ah ! monsieur Barnier ! Vous ici ! Comment allez-vous ?
MONSIEUR BARNIER : Très bien monsieur Cadet, merci.
PHILIPPE CADET : Vous êtes à Paris pour longtemps ?
MONSIEUR BARNIER : Deux jours seulement.
PHILIPPE CADET : Je vous présente notre stagiaire, Daniel.
MONSIEUR BARNIER : Enchanté.
PHILIPPE CADET : Les affaires sont toujours aussi bonnes en Suisse ?
CATHERINE LEBLANC : Pas vraiment Philippe. La concurrence avec la société Gripoux est très difficile.
MONSIEUR BARNIER : Très, très difficile.
CATHERINE LEBLANC : Leurs produits sont moins bons que les produits *Paragem*, mais leurs prix sont plus bas, plus compétitifs.
MONSIEUR BARNIER : Et leur force de vente est plus présente en Suisse, plus dynamique.
PHILIPPE CADET : Mais nos parts de marché en Suisse sont aussi importantes que les parts de marché de Gripoux.
MONSIEUR BARNIER : Pas cette année monsieur Cadet.

Leçon 9 : Aérofrance réservations, bonjour !

Dialogue 1

EMPLOYÉE AÉROFRANCE : Aérofrance réservations, bonjour.
ISABELLE MERCIER : Bonjour madame. Je voudrais réserver une place sur un vol Paris-Genève.
EMPLOYÉE AÉROFRANCE : Oui à quelle date ?
ISABELLE MERCIER : Le 3 mars, le mardi 3 mars.
EMPLOYÉE AÉROFRANCE : À quelle heure madame ?
ISABELLE MERCIER : Tôt le matin.
EMPLOYÉE AÉROFRANCE : Nous avons un premier vol à 5 heures 45 et un second vol à 6 heures 20.
ISABELLE MERCIER : Oh ! C'est encore trop tôt, après 8 heures s'il vous plaît.
EMPLOYÉE AÉROFRANCE : À 8 heures 30.
ISABELLE MERCIER : 8 heures 30, c'est très bien. Je réserve sur ce vol.
EMPLOYÉE AÉROFRANCE : Classe affaires ou économique ?
ISABELLE MERCIER : Classe affaires.
EMPLOYÉE AÉROFRANCE : Voulez-vous réserver pour le retour ?
ISABELLE MERCIER : Oui, pour le jeudi 5 mars dans la soirée.
EMPLOYÉE AÉROFRANCE : Il y a un vol à 18 heures 15, il arrive à Paris, aéroport Charles-de-Gaulle à 19 heures 35.
ISABELLE MERCIER : C'est parfait, je prends ce vol.
EMPLOYÉE AÉROFRANCE : C'est à quel nom ?
ISABELLE MERCIER : Au nom d'Isabelle Mercier, société *Paragem*.
EMPLOYÉE AÉROFRANCE : Bien je récapitule, la réservation est au nom d'Isabelle Mercier, Société *Paragem*. Vol 310 Paris-Genève, départ Paris-Charles-de-Gaulle le 3 mars à 8 heures 30, arrivée à Genève à 9 heures 45. Retour le 5 mars, sur le vol 420 Genève-Paris, départ de Genève à 18 heures 15, arrivée à Paris à 19 heures 35. Le numéro de votre réservation est PA 9 580.
ISABELLE MERCIER : PA 9 580.
EMPLOYÉE AÉROFRANCE : Vous pouvez retirer votre billet à l'aéroport, 2 heures avant le départ ou 24 heures avant le départ dans une agence Aérofrance.
ISABELLE MERCIER : Très bien, au revoir madame et merci.
EMPLOYÉE AÉROFRANCE : À votre service madame.

Dialogue 2

ISABELLE MERCIER : Eh bien voilà, je pars mardi à 8 heures et demie du matin.
DANIEL : Et tu reviens quand ?
ISABELLE MERCIER : Je reviens jeudi vers 7 heures.
DANIEL : 7 heures, mais c'est très tôt !
ISABELLE MERCIER : Non, pas 7 heures du matin, 7 heures du soir, c'est à dire 19 heures.
DANIEL : Ah oui, 7 heures du soir.
ISABELLE MERCIER : Oui, c'est ça, j'arrive à 19 heures 35 précisément, enfin 8 heures moins 25 si tu préfères.

Leçon 10 : Le Grand Palace

Dialogue 1

STÉPHANE PETIBON : Françoise, pouvez-vous réserver une chambre d'hôtel pour Isabelle ? Le Grand Palace à Genève.
FRANÇOISE VITTEL : Le Grand Palace ?
STÉPHANE PETIBON : Oui, voici un dépliant de l'hôtel... Il y a l'adresse et le numéro de téléphone.
FRANÇOISE VITTEL : Oh, mais c'est un cinq étoiles !
STÉPHANE PETIBON : Oui, c'est l'hôtel le plus accueillant de la ville...
FRANÇOISE VITTEL : En effet il a l'air très accueillant ! C'est certainement l'hôtel le plus agréable de la ville : piscine, sauna, piano-bar, boîte de nuit, restaurant gastronomique...
STÉPHANE PETIBON : Oui, enfin, pouvez-vous réserver une chambre pour mardi et mercredi prochains ?
FRANÇOISE VITTEL : D'accord, d'accord. Une chambre pour le 3 et 4 mars au nom d'Isabelle Mercier... J'appelle tout de suite.

Dialogue 2

EMPLOYÉ DU GRAND PALACE : Hôtel Le Grand Palace, bonjour.
FRANÇOISE VITTEL : Bonjour monsieur. Françoise Vittel de la société pari-

sienne *Paragem*. Je voudrais réserver une chambre s'il vous plaît.
EMPLOYÉ DU GRAND PALACE : Bien, madame. Pour quelle date ?
FRANÇOISE VITTEL : Les mardi 3 et mercredi 4 prochains.
EMPLOYÉ DU GRAND PALACE : Pour combien de personnes madame ?
FRANÇOISE VITTEL : Pour une personne.
EMPLOYÉ DU GRAND PALACE : Bien madame, alors une chambre simple... c'est à quel nom ?
FRANÇOISE VITTEL : Au nom de Mademoiselle Mercier. Isabelle Mercier. M-E-R-C-I-E-R.
EMPLOYÉ DU GRAND PALACE : Bien, madame. Mademoiselle Mercier travaille dans votre société ?
FRANÇOISE VITTEL : Travaille, travaille, je ne sais pas.
EMPLOYÉ DU GRAND PALACE : Pardon madame ?
FRANÇOISE VITTEL : Oui, oui, elle travaille dans notre société, société *Paragem*.
EMPLOYÉ DU GRAND PALACE : Bien, je récapitule, réservation pour la société *Paragem*, Pierre-Anatole-Raoul-Anatole-Gaston-Eugène-Marcel, au nom de Mademoiselle Mercier, Marcel-Eugène-Raoul-Célestin-Irma-Eugène-Raoul, pour les 3 et 4 mars.
FRANÇOISE VITTEL : Bien, bien, je vous remercie monsieur.
EMPLOYÉ DU GRAND PALACE: À votre service madame.

Dialogue 3

FRANÇOISE VITTEL : Philippe, vous connaissez l'hôtel suisse, Le Grand Palace ?
PHILIPPE CADET : Le Grand Palace, c'est à Genève, oui bien sûr, un très bon hôtel, ce n'est pas le meilleur, mais il est confortable...
FRANÇOISE VITTEL : Mais c'est un cinq étoiles, c'est un établissement de grande classe, aussi prestigieux que le Ritz !
PHILIPPE CADET : Vous exagérez Françoise, Le Grand Palace est moins prestigieux et certainement aussi ennuyeux que tout hôtel de luxe.
FRANÇOISE VITTEL : Peut-être, mais ce n'est pas le moins cher !

ISABELLE MERCIER : Françoise, vous avez l'air fatigué, vous avez besoin de vacances.
FRANÇOISE VITTEL : Je vais très bien, je n'ai pas besoin de vacances.
ISABELLE MERCIER : Vous connaissez la Suisse ? Genève ?
FRANÇOISE VITTEL : Non, non...
ISABELLE MERCIER : À Genève, ma chère Françoise, je connais un hôtel magnifique, un hôtel de grand luxe. C'est le Grand Palace. Des chambres calmes et spacieuses. Des lits immenses et confortables. Un personnel aimable et disponible. Une piscine. Un sauna. Un piano-bar. Un restaurant gastronomique. Ça, vraiment Françoise, un hôtel magnifique, le meilleur...

Leçon 11 : En route pour la Suisse

Dialogue 1

STÉPHANE PETIBON : Bien, nous allons payer cette facture. Où est le chéquier de l'entreprise ? Le chéquier... Ah, le voilà ! Bien, vous savez remplir un chèque, Daniel ?
DANIEL : Pas vraiment, monsieur Petibon...
STÉPHANE PETIBON : Prenez le chéquier et remplissez le chèque pour moi. C'est un chèque de 4000 F.
DANIEL : J'écris 4000 F en chiffres en haut à droite... ?
STÉPHANE PETIBON : Oui, c'est ça.
DANIEL : Puis... j'écris... à l'ordre d'*Aérofrance* ?
STÉPHANE PETIBON : Ah non, d'abord on répète la somme en toutes lettres, qua...tre...mi...lle...francs
STÉPHANE PETIBON : Ah ! Pas de S à mille, jamais... Bien... à l'ordre de Aérofrance.
DANIEL : À l'ordre de: Aérofrance... À Paris, le 16 février.
STÉPHANE PETIBON : Attention, vous ne pouvez pas signer. Je peux signer. Voilà ! Et n'oubliez pas de remplir le talon du chèque...
STÉPHANE PETIBON : Bien, merci Daniel, et faites une petite lettre qui accompagnera le chèque.
DANIEL : Oh non... !

Dialogue 2

CHAUFFEUR DE TAXI : Eh voilà Aéroport Charles-de-Gaulle.
ISABELLE MERCIER : Ça fait... 210 francs..?
CHAUFFEUR DE TAXI : Plus 10 francs par bagage, 2 bagages 20 francs, ça fait 230 francs.
ISABELLE MERCIER : Voilà 250 francs, gardez la monnaie.
CHAUFFEUR DE TAXI : Merci madame. Vous voulez un reçu ?
ISABELLE MERCIER : Oui, s'il vous plaît.
CHAUFFEUR DE TAXI : Voilà.
ISABELLE MERCIER : Merci monsieur.
CHAUFFEUR DE TAXI : Merci et bon voyage.

Dialogue 3

EMPLOYÉ AÉROFRANCE : Je peux vous aider, madame?
ISABELLE MERCIER : Oui, je viens retirer mon billet pour Genève.
EMPLOYÉ AÉROFRANCE : C'est à quel nom ?
ISABELLE MERCIER : Mercier, société *Paragem*.
EMPLOYÉ AÉROFRANCE : Vous avez votre numéro de réservation ?
ISABELLE MERCIER : Oui.
EMPLOYÉ AÉROFRANCE : Voici votre billet. Vous pouvez enregistrer immédiatement au comptoir Classe Affaires.
ISABELLE MERCIER : Bien, merci.
AUTRE EMPLOYÉE AÉROFRANCE : Bonjour madame, votre billet et votre passeport s'il vous plaît.

ISABELLE MERCIER : Voilà.
AUTRE EMPLOYÉE AÉROFRANCE : Bien, souhaitez-vous voyager en zone fumeur ou non-fumeur?
ISABELLE MERCIER : Zone non-fumeur.
AUTRE EMPLOYÉE AÉROFRANCE : Combien de bagages ?
ISABELLE MERCIER : Deux et un bagage à main.
AUTRE EMPLOYÉE D'AÉROFRANCE : Voilà votre carte d'embarquement. Il vous reste 15 minutes pour embarquer.
ISABELLE MERCIER : Bien, merci.
HAUT-PARLEUR : Le vol 310 à destination de Genève, embarquement immédiat, porte 37.

Leçon 12 : Un courrier gênant

Dialogue 1

STÉPHANE PETIBON : Bien Daniel, Il y a beaucoup de courrier ce matin, vous pouvez vous débrouiller ?
DANIEL : Débrouiller ?
STÉPHANE PETIBON : Vous savez comment enregistrer le courrier ?
DANIEL : Oui, oui, oui, Françoise m'a expliqué, et j'ai compris. Je vais me débrouiller.
STÉPHANE PETIBON : Bien je vous laisse...
DANIEL : Alors, j'ouvre les enveloppes , je sors les lettres... et j'appose le tampon... Mais où est le tampon ?
monsieur Petibon, où se trouve le tampon pour l'enregistrement du courrier ?
STÉPHANE PETIBON : Il est certainement sur le bureau de Françoise...
DANIEL : Ah oui j'ai trouvé !
STÉPHANE PETIBON : N'oubliez pas de changer la date !
DANIEL : Alors,... Numéro d'enregistrement : n° 365 ; date : le 4 avril ; expéditeur : Société PLC, monsieur Dinga ; objet... « Cher monsieur, nnn, nnn, nnn... Après vérification, nous avons constaté une erreur de facturation... ». Donc objet : erreur de facturation ; pièce jointe : facture ; service destinataire : service commercial, Philippe Cadet.
CATHERINE LEBLANC : Daniel, vous avez terminé d'enregistrer le courrier ?
DANIEL : Oui, à l'instant.

Dialogue 2

CATHERINE LEBLANC : Entrez Daniel.
DANIEL : J'amène le courrier.
CATHERINE LEBLANC : Ah, merci Daniel.
CATHERINE LEBLANC : Ah ! Nous avons beaucoup de commandes aujourd'hui. Vous avez enregistré le fax et les télex ?
DANIEL : Oui madame, il sont dessous.
CATHERINE LEBLANC : Bien, hien... Qu'est-ce que c'est que ça ? Une erreur de facturation ? « Philippe, à traiter immédiatement. Monsieur Dinga est notre meilleur client en Afrique occidentale ! »
Oui, beaucoup de commandes mais aussi beaucoup de factures à payer et de problèmes à régler... Bien Daniel vous pouvez distribuer le courrier... Merci.

Dialogue 3

PHILIPPE CADET : Oui.
DANIEL : J'amène le courrier monsieur Cadet.
PHILIPPE CADET : Ah oui, mettez ça là, s'il vous plaît.
DANIEL : Il y a une lettre à traiter en urgence.
PHILIPPE CADET : En urgence ? Voyons voir... Monsieur Dinga, Dinga, Dinga...
DANIEL : Apparemment c'est un bon client.
PHILIPPE CADET : Ah oui, bien sûr, Dinga du Cameroun ! Il y a eu une erreur de facturation ? Voyons la facture... Non, tout est correct , les prix unitaires sont bons, les quantités aussi... Daniel vous pouvez me sortir le dossier Dinga s'il vous plaît ?
DANIEL : Oui, bien sûr... Tenez.
PHILIPPE CADET : Ah oui, je vois. Ooh, j'ai oublié la remise de 5 %. Bon eh bien Daniel, voilà du travail pour vous. Faites un fax d'excuses à monsieur Dinga, je prépare la nouvelle facture.
DANIEL : Aujourd'hui j'ai beaucoup de travail. Françoise est absente.
PHILIPPE CADET : Oui, mais Françoise fait souvent mon courrier.
DANIEL : Oui, mais une lettre d'excuses c'est difficile à écrire, je ne connais pas le dossier.
PHILIPPE CADET : Bon, je fais la lettre et vous passez le fax.
DANIEL : D'accord, monsieur Cadet.

Leçon 13 : Chez le sous-traitant !

Dialogue 1

DANIEL : Où se trouve le laboratoire Dupeyron ?
CATHERINE LEBLANC : A Massy, c'est dans le sud de Paris. Par l'autoroute c'est à 30 minutes s'il n'y a pas trop de circulation.
DANIEL : Vous avez combien de laboratoires sous-traitants? Trois ?
CATHERINE LEBLANC : Pourquoi trois ?
DANIEL : Parce que vous avez trois produits dans votre gamme.
CATHERINE LEBLANC : Oui bien sûr, mais nous n'avons qu'un seul sous-traitant, il est équipé pour produire toute notre gamme et c'est plus facile de traiter avec un seul sous-traitant.
DANIEL : Vous avez toujours traité avec Dupeyron ?
CATHERINE LEBLANC : Oh oui, nous le connaissons depuis le début de la création de *Paragem*...
DANIEL : Mais pourquoi sous-traitez-vous la production ?
CATHERINE LEBLANC : Pour réduire nos investissements... Vous comprenez Daniel, quand nous avons créé *Paragem*, nous avons dû limiter nos

dépenses. On a emprunté de l'argent seulement pour les structures administratives et commerciales... mais pas pour la production.

Dialogue 2

MONSIEUR DUPEYRON : Ah, madame Leblanc vous tombez mal !

CATHERINE LEBLANC : Ah bon, pourquoi ?

MONSIEUR DUPEYRON : Nous avons une coupure de courant et en plus une panne de générateur !

CATHERINE LEBLANC : Une coupure de courant, une panne de générateur ???

MONSIEUR DUPEYRON : Dans 20 minutes tout est en ordre !

CATHERINE LEBLANC : Bon et bien je fais visiter le laboratoire à Daniel, notre stagiaire.

MONSIEUR DUPEYRON : Bien bien, je vous laisse.

CATHERINE LEBLANC : Vous me suivez Daniel ? Alors ici vous avez la ligne de production entièrement automatisée.

DANIEL : Oh, très impressionnant !

CATHERINE LEBLANC : Oui surtout quand ça marche !

DANIEL : Et comment ça fonctionne ?

CATHERINE LEBLANC : L'ordinateur là, contrôle tout le processus de fabrication et commande toutes les machines... Ici, par exemple, ces machines mélangent le principe actif à d'autres produits.

DANIEL : Très intéressant.

CATHERINE LEBLANC : Bonjour Mesdames !

LES OUVRIÈRES : Bonjour madame Leblanc.

CATHERINE LEBLANC : Alors au chômage technique !

CATHERINE LEBLANC : Ici c'est la salle réservée au conditionnement.

DANIEL : Ah oui l'emballage !

CATHERINE LEBLANC : Ah non, le conditionnement a lieu avant l'emballage.

DANIEL : C'est à dire ?

CATHERINE LEBLANC : Le conditionnement ici, c'est la mise en tube, c'est à dire la présentation du produit pour la vente. Ces dames contrôlent le conditionnement.

DANIEL : Et l'emballage ?

CATHERINE LEBLANC : L'emballage, nous l'utilisons pour transporter les produits.

CATHERINE LEBLANC : Enfin, voici le magasin. Ici on emballe les produits et on les prépare pour le transport.

DANIEL : Et où est le stock ?

CATHERINE LEBLANC : Oh le stock est très réduit. Le Laboratoire Dupeyron travaille sur commande.

DANIEL : Ah oui ?

CATHERINE LEBLANC : Oui, quand nous recevons la commande d'un client nous la communiquons au laboratoire Dupeyron. Il la prépare dans les 48 heures. C'est le « juste-à-temps ».

Dialogue 3

MONSIEUR DUPEYRON : Ah madame Leblanc, désolé pour cet incident.

CATHERINE LEBLANC : Que s'est-il passé ?

MONSIEUR DUPEYRON : Je ne sais pas exactement mais j'ai demandé à mon technicien de maintenance de me faire un rapport.

CATHERINE LEBLANC : La production n'a pas souffert, j'espère ?

MONSIEUR DUPEYRON : Je ne crois pas.

CATHERINE LEBLANC : Eh bien, nous allons le vérifier.

Leçon 14 : À la banque

Dialogue 1

DANIEL : Alors... Introduisez votre carte... composez votre code confidentiel, 7-3-6-8... et validez... Oh ! Qu'est-ce qui se passe ? Code invalide, recommencez... Invalide ? Bon, je recommence : 7-3-6-8 , je valide... Code invalide, carte non restituée. Qu'est-ce qui se passe ? Où est ma carte ?

UNE PERSONNE QUI ATTEND : Qu'est-ce qui se passe ?

DANIEL : Je ne sais pas. Qu'est-ce que ça veut dire : code invalide, carte non restituée ?

LA PERSONNE QUI ATTEND : Ooh ! vous n'avez pas composé le bon code. La machine a avalé votre carte !

DANIEL : Avalé ma carte ! Mais ce n'est pas possible !

LA PERSONNE QUI ATTEND : L'agence est ouverte, vous pouvez aller leur demander.

Dialogue 2

STÉPHANE PETIBON : Daniel, quelle surprise !

DANIEL : Bonjour, monsieur Petibon.

STÉPHANE PETIBON : Que faites-vous ici Daniel ?

DANIEL : J'ai un problème avec le distributeur de billets. J'ai voulu retirer de l'argent et la machine ne m'a pas rendu ma carte.

STÉPHANE PETIBON : Ah je vois, vous n'avez plus de carte et pas d'argent !

MADAME BRUNELLE : Monsieur Petibon, bonjour !

STÉPHANE PETIBON : Bonjour madame Brunelle.

MADAME BRUNELLE : Allons dans mon bureau.

STÉPHANE PETIBON : Avant de commencer madame Brunelle, Daniel, notre stagiaire a eu un petit problème avec votre distributeur de billets.

MADAME BRUNELLE : Encore ! La machine a avalé votre carte.

DANIEL : Oui c'est ça.

MADAME BRUNELLE : Gérard, le distributeur a encore avalé une carte. Le client est avec moi, peux-tu lui ramener sa carte, s'il t plaît, et mettre la machine hors service.

MADAME BRUNELLE : À nous deux monsieur Petibon.

STÉPHANE PETIBON : Nous avons reçu notre relevé de compte et je suis inquiet. Notre découvert est de 110 000 francs...

MADAME BRUNELLE : Voilà, j'ai le détail des mouvements de votre compte sur mon écran...

STÉPHANE PETIBON : Vous pouvez me donner notre solde aujourd'hui ?

MADAME BRUNELLE : Votre compte est créditeur de 62 607 francs. Il a été crédité de 186 000 francs hier et...

STÉPHANE PETIBON : Ah ! Enfin ! C'est le paiement de notre client argentin.

MADAME BRUNELLE : Alors vous n'avez plus de problèmes monsieur Petibon.

STÉPHANE PETIBON : Eh bien si, madame Brunelle. Vous nous avez autorisé un découvert de 100 000 francs, et nous avons dépassé cette limite.

MADAME BRUNELLE : Ah ! Oui c'est vrai, vous avez dépassé votre découvert pendant 8 jours...

STÉPHANE PETIBON : Nous ne devons pas payer d'agios, j'espère?

MADAME BRUNELLE : Non bien sûr... Nous avons confiance en votre société. *Paragem* est une entreprise saine et solvable.

STÉPHANE PETIBON : Je vous remercie de votre confiance madame Brunelle.

Dialogue 3

DANIEL : On est toujours aussi bien accueilli dans les banques françaises ?

STÉPHANE PETIBON : Ah non ! Dans cette banque et surtout dans cette agence, ils sont très compréhensifs et ils font confiance aux clients. Bien sûr, il faut leur inspirer confiance.

DANIEL : Et comment avez-vous fait pour leur inspirer confiance ?

STÉPHANE PETIBON : Eh bien à la création de *Paragem*, madame Leblanc et moi, nous sommes venus leur présenter notre projet. Pour le financement, bien sûr il nous ont demandé un apport personnel et des garanties. Et puis après ils nous ont accordé un prêt. Depuis la BIP est notre banque.

DANIEL : La BIP, c'est une grande banque ?

STÉPHANE PETIBON : Très grande. Elle a un bon réseau en France et à l'étranger, et c'est pratique pour une entreprise comme *Paragem*.

DANIEL : Je me demande si on a une agence BIP dans notre pays...

STÉPHANE PETIBON : Tenez Daniel, voici un autre distributeur. Bonne chance et à tout à l'heure !

DANIEL : J'espère l'inspirer confiance !

STÉPHANE PETIBON : Lui inspirer confiance.

DANIEL : Pardon?

STÉPHANE PETIBON : J'espère lui inspirer confiance !

Leçon 15 : Faites partir le courrier !

Dialogue 1

DANIEL : Françoise, où as-tu mis les enveloppes à fenêtres ?

FRANÇOISE VITTEL : Je les ai posées à côté du télécopieur...Tu les vois ?

DANIEL : Oui, oui,...merci.

FRANÇOISE VITTEL : Tout est prêt pour la mise sous pli ?

DANIEL : Pour la quoi ?

FRANÇOISE VITTEL : La mise sous pli, c'est à dire : mettre les lettres dans les enveloppes. Tu sais comment faire ?

DANIEL : Oui, je crois. D'abord je plie la lettre en 3, puis je la mets dans l'enveloppe et enfin, je ferme l'enveloppe.

FRANÇOISE VITTEL : Pour fermer, ça ne sera pas trop difficile, les enveloppes sont autocollantes. Mais attention, l'adresse doit apparaître au milieu de la fenêtre.

DANIEL : Oui, bien sûr.

FRANÇOISE VITTEL : Vous pouvez rire, Daniel. Je m'occupe du courrier et je vois les erreurs d'Isabelle ou de Philippe par exemple. Très souvent, le pays ou la ville n'apparaît pas dans la fenêtre.

DANIEL : D'accord, Françoise, je vais faire très attention.

FRANÇOISE VITTEL : Pas encore fini, Daniel ?

DANIEL : Mais si Françoise !

FRANÇOISE VITTEL : Mais non, Daniel, vous n'avez pas encore affranchi les enveloppes !

DANIEL : Deux cents timbres à coller... !

FRANÇOISE VITTEL : À coller... Mais non, nous avons une machine à affranchir, derrière mon bureau. Vous l'avez déjà utilisée n'est-ce pas ?

DANIEL : Non, jamais, Françoise.

STÉPHANE PETIBON : Que se passe-t-il ?

FRANÇOISE VITTEL : Daniel ne connaît pas encore la machine à affranchir !

STÉPHANE PETIBON : Laissez, laissez, Françoise, je lui explique.

Dialogue 2

FRANÇOISE VITTEL : Allons d'abord au guichet envoi en nombre, pour le publipostage.

EMPLOYÉ DE LA POSTE : Bonjour madame.

FRANÇOISE VITTEL : Bonjour, je vous emmène 200 lettres affranchies et classées par pays...

EMPLOYÉ DE LA POSTE : Et pour la France, Paris, banlieue et province ?

FRANÇOISE VITTEL : Oui, bien sûr, comme d'habitude. J'ai également deux lettres en recommandé avec accusé de réception.

EMPLOYÉ DE LA POSTE : Guichet n°3.

FRANÇOISE VITTEL : Oh non ! Il faut encore faire la queue !

FRANÇOISE VITTEL : Daniel, pour gagner du temps, tu peux m'aider à remplir ce formulaire ?

DANIEL : Oui, qu'est-ce que c'est ?

FRANÇOISE VITTEL : C'est un formulaire d'envoi d'une lettre recommandée avec accusé de réception.

DANIEL : Mais pourquoi envoyez-vous des lettres en recommandé avec accusé de réception?

FRANÇOISE VITTEL : Ce sont des lettres très importantes, destinées à des clients qui n'ont pas payé leur dernière facture.

DANIEL : Alors, qu'est-ce que je dois faire ?

FRANÇOISE VITTEL : Ici, vous recopiez le nom et l'adresse du destinataire de la lettre en haut à droite.

DANIEL : Alors... Société ACM... 6 rue de la Mairie... 15..040 AURILLAC... CE... DEX. Aurillac Cedex, drôle de nom pour une ville !

FRANÇOISE VITTEL : Non, CEDEX : C-E-D-E-X : Courrier d'Entreprise à Distribution EXceptionnelle. C'est un service plus rapide de distribution du courrier réservée aux entreprises.

DANIEL : Et là, dans le cadre réservé à l'expéditeur : Société *Paragem*, 10 rue Paradis, 75010 Paris Cedex... Pourquoi 75010 ?

FRANÇOISE VITTEL : 75010, c'est le code postal. 75 pour Paris, et le 010 c'est l'arrondissement et le bureau de poste, distributeur du courrier.

FRANÇOISE VITTEL : Ouf, c'est terminé. C'est vraiment pénible d'aller à la Poste ! Il faut toujours faire la queue !

FRANÇOISE VITTEL : Attendez, je vais retirer de l'argent.

DANIEL(E) : La Poste, c'est aussi une banque ?

FRANÇOISE VITTEL : Oui, bien sûr !

Leçon 16 : Négociation des moyens de paiement

Dialogue 1

DANIEL : *Paragem*, bonjour.

CLIENTE POTENTIELLE : Bonjour, le service commercial, s'il vous plaît.

DANIEL : Oui, vous y êtes.

CLIENTE POTENTIELLE : Allô, le service commercial ?

DANIEL : Oui, madame, vous êtes bien au service commercial.

CLIENTE POTENTIELLE : Ah, d'accord. Thérèse Pasqualini, société Distrivac à Bastia, j'ai bien reçu la documentation que vous m'avez envoyée. Je voudrais quelques précisions sur vos conditions de paiement...

DANIEL : Oui, quel est votre code client ?

CLIENTE POTENTIELLE : Je ne suis pas encore cliente...

DANIEL : Oh pardon, d'où appelez-vous ?

CLIENTE POTENTIELLE : De Bastia, en Corse.

DANIEL : Ne quittez pas je vous passe la personne qui est responsable des ventes pour la Corse. J'ai la Corse en ligne, qui prend la communication ?

ISABELLE MERCIER : C'est pour moi ! Isabelle Mercier, j'écoute...

CLIENTE POTENTIELLE : Oui bonjour madame, Thérèse Pasqualini, de la société Distrivac à Bastia.

ISABELLE MERCIER : Ah oui, vous avez reçu notre documentation ?

CLIENTE POTENTIELLE : Oui, et je voudrais quelques précisions sur vos conditions de paiement...

ISABELLE MERCIER : Oui, je vous écoute madame Pasqualini.

CLIENTE POTENTIELLE : Est-ce que le paiement des factures s'effectue toujours au comptant à réception de la facture ?

ISABELLE MERCIER : Oui généralement...

CLIENTE POTENTIELLE : Alors vous n'accordez pas de facilités de paiement !

ISABELLE MERCIER : Tout dépend du montant de la commande si vous passez une grosse commande nous pouvons vous accorder une facilité de paiement.

CLIENTE POTENTIELLE : C'est-à-dire ?

ISABELLE MERCIER : C'est-à-dire un crédit, le client peut nous régler un ou deux mois après la livraison.

CLIENTE POTENTIELLE : Et quel doit être le montant de la commande pour bénéficier d'un règlement à crédit ?

ISABELLE MERCIER : À partir de 10 000 francs hors taxes.

CLIENTE POTENTIELLE : D'accord... et comment peut-on régler ?

ISABELLE MERCIER : Par chèque, par virement bancaire ou par lettre de change.

CLIENTE POTENTIELLE : La lettre de change pour le paiement à crédit.

ISABELLE MERCIER : Oui bien sûr... Nos produits vous intéressent ?

CLIENTE POTENTIELLE : Oui, car nous avons de gros problèmes avec votre concurrent Gripoux.

ISABELLE MERCIER : Quels problèmes ?

CLIENTE POTENTIELLE : Des problèmes de qualité de produit.

Dialogue 2

PHILIPPE CADET : Eh, voilà encore un client qui veut des produits efficaces et qui ne veut pas payer. Qu'en penses-tu Isabelle ?

ISABELLE MERCIER : C'est un bon client ?

PHILIPPE CADET : Oui, il est très dynamique et possède des points de vente sur toute l'île. En plus c'est un client qui est solvable et qui paie au comptant.

ISABELLE MERCIER : Tu devrais lui téléphoner pour voir ce qui se passe.

PHILIPPE CADET : Ah bon tu crois ?

ISABELLE MERCIER : Oui, on ne peut pas risquer de perdre ce client.

PHILIPPE CADET : Oui, tu as raison.

PHILIPPE CADET : Au fait quelle heure est-il à Taiwan ?

DANIEL : Il est 10 heures ici, plus 7 heures, il est 17 heures à Taiwan.

PHILIPPE CADET : Ah oui c'est vrai, il y a un décalage horaire de 7 heures. Allô monsieur Wang ? Philippe Cadet de *Paragem*.

DAVE WANG : Ah Bonjour monsieur Cadet.

PHILIPPE CADET : J'ai bien reçu votre fax qui m'a surpris... Qu'est-ce qui se passe exactement ?

DAVE WANG : Vous savez votre concurrent propose des tarifs plus intéressants.

PHILIPPE CADET : Et de moins bonne qualité !

DAVE WANG : Oui mais mes clients ne le savent pas.

PHILIPPE CADET : Pas encore... bon, bon, bon. Ecoutez, je peux vous proposer une remise de 3% sur toutes vos grosses commandes, mais je ne peux pas plus.

DAVE WANG : Vous savez, Gripoux propose des conditions de paiement que je trouve beaucoup plus souples.

PHILIPPE CADET : Ah oui ?

DAVE WANG : On peut payer 3 mois après la livraison.

PHILIPPE CADET : Impossible ! On peut vous accorder au maximum un délai de 60 jours mais pas plus.

DAVE WANG : J'apprécie votre geste... Vous savez j'ai toujours été fidèle à votre maison, mais les affaires sont de plus en plus dures, et les concurrents très agressifs...

Leçon 17 : Un mauvais payeur

Dialogue 1

STÉPHANE PETIBON : Daniel, vous connaissez monsieur Vasseur ?

DANIEL : C'est un client je suppose.

STÉPHANE PETIBON : C'est ça, c'est un client et un mauvais payeur ! C'est un gros et un mauvais client !

DANIEL : Un gros client ? Un mauvais client ?

STÉPHANE PETIBON : C'est un gros client parce qu'il achète beaucoup et mauvais client parce qu'il paie toujours ses factures en retard.

STÉPHANE PETIBON : Monsieur Vasseur habite Toulouse. C'est une belle ville du sud de la France où on parle le français comme ça. À Toulouse, on parle comme ça et monsieur Vasseur, il parle comme ça, il parle beaucoup, il achète beaucoup, mais il ne paie pas.

DANIEL : Il ne paie pas ?

STÉPHANE PETIBON : Il ne paie pas immédiatement. C'est un mauvais payeur. Il faut écrire et téléphoner. Au téléphone, ça donne ça : Allô ! monsieur Vasseur ? Bonjour, monsieur Vasseur.

Ah ! monsieur Petibon ! Comment allez-vous, monsieur Petibon ? Et comment va Paris ? Ah Paris, notre belle capitale !

STÉPHANE PETIBON : Monsieur Vasseur, j'appelle à propos de notre dernière facture...

La facture ? Ah oui, oui ! La facture !

STÉPHANE PETIBON : Oui, monsieur Vasseur, la facture du 3 janvier. Une facture de 53 000 francs.

Ah ! 53 000 francs ! Une facture de 53 000 francs ! Ah, monsieur Petibon, vous connaissez la situation, la crise dont nous sommes tous les victimes.

STÉPHANE PETIBON : Oui, surtout quand les clients ne paient pas.

Dialogue 2

STÉPHANE PETIBON : Daniel je vous dicte la lettre de rappel pour monsieur Vasseur.

DANIEL : Bien monsieur.

STÉPHANE PETIBON : Date de la facture *(deux points)* : 5 mars *(à la ligne)*.

DANIEL : Date de la facture : 5 mars.

STÉPHANE PETIBON : Numéro de la facture : *(deux points)* 56312 *(à la ligne)*.

DANIEL : Numéro de la facture : 56312.

STÉPHANE PETIBON : Echéance de la facture : *(deux points)* 4 avril *(à la ligne)*.

DANIEL : Echéance de la facture : 4 avril, échéance ?

STÉPHANE PETIBON : Oui, l'échéance de la facture, c'est le dernier jour pour payer la facture... Je continue... Montant de la facture : *(deux points)* 49 000 francs *(à la ligne)*.

DANIEL : Montant de la facture : 49 000 francs.

STÉPHANE PETIBON : Numéro client : *(deux points)* 280763 *(à la ligne)*.

DANIEL : Numéro client : 280763 *(à la ligne)*.

STÉPHANE PETIBON : Paris, le... ? Quelle date aujourd'hui ?

DANIEL : C'est le 11 avril *(à la ligne)*.

STÉPHANE PETIBON : Paris, *(virgule)* le 11 avril *(à la ligne)*.

DANIEL : Paris, le 11 avril.

STÉPHANE PETIBON : Objet : *(deux points)* rappel de facture. *(à la ligne)*

DANIEL : Objet : rappel de facture ?

STÉPHANE PETIBON : Oui, au début de chaque lettre on résume le sujet de la lettre, ici c'est une lettre de rappel de facture. Vous comprenez ? Bon, je continue... Messieurs, *(virgule, à la ligne)*

DANIEL : Messieurs... Pourquoi Messieurs, on écrit à monsieur Vasseur ?

STÉPHANE PETIBON : Oui, on écrit à monsieur Vasseur mais aussi à son service comptabilité... Je continue... Sauf erreur ou omission de notre part, *(virgule)*

DANIEL : Sauf erreur ou omission de notre part...

STÉPHANE PETIBON : Votre facture rappelée en référence reste impayée à ce jour. *(point)*

DANIEL : Votre facture rappelée en référence, reste impayée à ce jour.

STÉPHANE PETIBON : Nous vous remercions de bien vouloir régulariser *(virgule)*

DANIEL : Nous vous remercions de bien vouloir régulariser... Que veut dire régulariser ?

STÉPHANE PETIBON : Ici ça veut dire payer la facture, bon... Je continue... dans les meilleurs délais, *(virgule)*

DANIEL : Dans les meilleurs délais, c'est à dire : le plus vite possible.

STÉPHANE PETIBON : C'est ça, c'est ça... Par CCP ou chèque bancaire adressé à notre siège social.

DANIEL : Par CCP ou chèque bancaire adressé à notre siège social. Payer par CCP ?

STÉPHANE PETIBON : CCP veut dire Compte Chèque Postal. *Paragem* a deux comptes chèques, un à la banque BIP et l'autre à la Poste. Bien je continue... Dans cette attente, *(virgule)* nous vous prions d'agréer,

(virgule) Messieurs, (virgule) nos salutations distinguées.
DANIEL : Dans cette attente, nous vous prions d'agréer, Messieurs, nos salutations distinguées.
STÉPHANE PETIBON : Signé : Stéphane Petibon, Directeur administratif (point).
DANIEL : Stéphane Petibon, Directeur administratif (point).
STÉPHANE PETIBON : PS... c'est l'abréviation de Post scriptum, ce que l'on ajoute après la signature d'une lettre... Donc... PS : (deux points) Veuillez ne pas tenir compte de ce rappel si votre réglement a été effectué entre-temps.
DANIEL : Veuillez ne pas tenir compte de ce rappel si votre réglement a été effectué entre-temps... Qu'est-ce que ça veut dire ?
STÉPHANE PETIBON : Si le client a déjà payé, alors cette lettre est sans effet... Bien Daniel, pouvez-vous relire cette lettre, s'il vous plaît ?
DANIEL :

Date de la facture : 5 mars
Numéro de la facture : 56312
Echéance de la facture : 4 avril
Montant de la facture : 49 000 francs
Numéro client : 280763

Paris, le 11 avril

Objet : rappel de facture

Messieurs,

Sauf erreur ou omission de notre part, votre facture rappelée en référence, reste impayée à ce jour.
Nous vous remercions de bien vouloir régulariser dans les meilleurs délais par CCP ou chèque bancaire adressé à notre siège social.
Dans cette attente, nous vous prions d'agréer, Messieurs, nos salutations distinguées.

Signé : Stéphane Petibon
Directeur administratif

PS : Veuillez ne pas tenir compte de ce rappel si votre règlement a été effectué entre-temps.

Dialogue 3

STÉPHANE PETIBON : Allô, monsieur Vasseur.
MONSIEUR VASSEUR : Ah ! monsieur Petibon ! Comment allez-vous ?
Monsieur Petibon ? Et comment va Paris ? Ah Paris, notre belle capitale !
STÉPHANE PETIBON : Monsieur Vasseur, j'appelle à propos de notre dernière facture...
MONSIEUR VASSEUR : La facture ? Ah oui ! La facture !
STÉPHANE PETIBON : Oui monsieur Vasseur, la facture du 5 mars. Une facture de 49 000 francs. Je vous ai envoyé deux lettres de rappel et vous n'avez toujours pas payé.
MONSIEUR VASSEUR : Ah ? Mais les lettres dont vous parlez, je les ai pas reçues.
STÉPHANE PETIBON : Ce n'est pas possible, deux lettres envoyées et aucune reçue ?
MONSIEUR VASSEUR : C'est à cause de la grève de la poste de Toulouse. Ah, vous savez les fonctionnaires, on ne peut pas leur faire confiance...

Leçon 18 : Paragem, mini-prix, mini-tube...

Dialogue 1

CATHERINE LEBLANC : Bien Philippe et Isabelle, je vous ai demandé de proposer des solutions pour mieux concurrencer Gripoux qui dernièrement a gagné trop de parts de marché. Je vous écoute.
ISABELLE MERCIER : Depuis quelques temps, je mène une enquête auprès de mes clients en France et en Europe... Beaucoup trouvent que le conditionnement de nos produits n'est pas adapté à certains groupes cibles comme les touristes et les hommes d'affaires.
PHILIPPE CADET : Que veux-tu dire Isabelle ?
ISABELLE MERCIER : Tous nos produits sont conditionnés dans des tubes trop grands pour des hommes d'affaires ou des touristes qui partent une semaine dans une région infectée par le paludisme.
CATHERINE LEBLANC : Intéressant Isabelle, que proposez-vous ?
ISABELLE MERCIER : Eh bien je propose de présenter une trousse de voyage avec nos 3 produits conditionnés dans des tubes plus petits...
PHILIPPE CADET : Une trousse de voyage, des tubes plus petits, c'est beaucoup, non ?
CATHERINE LEBLANC : Je ne comprends pas Philippe ?
PHILIPPE CADET : Ça va coûter cher !
ISABELLE MERCIER : Tu sais Philippe, Gripoux conditionne ses produits dans des tubes plus petits. Nos produits sont les meilleurs mais ils ne sont pas pratiques à transporter. En plus, nos produits sont plus chers

que les produits Gripoux.
PHILIPPE CADET : Oui, je ne suis pas convaincu.
ISABELLE MERCIER : Tu sais Philippe, beaucoup de consommateurs achètent notre crème pour le visage et complètent la gamme anti-paludéen avec les produits Gripoux qui sont plus petits et donc moins chers.
CATHERINE LEBLANC : Ce qui explique pourquoi nous vendons plus de crème pour le visage que de lait hydratant et de gel douche.
ISABELLE MERCIER : Tout à fait.
CATHERINE LEBLANC : Je suis convaincue, c'est un bon créneau.
ISABELLE MERCIER : Un créneau, c'est un produit qui correspond à un besoin sur le marché.
DANIEL : Merci.
CATHERINE LEBLANC : Bien, nous allons donc lancer un nouveau produit destiné aux européens, touristes ou hommes d'affaires et la semaine prochaine nous allons discuter de sa promotion.

Dialogue 2

CATHERINE LEBLANC : Isabelle, je vous donne la parole.
ISABELLE MERCIER : Bien... Philippe et moi, nous avons pensé mener deux types d'actions auprès des consommateurs, par l'intermédiaire de nos distributeurs.
CATHERINE LEBLANC : Oui, nous vous écoutons.
ISABELLE MERCIER : Première action : la promotion des ventes. Nous allons proposer aux distributeurs de disposer la trousse de voyage Paragem dans un endroit stratégique...
FRANÇOISE VITTEL : Quel endroit stratégique, la caisse par exemple ?
ISABELLE MERCIER : Pourquoi pas ? La caisse ou un présentoir bien en évidence.
ISABELLE MERCIER : Deuxième action : la campagne publicitaire. Alors là, Philippe et moi, nous ne sommes pas d'accord...
PHILIPPE CADET : Oui. Je propose une publicité sur le lieu de vente, comme par exemple un dépliant que les consommateurs peuvent consulter et garder.
CATHERINE LEBLANC : Oui, et vous Isabelle, que proposez-vous ?
ISABELLE MERCIER : Moi, je propose une campagne publicitaire un peu plus ambitieuse...
FRANÇOISE VITTEL : Comme toujours !
ISABELLE MERCIER : Je propose une campagne d'affichage.
FRANÇOISE VITTEL : Une campagne d'affichage ! Et pourquoi pas un spot publicitaire !
STÉPHANE PETIBON : En effet, c'est, c'est, c'est ambitieux...
CATHERINE LEBLANC : S'il vous plaît ! Continuez Isabelle !
ISABELLE MERCIER : Je pense à des affiches dans les quartiers d'affaires, à proximité des grands hôtels et dans les aéroports internationaux.
CATHERINE LEBLANC : Ça va nous coûter cher !
STÉPHANE PETIBON : Et notre budget publicitaire ne nous permet pas cette dépense.
CATHERINE LEBLANC : Bien nous sommes d'accord sur la campagne publicitaire... Rendez-vous demain à 14 heures, pour trouver ensemble un slogan publicitaire pour la première page du dépliant.

Dialogue 3

CATHERINE LEBLANC : Bien, je propose de faire un tour de table... Voulez-vous commencer Stéphane ?
STÉPHANE PETIBON : Personnellement, j'ai pensé à ce slogan : « Paragem la petite trousse qui vous protège des moustiques ».
CATHERINE LEBLANC : Et vous Françoise ?
FRANÇOISE VITTEL : Eh bien moi en ce qui me concerne, c'est un peu plus long... Je vous propose : « Plus pratique et plus économique, la trousse de voyage Paragem vous sauve la vie ».
CATHERINE LEBLANC : Philippe.
PHILIPPE CADET : Oui. Pour ma part, j'ai pensé à : « La trousse de voyage Paragem, ne partez pas sans elle ».
CATHERINE LEBLANC : Isabelle ?
ISABELLE MERCIER : Eh bien moi je propose: « Paragem, Mini-prix, mini-tube, maxi-protection ».
CATHERINE LEBLANC : Pour ma part, je propose : « Votre compagnon de voyage, la trousse anti-moustiques Paragem ».
Bien, il faut choisir entre ces 5 propositions. À votre avis Daniel, quel est le meilleur slogan ?
DANIEL : C'est difficile de choisir, j'aime beaucoup : « Paragem, mini-prix, mini-tube maxi-protection »...
CATHERINE LEBLANC : Et vous, quelle est votre opinion ?
Bien, notre choix est fait. Nous allons garder le slogan d'Isabelle : « Paragem, mini-prix, mini-tube, maxi-protection »...
DANIEL : C'est vraiment bien la mercatique !
ISABELLE MERCIER : La quoi ?
DANIEL : La mer-ca-ti-que !
STÉPHANE PETIBON : Enfin Isabelle, la mercatique c'est le mot français pour marketing !
ISABELLE MERCIER : Ah oui c'est vrai !

Leçon 19 : Jour de grève et jour de paie

Dialogue 1

FRANÇOISE VITTEL : Eh bien Daniel, tu es en retard ce matin !
DANIEL : Oh ! Il y a une grève, pas de métro, pas de bus, j'ai dû marcher, je suis épuisé !
FRANÇOISE VITTEL : Ne t'inquiète pas, moi aussi je viens d'arriver ! C'est la faute des syndicats !
DANIEL : La faute des syndicats ?

FRANÇOISE VITTEL : Oui, les syndicats incitent les salariés à faire grève et après c'est la crise !

STÉPHANE PETIBON : Eh bien Françoise, qu'est-ce qui se passe ?

FRANÇOISE VITTEL : Il y a encore une grève des transports. Encore les syndicats, encore eux !

STÉPHANE PETIBON : Ah c'est bien vous Françoise, vous ne les aimez vraiment pas !

FRANÇOISE VITTEL : Ah non alors ! Et c'est pas fini, demain grève générale dans le service public !

STÉPHANE PETIBON : Vous connaissez les syndicats français Daniel ?

DANIEL : Oui, la C... la CF...

STÉPHANE PETIBON : La CFDT, c'est à dire la Confédération Française Démocratique du Travail.

FRANÇOISE VITTEL : Ce n'est pas tout ! Il y aussi la CGT.

STÉPHANE PETIBON : Oui la CGT, la Confédération Générale du Travail...

DANIEL : Ah, il y a aussi FO !

STÉPHANE PETIBON : FO, Force Ouvrière.

FRANÇOISE VITTEL : Et il y en a d'autres !

DANIEL : Mais quelle est la différence entre tous ces syndicats ?

STÉPHANE PETIBON : Des différences idéologiques ! Mais ils défendent tous les droits des salariés.

DANIEL : Quels droits ?

STÉPHANE PETIBON : Le SMIC (Salaire Minimum Interprofessionnel de Croissance), le temps de travail, les congés payés, et le droit à la formation continue...

Dialogue 2

STÉPHANE PETIBON : Voilà pour toi Philippe, et voilà pour vous Isabelle...

PHILIPPE CADET : Ah non, ce n'est pas pour moi, c'est pour toi Isabelle.

STÉPHANE PETIBON : Ah, pardon.

ISABELLE MERCIER : C'est dommage, j'aimerais bien avoir le salaire de Philippe !

PHILIPPE CADET : Eh bien ! Les cotisations salariales ne diminuent pas !

STÉPHANE PETIBON : Et les cotisations patronales !

DANIEL : Cotisations salariales ? Cotisations patronales ?

STÉPHANE PETIBON : Eh oui, on ne peut pas avoir les avantages sociaux sans cotisation.

DANIEL : Je ne comprends pas...

PHILIPPE CADET : C'est simple, le salaire brut n'est pas égal au salaire net.

STÉPHANE PETIBON : Eh oui le salarié doit cotiser, il doit payer par exemple, une assurance-chômage, une assurance-maladie, une assurance-vieillesse. Ces cotisations sont déduites de son salaire brut.

PHILIPPE CADET : Ce sont les cotisations salariales.

ISABELLE MERCIER : Tu comprends maintenant qu'il y a une différence entre salaire brut et salaire net. Quand tu vas chercher un travail, on va t'annoncer le salaire brut. il faut enlever environ 20 % pour avoir le salaire net.

STÉPHANE PETIBON : 20 % de cotisations salariales mais 50 % de cotisations patronales.

DANIEL : Oh c'est compliqué !

ISABELLE MERCIER : Tiens par exemple, une personne au SMIC gagne environ 6 000 francs brut par mois. Le patron paie : 6 000 francs + 50 % de charges patronales, c'est à dire 9 000 francs... Le patron paie 3 000 francs de charges.

DANIEL : Et le salarié ?

ISABELLE MERCIER : Eh bien le salarié, il gagne : 6 000 francs moins 20 % de charges... c'est à dire 4 800 francs...

DANIEL : Eh bien ! Alors moi, je paie aussi des cotisations salariales ?

STÉPHANE PETIBON : Non pas vous Daniel, vous êtes stagiaire, vous ne percevez pas de salaire, mais des indemnités de stage... Alors, vous ne payez pas de charges. D'ailleurs, je viens de finir votre bulletin de paie, vous pouvez passer le prendre.

Dialogue 3

DANIEL : Que fais-tu Françoise ?

FRANÇOISE VITTEL : Je consulte le Minitel...

DANIEL : Pourquoi ?

FRANÇOISE VITTEL : J'interroge la RATP, pour savoir si la grève continue.

DANIEL : Je peux regarder, je ne sais pas me servir du Minitel.

FRANÇOISE VITTEL : C'est très simple : tu composes le 3615 sur le téléphone. Tu entends la tonalité aiguë !
Appuie sur la touche connexion du Minitel.

DANIEL : Après ?

FRANÇOISE VITTEL : Raccroche le téléphone. Bien, tu es en ligne avec le serveur de la RATP. Suis les instructions à l'écran.

FRANÇOISE VITTEL : Alors quelles sont les nouvelles ?

DANIEL : « Suite à une grève du personnel SFDT, CGT et FO, le trafic reste très perturbé sur tout le réseau RATP. En moyenne 1 métro sur 4 circule et 1 bus sur 5 circule. »

FRANÇOISE VITTEL : Et les syndicats disent qu'ils défendent les droits des salariés ! Pff... Eh bien moi, ce soir je vais mettre deux heures pour rentrer chez moi !

Leçon 20 : L'interculturel au service des PME-PMI...

Dialogue 1

PHILIPPE CADET : Pas brillantes les ventes sur l'Asie... C'est une catastrophe au Japon !

ISABELLE MERCIER : Une augmentation de 20 % en Europe, sauf en Turquie et en Suisse... Pas mal... Et toi Philippe, tu es content ?

PHILIPPE CADET : Pas vraiment, deux voyages au Japon et pas une com-

mande ! J'ai rendu visite à plusieurs distributeurs, et toujours pas une commande...

ISABELLE MERCIER : Il y a un problème Philippe... Comment organises-tu tes rendez-vous ?

PHILIPPE CADET : Comme toi ! Je sélectionne les distributeurs qui m'intéressent, téléphone pour prendre rendez-vous avec le responsable des achats et je me déplace.

ISABELLE MERCIER : Oui... Et les hommes d'affaires japonais font comme toi ?

PHILIPPE CADET : Ben oui, tu connais une autre méthode ?

ISABELLE MERCIER : Tu plaisantes j'espère !
Tu essaies de me dire que tu te comportes avec les hommes d'affaires japonais comme avec les hommes d'affaires américains !

PHILIPPE CADET : Les affaires sont les affaires !

ISABELLE MERCIER : Je comprends tes mauvais résultats. Et Gripoux, il est présent sur le marché japonais ?

PHILIPPE CADET : Oui, j'ai rencontré son commercial au Japon. Il était dans le même hôtel que moi. Il a passé la semaine à rencontrer des petits employés chez les distributeurs. Il n'a pas l'air dangereux !

ISABELLE MERCIER : C'est peut-être la façon de traiter des affaires au Japon !

PHILIPPE CADET : Certainement pas. Qu'est-ce que vous en pensez Daniel ?

DANIEL : Eh bien... À mon avis il y a des différences entre les pays...

ISABELLE MERCIER : Chaque pays a sa façon de faire ! Tu dois lire Albert Paterson qui est le grand spécialiste de l'interculturel dans le monde des affaires.

PHILIPPE CADET : Ah oui !

ISABELLE MERCIER : Tiens justement ! Il vient à Paris pour donner une conférence, lundi prochain. Je t'invite... toi aussi Daniel, je t'invite... Et toi Philippe, tu vas nous inviter à dîner si Albert Paterson arrive à te convaincre !

PHILIPPE CADET : D'accord !

Dialogue 2

PHILIPPE CADET : Je ne comprends pas... Par exemple, le jour de mon arrivée à Tokyo, j'ai téléphoné à la société Sumitomi, j'ai demandé un rendez-vous avec le directeur des achats qui était disponible. J'ai donc rencontré son adjoint, monsieur Seto qui était très courtois, comme tous les Japonais. Il a semblé très intéressé par nos produits, il m'a posé beaucoup de questions...

DANIEL : Il a peut-être trouvé les produits *Paragem* trop chers ?

PHILIPPE CADET : Mais non, il n'a même pas discuté les prix ! Il m'a semblé enthousiaste et m'a juste demandé quelques semaines de réflexion... Je rentre à Paris, je contacte monsieur Seto qui me dit : « Nous sommes désolés mais dans l'immédiat vos produits ne nous intéressent pas. » Tu comprends sa réaction, toi ?

DANIEL : Pas vraiment Philippe... Combien d'entreprises avez-vous contactées ?

PHILIPPE CADET : Eh bien, huit entreprises.

DANIEL : Et la réaction a été la même dans les huit entreprises ?

PHILIPPE CADET : Même accueil, mais pas une commande !

Dialogue 3

DANIEL : Isabelle, quel est le thème de la conférence de monsieur Paterson?

ISABELLE MERCIER : « L'interculturel au secours des PME-PMI exportatrices ».

DANIEL : PME ? PMI ?

ISABELLE MERCIER : PME c'est l'abréviation pour Petite et Moyenne Entreprise.

DANIEL : Et PMI veut dire Petite et Moyenne Industrie ?

ISABELLE MERCIER : Les PME-PMI sont des sociétés qui emploient 50 salariés au maximum.

ISABELLE MERCIER : Vite, ça commence, allons nous asseoir.

ALBERT PETERSON : Merci, merci... « L'interculturel au secours des PME-PMI exportatrices ». Vaste question... Et d'abord, qu'est-ce que l'interculturel ? Prenons un exemple... Monsieur Decca, commercial dans une PME exportatrice. Il part pour la première fois à la conquête du marché japonais. C'est un homme d'affaires sympathique, autodidacte, persuadé de savoir vendre ses produits dans le monde entier... Il arrive au Japon, s'installe à l'hôtel, décroche son téléphone et prend des rendez-vous avec des entreprises japonaises. Il veut absolument rencontrer le directeur... Pour résumer, il contacte les entreprises japonaises, un jour avant seulement et veut rencontrer le directeur commercial.

PHILIPPE CADET : Qu'est-ce qui est drôle ?

ISABELLE MERCIER : Chut...

ALBERT PETERSON : Sa première erreur c'est vouloir obtenir tout de suite un rendez-vous. Au Japon, pas de précipitation dans les affaires. Les premiers contacts se font par courrier, puis par téléphone et à la fin seulement on fixe un rendez-vous... Mais un rendez-vous avec qui ? C'est là que monsieur Decca a fait une deuxième erreur : il a préféré le supérieur hiérarchique à l'employé. Et oui au Japon, pour un premier contact avec une entreprise, il ne faut pas avoir l'ambition de rencontrer le patron... Voilà ! Je vous remercie de votre attention.

PHILIPPE CADET : Ah ! Bravo, bravo ! formidable !

ISABELLE MERCIER : Et bien Philippe, tu nous invites au restaurant !

PHILIPPE CADET : Euh... et bien d'accord.

LE VERBE

Le présent

Auxiliaires		1er groupe (-er)	2e groupe (-ir / issons)

être
Je suis
Tu es
Il/elle est
Nous sommes
Vous êtes
Ils/elles sont

avoir
J'ai
Tu as
Il/elle a
Nous avons
Vous avez
Ils/elles ont

montrer
Je montre
Tu montres
Il/elle montre
Nous montrons
Vous montrez
Ils/elles montrent

finir
Je finis
Tu finis
Il/elle finit
Nous finissons
Vous finissez
Ils/elles finissent

3e groupe

aller
Je vais
Tu vas
Il/elle va
Nous allons
Vous allez
Ils/elles vont

connaître
Je connais
Tu connais
Il/elle connaît
Nous connaissons
Vous connaissez
Ils/elles connaissent

entendre
J'entends
Tu entends
Il/elle entend
Nous entendons
Vous entendez
Ils/elles entendent

faire
Je fais
Tu fais
Il/elle fait
Nous faisons
Vous faites
Ils/elles font

mettre
Je mets
Tu mets
Il/elle met
Nous mettons
Vous mettez
Ils/elles mettent

partir
Je pars
Tu pars
Il/elle part
Nous partons
Vous partez
Ils/elles partent

prendre
Je prends
Tu prends
Il/elle prend
Nous prenons
Vous prenez
Ils/elles prennent

pouvoir
Je peux
Tu peux
Il/elle peut
Nous pouvons
Vous pouvez
Ils/elles peuvent

savoir
Je sais
Tu sais
Il/elle sait
Nous savons
Vous savez
Ils/elles savent

venir
Je viens
Tu viens
Il/elle vient
Nous venons
Vous venez
Ils/elles viennent

voir
Je vois
Tu vois
Il/elle voit
Nous voyons
Vous voyez
Ils/elles voient

vouloir
Je veux
Tu veux
Il/elle veut
Nous voulons
Vous voulez
Ils/elles veulent

Les verbes pronominaux

s'appeler
Je m'appelle
Tu t'appelles
Il/elle s'appelle
Nous nous appelons
Vous vous appelez
Ils/elles s'appellent

se lever
Je me lève
Tu te lèves
Il/elle se lève
Nous nous levons
Vous vous levez
Ils/elles se lèvent

Le passé composé

sujet + auxiliaire au présent + participe passé

Le passé composé avec l'auxiliaire *avoir*

1er groupe	2e groupe	3e groupe

montrer
J'ai montré
Tu as montré
Il/elle a montré
Nous avons montré
Vous avez montré
Ils/elles ont montré

finir
J'ai fini
Tu as fini
Il/elle a fini
Nous avons fini
Vous avez fini
Ils/elles ont fini

entendre
J'ai entendu
Tu as entendu
Il/elle a entendu
Nous avons entendu
Vous avez entendu
Ils/elles ont entendu

Les participes passés de verbes fréquents avec l'auxiliaire *avoir*

apprendre ➡ appris	**dire** ➡ dit	**obtenir** ➡ obtenu	**répondre** ➡ répondu
avoir ➡ eu	**écrire** ➡ écrit	**ouvrir** ➡ ouvert	**savoir** ➡ su
boire ➡ bu	**être** ➡ été	**peindre** ➡ peint	**suivre** ➡ suivi
connaître ➡ connu	**faire** ➡ fait	**pouvoir** ➡ pu	**voir** ➡ vu
cuire ➡ cuit	**joindre** ➡ joint	**prendre** ➡ pris	**vouloir** ➡ voulu
devoir ➡ dû	**mettre** ➡ mis	**recevoir** ➡ reçu	

Le passé composé avec l'auxiliaire *être*

aller
Je suis allé(e)
Tu es allé(e)
Il/elle est allé(e)
Nous sommes allé(e)s
Vous êtes allé(e)(s)
Ils/elles sont allé(e)s

partir
Je suis parti(e)
Tu es parti(e)
Il/elle est parti(e)
Nous sommes parti(e)s
Vous êtes parti(e)(s)
Ils/elles sont parti(e)s

Les participes passés de verbes fréquents avec l'auxiliaire *être*

aller ➡ allé	**naître** ➡ né
arriver ➡ arrivé	**partir** ➡ parti
descendre ➡ descendu	**rester** ➡ resté
entrer ➡ entré	**sortir** ➡ sorti
monter ➡ monté	**tomber** ➡ tombé
mourir ➡ mort	**venir** ➡ venu

Le passé composé des verbes pronominaux

se lever
Je me suis levé(e)   Nous nous sommes levé(e)s
Tu t'es levé(e)   Vous vous êtes levé(e)s
Il/elle s'est levé(e)   Ils/elles se sont levé(e)s

L'imparfait

Auxiliaires

être
J'étais
Tu étais
Il/elle était
Nous étions
Vous étiez
Ils/elles étaient

avoir
J'avais
Tu avais
Il/elle avait
Nous avions
Vous aviez
Ils/elles avaient

1er groupe

aller
J'allais
Tu allais
Il/elle allait
Nous allions
Vous alliez
Ils/elles allaient

habiter
J'habitais
Tu habitais
Il/elle habitait
Nous habitions
Vous habitiez
Ils habitaient

2e groupe

finir
Je finissais
Tu finissais
Il/elle finissait
Nous finissions
Vous finissiez
Ils finissaient

3e groupe

voir
Je voyais
Tu voyais
Il/elle voyait
Nous voyions
Vous voyiez
Ils voyaient

Le plus-que-parfait
auxiliaire (*être* ou *avoir*)
à l'imparfait
+ participe passé

J'étais <u>venu(e)</u> à la réunion.
J'avais <u>pris</u> la bonne décision.

Le passé récent
venir de + infinitif

Je viens de <u>voir</u> la secrétaire de direction.

Le passif
auxiliaire *être* + participe passé

occuper ➡ Le poste est <u>occupé</u>
(par quelqu'un).

Le futur

Auxiliaires

être
Je serai
Tu seras
Il/elle sera
Nous serons
Vous serez
Ils/elles seront

avoir
J'aurai
Tu auras
Il/elle aura
Nous aurons
Vous aurez
Ils/elles auront

1er groupe

aller
J'irai
Tu iras
Il/elle ira
Nous irons
Vous irez
Ils/elles iront

aimer
J'aimerai
Tu aimeras
Il/elle aimera
Nous aimerons
Vous aimerez
Ils/elles aimeront

Verbes irréguliers

appeler ➜ j'appellerai
courir ➜ je courrai
devenir ➜ je deviendrai
devoir ➜ je devrai
envoyer ➜ j'enverrai
faire ➜ je ferai
obtenir ➜ j'obtiendrai
payer ➜ je paierai/payerai
pouvoir ➜ je pourrai
recevoir ➜ je recevrai
relever ➜ je relèverai
savoir ➜ je saurai
venir ➜ je viendrai
voir ➜ je verrai
vouloir ➜ je voudrai…

2e groupe

finir
Je finirai
Tu finiras
Il/elle finira
Nous finirons
Vous finirez
Ils/elles finiront

3e groupe

prendre
Je prendrai
Tu prendras
Il/elle prendra
Nous prendrons
Vous prendrez
Ils/elles prendront

Le futur proche
aller + infinitif

Vous allez <u>passer</u> un entretien d'embauche.

Le conditionnel présent

1er groupe

aimer
J'aimerais
Tu aimerais
Il/elle aimerait
Nous aimerions
Vous aimeriez
Ils/elles aimeraient

2e groupe

finir
Je finirais
Tu finirais
Il/elle finirait
Nous finirions
Vous finiriez
Ils/elles finiraient

3e groupe

prendre
Je prendrais
Tu prendrais
Il/elle prendrait
Nous prendrions
Vous prendriez
Ils/elles prendraient

Le conditionnel passé
auxiliaire (*être* ou *avoir*) au conditionnel présent + participe passé

J'aurais <u>préféré</u> une meilleure situation.

Le subjonctif présent

1er groupe

tomber
que je tombe
que tu tombes
qu'il/elle tombe
que nous tombions
que vous tombiez
qu'ils/elles tombent

2e groupe

finir
que je finisse
que tu finisses
qu'il/elle finisse
que nous finissions
que vous finissiez
qu'ils/elles finissent

3e groupe

partir
que je parte
que tu partes
qu'il/elle parte
que nous partions
que vous partiez
qu'ils/elles partent

L'impératif

Auxiliaires

être
Sois !
Soyons !
Soyez !

avoir
Aie !
Ayons !
Ayez !

1er groupe

aller
Va !
Allons !
Allez !

regarder
Regarde !
Regardons !
Regardez !

2e groupe

choisir
Choisis !
Choisissons !
Choisissez !

3e groupe

prendre
Prends !
Prenons !
Prenez !

Verbes pronominaux

se lever
Lève-toi !
Levons-nous !
Levez-vous !

Le participe présent

radical de la première personne du pluriel de l'indicatif présent + -*ant*.

Signer → nous signons → signant.

Gérondif : en signant.

LE NOM

	Singulier	Pluriel
Masculin	Un président Un directeur	Des présidents Des directeurs
Féminin	Une présidente Une directrice	Des présidentes Des directrices
	Féminins irréguliers : Un vendeur → Une vendeuse… Un caissier → Une caissière…	**Pluriels irréguliers :** Un capital → Des capitaux…

LE DÉTERMINANT

Articles définis : le – la – les.

Articles indéfinis : un – une – des.

Articles partitifs : du – de la – de l' – des.
Tu veux du sel/de l'eau/des chocolats ?
→ *Oui, je veux du sel/de l'eau/des chocolats.*
→ *Non, je ne veux pas de sel/d'eau/de chocolats.*

Adjectifs possessifs
Masculin mon – ton – son / notre – votre – leur
Féminin ma – ta – sa / notre – votre – leur
Pluriel mes – tes – ses / nos – vos – leurs

Devant un nom féminin commençant par une voyelle ou un *h* muet :
ma → mon (*une entreprise/mon entreprise*) / ta → ton / sa → son

Adjectifs démonstratifs
ce/cet – cette – ces (*cet* devant un nom masculin commençant par une voyelle ou *h* muet)

Nombres

Zéro (0), un (1), deux (2), trois (3), quatre (4), cinq (5), six (6), sept (7), huit (8), neuf (9), dix (10), onze (11), douze (12), treize (13), quatorze (14), quinze (15), seize (16), dix-sept (17), dix-huit (18), dix-neuf (19), vingt (20), vingt et un (21), vingt-deux (22), ... trente (30) – quarante (40) – cinquante (50) – soixante (60) – soixante-dix (70) – quatre-vingts (80) – un s à quatre-vingts seulement, sinon : quatre-vingt-trois – quatre-vingt-dix (90)... cent (100) – deux cents (200)... mille (1000) (mille est invariable) – deux mille (2000)... un million (1 000 000), un milliard (1 000 000 000)...

LE PRONOM

pronoms personnels sujet :
je – tu – il/elle/on
nous – vous – ils/elles.

pronoms toniques :
moi – toi – lui/elle
nous – vous – eux/elles.

pronoms démonstratifs

	Singulier	Pluriel
Masculin	celui-ci/celui-là	ceux-ci/ceux
Féminin	celle-ci/celle-là	celles-ci/celles-là
Neutre	ceci/cela	

pronoms personnels compléments d'objet direct (COD) :
me – te – le/la/l' – nous – vous – les.
Lorsque le COD est placé devant le verbe, le participe passé s'accorde.
La commande, je l'ai suivie. Les décisions, je ne les ai pas prises seul.

pronoms personnels compléments d'objet indirect (COI) :
me – te – lui – nous – vous – leur.
Le pronom *lui* remplace un nom masculin ou féminin. *Tu parles à ma secrétaire. ➡ Tu lui parles.*

Le pronom complément *en*
*Tu as **de** l'argent ? – Oui, j'en ai.*

pronoms relatifs :
sujet : qui – COD : que – complément de nom : dont – complément de lieu / de temps : où.

LA QUALIFICATION

Mesures : trois rames de papier, six pochettes de feutres, sept paquets de...

Adverbes de quantité :
peu – assez – trop – beaucoup...

Adverbes de manière :
courtoisement/rapidement/efficacement...

Compléments de nom :
un ordinateur <u>de</u> bureau/une machine <u>à</u> écrire...

Adjectifs

Formes régulières				Formes irrégulières			
Masculin		**Féminin**		**Masculin**		**Féminin**	
Singulier	Pluriel	Singulier	Pluriel	Singulier	Pluriel	Singulier	Pluriel
fatigué	fatigués	fatiguée	fatiguées	beau / bel	beaux	belle	belles
petit	petits	petite	petites	blanc	blancs	blanche	blanches
				courageux	courageux	courageux	courageuse
				entier	entiers	entière	entières
				franc	francs	franche	franches
				gentil	gentils	gentille	gentilles
				gros	gros	grosse	grosses
				long	longs	longue	longues
				neuf	neufs	neuve	neuves
				vieux/vieil	vieux	vieille	vieilles

Comparatifs

Infériorité (-) :   ...moins   + adjectif qualificatif
Égalité (=) :   ...aussi   + adjectif qualificatif   (+ que)...
Supériorité (+) :   ...plus   + adjectif qualificatif
Formes irrégulières : bon/meilleur – mauvais/plus mauvais/pire.

Superlatifs

Le/la/les plus   + adjectif qualificatif... (+ de...)
Le/la/les moins + adjectif qualificatif... (+ de...)

LA NÉGATION

Ne...pas   ➝ *Vous n'êtes pas d'accord avec moi.*
Ne...plus   ➝ *Je ne veux plus travailler pour cette société.*
Ne...ni...ni   ➝ *Nous n'avons ni le temps ni l'argent pour réaliser ce projet.*
Ne...rien   ➝ *L'usine n'a rien produit pendant la grève.*
Ne...jamais   ➝ *Il ne renonce jamais à ses idées.*
Ne...personne ➝ *Elle n'apprécie personne dans le groupe.*

L'INTERROGATION

Les trois formes de l'interrogation :
• avec l'intonation ➝ *On peut déjeuner dans le train ?*
• avec « est-ce que » ➝ *Est-ce qu'on peut déjeuner dans le train ?*
• avec inversion du sujet ➝ *Peut-on déjeuner dans le train ?*

Qui ?   ➝ *Qui voulez-vous rencontrer ?*
Que ?   ➝ *Que faites-vous ?*
Quoi ?   ➝ *Quoi faire maintenant ?*
Où ?   ➝ *Où est le bureau du directeur ?*
Quel ?   ➝ *Quel emploi souhaitez-vous ? Quels ?* ➝ *Quels sont vos objectifs ?*
Quelle ?   ➝ *Quelle est votre volonté ? Quelles ?* ➝ *Quelles sont vos compétences ?*
Combien ? ➝ *Combien coute cet ordinateur ?*
Comment ? ➝ *Comment vont les affaires ?*
Pourquoi ? ➝ *Pourquoi voulez-vous changer de poste ?*
Quand ?   ➝ *Quand pouvez-vous commencer ?*

L'EXPRESSION DU LIEU, DU BUT, DU TEMPS, DE LA DURÉE

Le lieu

Nous allons en France *(pays féminin)*, à Strasbourg *(ville)*. Après, nous irons au Canada *(pays masculin)* et aux États-Unis *(pays pluriel)*. Nous venons d'Espagne *(pays féminin)*, de Barcelone *(ville)*, et eux, du Portugal *(pays masculin)*. Ils viennent des États-Unis, d'Atlanta. Nous avons rendez-vous à l'aéroport, dans le hall 2. Mais avant je dois aller au bureau et à la banque. La France, on y va souvent. Nous sommes chez nous.

Le but

Elle travaille pour sa carrière.

Le temps

en   *(en avril / en hiver / en été / en automne / ...)*
à/au   *(au printemps / au mois d'avril/ à 20 heures / ...)*
dans le/la *(dans la matinée / dans l'après-midi / ...)*

La durée

J'apprends le français depuis 5 mois. J'ai appris le français, seul, pendant/durant 3 mois. Je reste jusqu'à 20 heures au bureau/jusqu'au bout de la réunion. Il part en formation du 3 juillet au 2 août. Elle commence son nouvel emploi à partir du 2 septembre. Je suis directeur commercial depuis deux mois seulement.

A

Français	Espagnol	Anglais	Portugais	Allemand	Grec
abonné (n. m.)	abonado	subscriber	assinante, cliente	Abo	συνδρομητής
absenter (s') (v.)	ausentarse	to take time off	ausentar-se	weggehen	απουσιάζω
accident (n. m.)	accidente	accident	acidente	Unfall	ατύχημα, δυστύχημα
accompagner (v.)	acompañar	to accompany	acompanhar	begleiten	συνοδεύω
accueillir (v.)	acoger	to welcome	acolher	empfangen	υποδέχομαι
accusé de réception (n. m.)	acuse de recibo	acknowledgement of receipt	aviso de recepção	Empfangsbestätigung	απόδειξη λήψης συστημένου
acheter (v.)	comprar	to buy	comprar	kaufen	αγοράζω
adapter (s') (v.)	adaptarse	to adapt	adaptar-se	anpassen	προσαρμόζομαι
addition (n. f.)	cuenta	bill	conta	Rechnung	λογαριασμός
adorer (v.)	encantar	to love, adore	adorar	mögen	λατρεύω
adresse (n. f.)	dirección	address	morada, endereço	Adresse	διεύθυνση
aéroport (n. m.)	aeropuerto	airport	aeroporto	Flughafen	αεροδρόμιο
affaires (n. f. pl.)	negocios	business	negócios	Geschäfte	επαγγελματικές υποθέσεις
affiche (n. f.)	cartel	poster	cartaz	Plakat	αφίσα
affranchir (v.)	franquear	to put stamps on	franquiar	freimachen	βάζω γραμματόσημο
agence d'intérim (n. f.)	agencia de interín	temping agency	agência de emprego temporário	Arbeitvermietungsagentur	γραφείο αναπληρωτών εργασίας
agios (n. m. pl.)	intereses	bank charge	ágio, juro	Kreditkosten	τόκος υπερημερίας
agir (s') (v.)	tratarse	to concern, be about	tratar-se de	handeln	αφορά
agriculture (n. f.)	agricultura	agriculture, farming	agricultura	Landwirtschaft	γεωργία
aider (v.)	ayudar	to help	ajudar	helfen	βοηθώ
ajouter (v.)	agregar	to add	acrescentar	hinzufügen	προσθέτω
aller-retour (n. m.)	ida y vuelta	return ticket	ida e volta	Rückfahr(karte)	με επιστροφή
allocation (n. f.)	subsidio	(unemployment) benefit	subsídio	Arbeitslosengeld	επίδομα
amener (v.)	llevar	to take	levar	bringen	πηγαίνω
anniversaire (n. m.)	cumpleaños	birthday	aniversário	Geburtstag	γενέθλια
annonce (n. f.)	anuncio	commercial, advertisement	anúncio	Anzeige	αγγελία
appareil téléphonique (n. m.)	aparato telefónico	telephone	aparelho telefónico	Telefonapparat	τηλεφωνική συσκευή
appartement (n. m.)	apartamento	flat	apartamento	Appartement	διαμέρισμα
appeler (v.)	llamar	to call	telefonar	anrufen	καλώ
appellation (n. f.)	denominación	name, label	denominação, certificado de origem	Bezeichnung	ονομασία
apport (n. m.)	aportación	contribution	entrada	Einlage	προσωπικό κεφάλαιο
apporter (v.)	llevar	to bring	trazer	bringen	φέρνω
apposer (v.)	colocar	to affix	apor	aufdrücken	βάζω σφραγίδα
approcher (s') (v.)	acercarse	to move closer to	aproximar-se	nähern	πλησιάζω
arrêt maladie (n. m.)	paro por enfermedad	sick leave	baixa médica	krank geschrieben sein	άδεια ασθενείας
arriver (v.)	llegar	to arrive	chegar	ankommen	φθάνω
arrondissement (n. m.)	distrito	district	bairro, distrito	Arrondissement	περιοχή του Παρισιού
article (n. m.)	artículo	article	artigo	Artikel	άρθρο
assistante (n. f.)	adjunta	assistant	assistente	Mitarbeiterin	βοηθός
assurance décès (n. f.)	seguro de defunción	whole-life insurance	seguro de vida	Lebensversicherung	ασφάλεια ζωής
assurer (v.)	asegurar	to ensure, provide	assegurar	garantieren	εξασφαλίζω
assureur (n. m.)	asegurador	insurer	segurador	Versicherer	ασφαλιστής
attraper (v.)	coger	to catch	apanhar	fangen	αρπάζω
augmentation (n. f.)	aumento	increase	aumento	Erhöhung	αύξηση
autodidacte (adj.)	autodidacta	self-taught	autodidacta	autodidaktisch	αυτοδίδακτος
automatique (adj.)	automático,a	automatic	automático(a)	automatisch	αυτόματος-η
automobiliste (n. m.)	automovilista	motorist	automobilista	Autofahrer	αυτοκινητιστής
autorisé(e) (adj.)	autorizado,a	authorized	autorizado(a)	erlaubt	εξουσιοδοτημένος
avaler (v.)	garantizar	to swallow	engolir	schlucken	καταπίνω, κατακρατώ
avenue (n. f.)	avenida	avenue	avenida	Avenue	λεωφόρος
avis (n. m.)	opinión	opinion	opinião	Meinung	γνώμη
avocat, e (n. m., f.)	abogado,a	lawyer	advogado(a)	Rechtsanwalt	δικηγόρος
avoir lieu (v.)	tener lugar	to take place	ter lugar, realizar-se	stattfinden	λαμβάνει χώρα
axe (n. m.)	calles principales	main road	importante via de circulação	Achse, Hauptstrasse	άξονας

B

Français	Espagnol	Anglais	Portugais	Allemand	Grec
B.T.S. (brevet de technicien supérieur) (n. m.)	diploma de técnico superior	vocational training certificate	diploma de técnico superior	B.T.S.	ανώτερο τεχνικό δίπλωμα
baccalauréat (n. m.)	bachillerato	A-levels	exame final do ensino secundário francês	Abitur	απολυτήριο Λυκείου
bagage (n. m.)	equipaje	luggage	bagagem	Gepäck	αποσκευή
baisse (n. f.)	baja	decline	redução	Senkung	πτώση, κάμψη
banlieue (n.f.)	afueras	suburbs	subúrbio	Vorort	περίχωρα
banque (n. f.)	banco	bank	banco	Bank	τράπεζα
bas (adj.)	bajo,a	low	baixo	tief	χαμηλό
bateau-mouche (n. m.)	barco-ómnibus	river boat	barco que passeia turistas pelo rio Sena	Bateau-Mouche	τουριστικό ποταμόπλοιο
bavarder (v.)	charlar	to chat	conversar	plaudern	φλυαρώ
bénéfice (n. m.)	beneficio	profit	lucro	Gewinn	όφελος, κέρδος
besoin (n. m.) avoir~	necesidad	to need	necessidade	brauchen	ανάγκη
billet (de banque) (n. m.)	billete	banknote	nota	Schein	χαρτονόμισμα
billet (de train) (n. m.)	billete	ticket	bilhete	Fahrkarte	εισιτήριο
boisson (n. f.)	bebida	drink	bebida	Getränk	ποτό, αναψυκτικό
boîte aux lettres (n. f.)	buzón	letterbox	caixa do correio	Briefkasten	γραμματοκιβώτιο
boîte de nuit (n. f.)	club de noche	night club	discoteca	Nightclub	νυχτερινό κέντρο
boulevard (n. m.)	bulevar	boulevard	alameda	Boulevard	λεωφόρος με δεντροστοιχίες
boulot (n. m., familier)	trabajo (familiar : curro)	job	trabalho	Job	δουλειά
bouteille (n. f.)	botella	bottle	garrafa	Flasche	μπουκάλα
brevet (n. m.)	diploma	diploma, certificate	diploma	Diplom (Jahre vor Abi)	δίπλωμα ικανοτήτων
brochure (n. f.)	folleto	brochure	brochura	Brochüre	φυλλάδιο
brûler (v.)	saltarse	to burn (here: to go through)	passar (com o semáforo vermelho)	brennen	καίω
budget (n. m.)	presupuesto	budget	orçamento	Budget	προϋπολογισμός
buffet (au restaurant) (n. m.)	refectorio - comedor	buffet	bufete	Buffet	κυλικείο
bureau (n. m.)	oficina	office, desk	escritório, escrivaninha	Büro	γραφείο
bus (n. m.)	bus	bus	autocarro	Bus	λεωφορείο

n. = nom ;
m. = masculin ;
F. = féminin ;
pl. = pluriel ;
v. = verbe ;
adj. = adjectif ;
inv. invariable

184 – cent quatre-vingt-quatre

C

cabine					
téléphonique (n. f.)	cabina telefónica	telephone box	cabine telefónica	Telefonzelle	τηλεφωνική καμπίνα
cabinet					
d'assurances (n. m.)	gestoría de seguros	insurance office	escritório de seguros	Versicherungsbüro	ασφαλιστικό γραφείο
cadeau (n. m.)	regalo	gift, present	prenda	Geschenk	δώρο
caisse					
(enregistreuse) (n. f.)	caja (registradora)	cash register	caixa (registadora)	Kasse	ταμειακήμηχανή
calculer (v.)	calcular	to calculate	calcular	berechnen	υπολογίζω
campagne					
(de publicité) (n. f.)	campaña (de publicidad)	campaign	campanha publicitária	Kampagne	καμπάνια
candidature (n. f.)	candidatura	application	candidatura	Kandidatur	υποψηφιότητα
cantine (n. f.)	cantina - refectorio	canteen	cantina	Kantine	καντίνα
capital (n. m.)	capital	capital	capital	Kapital	κεφάλαιο
carnet (n. m.)	taco	book (of stamps, tickets)	conjunto de dez selos	Carnet (Karten)	δεσμίδα
carrefour (n. m.)	encrucijada	crossroads	cruzamento	Kreuzung	διασταύρωση
carte (bancaire) (n. f.)	tarjeta	card	cartão	Karte	κατάλογος εστιατορίου
carte (n.f.)(restaurant)	carta - lista	menu	ementa, menu	Karte	τραπεζική κάρτα
carte d'identité (n. f.)	documento nacional de identidad	identity card	bilhete de identidade	Personalausweis	ταυτότητα
carte de vœux (n. f.)	postal navideña	greetings card	cartão de votos (para o Ano Novo)	Glückwunschkarte	ευχετήρια κάρτα
carte grise (n. f.)	título de propiedad de un automóvil	car registration book	livrete (de um veículo)	graue Karte	άδεια αυτοκινήτου
carte postale (n. f.)	postal	postcard	bilhete-postal	Postkarte	καρτ ποστάλ
carte téléphonique (n. f.)	tarjeta telefónica	phonecard	cartão telefónico	Telefonkarte	κάρτα τηλεφώνου
carton					
d'invitation (n. m.)	tarjeta de invitación	invitation card	convite	Einladung(skarte)	πρόσκληση
CDD (contrat à durée déterminée) (n. m.)	contrato por período determinado	fixed-term contract	contrato de trabalho temporário	CDD (zeitbeschränkter Vertrag)	συμβόλαιο περιορισμένου χρόνου
centre					
de recherches (n. m.)	centro de investigaciones	research centre	centro de pesquisas	Forschungszentrum	κέντρο ερευνών
cérémonie (n. f.)	ceremonia	ceremony	cerimónia	Feier	τελετή
cesser (v.)	dejar	to cease	cessar, parar	aufhören	σταματώ
chaîne d'hôtels (n. f.)	cadena de hoteles	hotel chain	cadeia de hotéis	Hotelkette	αλυσίδα ξενοδοχείων
chaîne					
de distribution (n. f.)	cadena de distribución	distribution chain	rede de distribuição	Verteilerkette	δίκτυο διανομής
chambre (n. f.)	habitación	bedroom	quarto	Zimmer	δωμάτιο
chambre					
avec bain (n. f.)	habitación con baño privado	room with private bath	quarto com banho	Zimmer mit Bad	δωμάτιο με μπάνιο
chambre					
avec douche (n. f.)	habitación con ducha	room with shower	quarto com duche	Zimmer mit Dusche	δωμάτιο με ντούς
chambre double (n. f.)	habitación doble	double room	quarto duplo	Doppelzimmer	διπλό δωμάτιο
chambre					
individuelle (n. f.)	habitación simple	single room	quarto individual	Einzelzimmer	μονόκλινο δωμάτιο
changer (v.)	cambiar	to change	trocar, mudar	umsteigen	αλλάζω
château (n. m.)	castillo	castle, château	castelo	Schloss	πύργος
chauffeur (n. m.)	chófer	chauffeur, driver	motorista	Chauffeur	σωφέρ
chemin (n. m.)	camino	way, path	caminho, trajecto	Weg	δρόμος
chèque (n. m.)	cheque	cheque	cheque	Scheck	επιταγή
chéquier (n. m.)	chequera	cheque book	livro de cheques	Scheckheft	δελτίο επιταγών
cher/chère (coût) (adj.)	caro,a	expensive	caro/cara	teuer	ακριβός-ή-ό
chercher (v.)	buscar	to look, search	procurar	suchen	ψάχνω
choisir (v.)	elegir	to choose	escolher	wählen	διαλέγω
chômage (n. m.)	paro	unemployment	desemprego	Arbeitslosigkeit	ανεργία
classe (1ère, 2ème) (n. f.)	clase	class	classe (1ª, 2ª)	Klasse	θέση
classe					
préparatoire (n. f.)	clase preparatoria	class preparing for entry to the grandes écoles	classe que prepara alunos para o ingresso nas escolas superiores francesas	Vorbereitungsklasse (nach Abi)	προπαρασκευαστική τάξη
client (n. m.)	cliente	customer	cliente	Kunde	πελάτης
coin (secteur) (n. m.)	por aquí	neighbourhood (lit.: corner)	arredores	Nähe	εδώ κοντά
colis postal (n. m.)	paquete postal	parcel (through the post)	encomenda postal	Postpaket	ταχυδρομικό δέμα
collaborateur (n. m.)	colaborador	colleague	colega, colaborador	Mitarbeiter	συνεργάτης
collègue (n. m.)	compañero,a de trabajo	colleague	colega	Kollege	συνάδελφος
colloque (n. m.)	coloquio	conference	colóquio	Kolloquium	συνάντηση, συνέδριο
combiné sans fil (n. m.)	teléfono sin hilo	cordless phone	telefone sem fio	schnurloser Hörer	ασύρματο τηλέφωνο
comité					
d'entreprise (CE) (n. m.)	comité de empresa	works' council	casa do pessoal	Betriebsrat	επιτροπή εργαζομένων
commande (n. f.)	pedido	order	encomenda	Bestellung	παραγγελία
commander (v.)	encargar	to order	encomendar	bestellen	παραγγέλνω
commercial, e (n. m., f. / pl. commerciaux)	vendedor,a - empleado,a en la sección comercial	salesperson	vendedor, representante comercial	Verkäufer/in, Kauffrau, -mann	εμπορικό στέλεχος
commercialiser (v.)	comercializar	to market, sell	comercializar	auf den Markt bringen	εμπορικοποιώ
communication (n. f.)	comunicación	phone call	comunicação	Gespräch	επικοινωνία
compagnie (aérienne) (n. f.)	compañía	company	companhia aérea	Gesellschaft	εταιρεία
comporter (v.)	incluir	to include	incluir	beinhalten	περιλαμβάνω
composé(e) (adj.)	compuesto,a	made up, comprised	formado(a), constituído(a)	zusammengesetzt	αποτελούμενος-η
comprendre (v.)	comprender	to understand	compreender, perceber	verstehen	καταλαβαίνω
comptabilité (n. f.)	contabilidad	accounts department	contabilidade	Buchhaltung	λογιστικά
compte (n. m.)	cuenta	account	conta	Konto	λογαριασμός
compter (v.)	contar	to account, allow	contar, esperar	zählen	υπολογίζω
concessionnaire (n. m.)	concesionario	dealer	concessionário	Vertragshändler	αντιπρόσωπος
concours (n. m.)	concurso	competitive examination	concurso	Aufnahmeprüfung mit Wettbewerbscharakter	διαγωνισμός
concurrencer (v.)	competir	to compete with	competir, fazer concorrência	in Wettbewerb treten mit	ανταγωνίζομαι
concurrent (n. m.)	competidor	competitor	concorrente	Konkurrent	ανταγωνιστής
conditionnement (n. m.)	acondicionamiento	packaging	acondicionamento	Abfüllung	συσκευασία
conditions (n. f. pl.)	condiciones	terms, conditions	condições	Bedingungen	όροι
conduire (v.)	conducir	to drive	conduzir	führen, fahren	οδηγώ
conférence (n. f.)	conferencia	conference	conferência	Konferenz	διάλεξη

confiance (n. f.)	confianza	trust, confidence	confiança	Vertrauen	εμπιστοσύνη
confirmer (v.)	confirmar	to confirm	confirmar	bestätigen	επιβεβαιώνω
congrès (n. m.)	congreso	conference, convention	congresso	Kongress	συνέδριο
conjuguer (2 ou plusieurs choses) (v.)	conjugar	to mix, combine	combinar	verbinden	συνδυάζω
connaître (v.)	conocer	to know	conhecer	kennen	γνωρίζω
connecter (se) (v.)	conectarse	to get connected	conectar-se	einlogen, einklicken	συνδέομαι
conquête (n. f.)	conquista	conquest	conquista	Eroberung	κατάκτηση
consacrer (v.)	consagrar	to devote	consagrar, reservar	bestimmt sein für	αφιερώνω
conseiller (v.)	aconsejar	to advise	aconselhar	raten	συμβουλεύω
conservation (n. f.)	conservación	preservation	conservação	Konservierung	συντήρηση
consommateur (n. m.)	consumidor	consumer	consumidor	Verbraucher	καταναλωτής
consulter (v.)	consultar	to consult	consultar	nachsehen	συμβουλεύομαι
contacter (v.)	contactar	to contact	contactar	in Verbindung setzen	έρχομαι σε επαφή
contenir (v.)	contener	to contain	conter	enthalten	περιέχω
continent (n. m.)	continente	continent	continente	Kontinent	ήπειρος
continuer (v.)	constituir	to continue	continuar	weitermachen	συνεχίζω
contrat (n. m.)	contrato	contract	contrato	Vertrag	συμβόλαιο
contrôle (n. m.)	verificación	check	controlo	Kontrolle	έλεγχος
convaincre (v.)	convencer	to convince	convencer	überzeugen	πείθω
convenir (v.)	acordar	to suit	convir	übereinstimmen	ταιριάζω
convoquer (v.)	convocar	to call, convene	convocar	zusammenrufen	συγκαλώ
coopérative (n. f.)	cooperativa	cooperative	cooperativa	Genossenschaft	συνεταιρισμός
coordonnées (n. f. pl.)	señas	details, address & 'phone number	dados pessoais (nome, cargo, morada, telefone, etc)	nähere Angaben zur Person	συντεταγμένες
corps (n. m.)	cuerpo	body	corpo	Körper	σώμα
correspondance (n. f.)	transbordo	connection	correspondência	Verbindung, Anschluss	αλληλογραφία
cortège (n. m.)	manifestación	procession	manifestação	Zug	πομπή
cotisations patronales (n. f. pl.)	cotizaciones patronales	employer's contribution	contribuições patronais	Arbeitgeberabgaben	εισφορές εργοδοτών
cotisations salariales (n. f. pl.)	cotizaciones de los trabajadores	employee's social security contribution	contribuições salariais	Arbeitnehmerabgaben	εισφορές μισθωτών
cotiser (v.)	cotizar	to contribute to	descontar, pagar as contribuições	Beitrag zahlen	καταβάλλω
couchette (n. f.)	litera	couchette	couchette, beliche	Platz im Liegewagen	κουκέτα
courant (électricité) (n. m.)	corriente	current	corrente	Strom	ρεύμα ηλεκτρικό
courant (n. m.)					συνήθης
être au courant(e) (contraire de formel(le)) (adj.)	tanto, estar al corriente - común	to be informed usual, common	corrente (estar ao ~) comum, coloquial	laufenden, sein auf geläufig	είμαι ενήμερος
courir (v.)	correr	to rush around	correr	laufen	τρέχω
courrier en RAR (n. m.) (recommandé avec accusé de réception)	correo certificado con acuse de recibo	recorded delivery letter	correspondência registada com aviso de recepção	Einschreiben mit Empfangsbestätigung	συστημένο με αποδεικτικό
courrier en recommandé (n. m.)	correo certificado	registered letter	carta registada	Einschreiben	συστημένο γράμμα
cours (apprentissage) (n. m.)	clase	class, lesson	curso	Kurs	μάθημα
course (en taxi) (n. f.)	viaje	journey, fare	giro, percurso	Fahrt	διαδρομή ταξί
coûter (v.)	costar	to cost	custar	kosten	κοστίζω
couvert(e) (assuré(e)) (adj.)	cubierto,a (asegurado,a)	covered, insured	coberto(a)	gedeckt	ασφαλισμένος-η
couvrir (v.)	cubrir	to cover	cobrir	decken	καλύπτω
création (d'entreprise) (n. f.)	creación de empresa	creation	criação	Gründung	δημιουργία
crédit (n. m.)	crédito	credit	crédito	Kredit	πίστωση
créditer (v.)	acreditar	to credit	creditar	gutschreiben	πιστώνω
créer (v.)	crear	to set up, create	criar	gründen	δημιουργώ, στείνω
crème (n. f.)	crema	cream	creme	Creme	κρέμα
critiquer (v.)	criticar	to criticize	criticar	kritisieren	κρίνω, κριτικάρω
croire (v.)	creer	to think, believe	acreditar, achar	glauben	πιστεύω
croissance (n. f.)	crecimiento	growth	crescimento	Wachstum	ανάπτυξη
cueillir (v.)	cosechar	to pick	colher	pflücken	τρυγώ, μαζεύω
cuisine (n. f.)	cocina	kitchen	cozinha	Küche	κουζίνα
culture (savoir) (n. f.)	cultura	culture	cultura	Kultur	μόρφωση
cycle (d'études) (n. m.)	ciclo	academic cycle	ciclo	Zyklus	κύκλος (σπουδών)

D

D.E.S.S. (diplôme d'études supérieures spécialisées) (n. m.)	diploma de estudios superiores especializados	1-year post-graduate diploma in an applied subject	diploma de pós-graduação	D.E.S.S. (Unidiplom nach 5 Jahren)	δίπλωμα ανωτάτων ειδικευμένων σπουδών
D.E.U.G. (diplôme d'études universitaires générales) (n. m.)	diploma de estudios universitarios generales	diploma taken after two years at university (ordinary degree)	bacharelato	D.E.U.G. (Unidiplom nach 2 Jahren)	δίπλωμα γενικών πανεπιστημιακών σπουδών
débit (n. m.)	débito	debit	débito	Soll	χρέωση
débiteur (adj.)	deudor	showing a debit balance	devedor	Debitor	χρεώστης, οφειλέτης
débordé(e) (adj.)	abrumado,a	snowed under	sobrecarregado(a) de trabalho	zu viel zu tun	υπερφορτωμένος-η
débrouiller (se) (v.)	arreglarse	to get by, manage	desenrascar-se	zurechtfinden	καταφέρνω, βγάζω πέρα
découvert bancaire (n. m.)	descubierto bancario	bank overdraft	saldo negativo	Überziehung	τραπεζικό ακάλυπτο
découvrir (v.)	descubrir	to discover	descobrir, aprender	entdecken	ανακαλύπτω
décrire (v.)	describir	to describe	descrever	beschreiben	περιγράφω
décrocher (v.)	descolgar	to pick up (telephone)	levantar (o auscultador)	abnehmen	αποσπώ
dégât (n. m.)	daño	damage	estragos, prejuízos	Schaden	ζημιά
déjeuner (n. m.)	almorzar	lunch	almoço	Mittagessen	γεύμα
demander (v.)	pedir	to ask, request	pedir, solicitar	fragen	ζητώ
demandeur d'emploi (n. m.)	en busca de trabajo	job-seeker	desempregado	Arbeitssuchender	ζητών εργασία
dépanneuse (n. f.)	grúa remolque	breakdown lorry	reboque	Abschleppdienst	οδική βοήθεια
départ (n. m.)	salida	departure	partida	Abfahrt, Abflug	αναχώρηση
dépêcher (se) (v.)	darse prisa	to hurry up	despachar-se	beeilen	βιάζομαι
dépense (n. f.)	gasto	expense	gastos, despesa	Ausgabe	έξοδα
déplacement (n. m.)	traslado	trip, journey	viagem	Fahrt, Reise	μετακίνηση
dépliant (n. m.)	desplegable	leaflet	folheto	Faltblatt	φυλλάδιο
désirer (v.)	desear	to want, desire	desejar	wünschen	επιθυμώ
desservir (v.)	poner en comunicación	to serve (transport)	servir	verkehren	εξυπηρετώ
destinataire (n. m.)	destinatario	addressee	destinatário	Empfänger	παραλήπτης
destination (n. f.)	destino	destination	destino (de uma viagem)	Ziel	προορισμός

détaillant (n. m.)	minorista	retailer	retalhista	Einzelhändler	έμπορος λιανικής
détendre (v.)	descomprimir, calmar	to relax	descontrair	entspannen	ηρεμώ
devoir (v.)	deber	to have to	dever	müssen	πρέπει να
diminution (n. f.)	disminución	reduction	diminuição	Abnahme	μείωση
dîner (n. m.)	cenar	dinner	jantar	Abendessen	δειπνώ
diplômé(e) (adj.)	diplomado,a	holder of a diploma	diplomado(a)	diplomiert	διπλωματούχος
dire (v.)	decir	to tell	dizer	sagen	λέω
direct (n. m.) être en~	directo, estar en	direct, live	directo (em directo de)	direkt	απ'ευθείας
directeur administratif (n. m.)	gerente administrativo	non-executive director	director administrativo	Verwaltungsdirektor	διοικητικός διευθυντής
directeur commercial (n. m.)	gerente comercial	sales director	director comercial	kaufmännischer Leiter	εμπορικός διευθυντής
direction (n. f.) (sens)	dirección	(in the) direction (of)	direcção	Richtung	διεύθυνση
direction (n. f.)	dirección	direction	direcção	Richtung	κατεύθυνση
discipline (n. f.)	disciplina	subject	disciplina	Fach	επιστημονικός κλάδος
discuter (v.)	discutir	to discuss (here: argue with)	contestar	diskutieren	συζητώ
disponible (adj.)	disponible	available	disponível	verfügbar	διαθέσιμος
dispositions (n. f. pl.)	disposiciones	provisions	dlsposições	Bestimmungen	όρος, διάταξη
distributeur (agent) (n. m.)	distribuidor	distributor	distribuidor	Verteiler	διανομέας
distributeur (machine) (n. m.)	cajero automático	cash dispenser	caixa automático	Geldautomat	μηχάνημα ανάληψης χρημάτων
doctorat (n. m.)	doctorado	Ph.D.	doutoramento	Doktor	διδακτορικό δίπλωμα
documentation (n. f.)	documentación	literature	documentação	Informationsmaterial	έντυπη πληροφόρηση
dommage (n. m.)	daño	damage	danos	Schaden	ζημιά
donner (v.)	dar	to give	dar	geben	δίνω
dossier (n. m.)	expediente	file	dossier	Akte	φάκελος
douanier (n. m.)	aduanero	customs officer	guarda-fiscal	Grenzbeamte	τελωνειακός
doubler (dépasser) (v.)	adelantar, dejar atrás	to overtake	ultrapassar	überholen	προσπερνώ
droit (n. m.)	derecho	right	direito	Recht	δικαίωμα

E

eau (n. f.)	agua	water	água	Wasser	νερό
eau de toilette (n. f.)	agua de olor	toilet water	água-de-colónia	Eau de Toilette	κολώνια
eau gazeuse (n. f.)	agua gaseosa	sparkling water	água com gás	Sprudel	νερό ανθρακούχο
eau plate (n. f.)	agua natural	plain water	água scm gás	Mineralwasser	νερό βρύσης
échantillon (n. m.)	muestra	sample	amostra	Probe	δείγμα
échéance (n. f.)	vencimiento	settlement date	vencimento	Fälligkeit	λήξη, προθεσμία
économique	económico,a	economy	económico(a)	Touristen(klasse)	τουριστική
écran (n. m.)	pantalla	screen	ecrã	Bildschirm	οθόνη
écrire (v.)	escribir	to write	escrever	schreiben	γράφω
effectuer (v.)	efectuar	to carry out	efectuar	machen	κάνω, πραγματοποιώ
effort (n. m.)	esfuerzo	effort	esforço, empenho	Mühe	προσπάθεια
effraction (n. f.)	fractura	breaking and entering	arrombamento	Einbruch	διάρρηξη
électrique (adj.)	eléctrico,a	electric	eléctrico(a)	elektrisch	ηλεκτρικός-ή
emballer (v.)	embalar	to pack	embalar	verpacken	συσκευάζω
embarquement (n. m.)	embarco	boarding	embarque	an Bord gehen	επιβίβαση
embauche (n. f.)	contrata	hiring	contrato (de emprego)	Einstellung	πρόσληψη
embouteillage (n. m.)	atasco	traffic jam	engarrafamento	Stau	μποτιλιάρισμα
émission (télé) (n. f.)	emisión	programme	programa	Sendung	εκπομπή
employé (n. m.)	empleado	employee	empregado	Angestellter	υπάλληλος
emprunt (n. m.)	pedir prestado	loan	empréstimo	Anleihe	δάνειο
en ligne (on line)	en línea	on-line	em linha	on line	ηλεκτρονική σύνδεση (ον λάιν)
enchanté(e) (adj.)	encantado,a	delighted	aqui: prazer em conhecê-lo	erfreut	χαίρω πολύ
énerver (s') (v.)	ponerse nervioso,a	to get excited	enervar se	aufregen	νευριάζω
enregistrement (courrier) (n. m.)	registro	registration	registo	Registrieren	καταχώριση
enregistrer (v.) (aéroport)	facturar	to check in	fazer o check-in	einchecken	εγγραφή αποσκευών
entendre (v.)	comprender	to hear	ouvir	hören	ακούω
enterrement (n. m.)	entierro	burial	enterro	Bcerdigung	κηδεία
entraîner (v.) (conséquence)	traer aparejado,a	to lead to, result in	provocar	nach sich ziehen	επιφέρω (συνέπεια)
entrée (repas) (n. f.)	primer plato	starter, first course	entrada	Vorspeise	ορεκτικό
entreprise (n. f.)	empresa	company	empresa	Unternehmen	επιχείρηση
entrer (v.)	entrar	to come in	entrar	hereinkommen	μπαίνω
entretien (n. m.)	entrevista	discussion, interview	entrevista	Unterhaltung	συνέντευξη
envahir (v.)	invadir	to invade, flood	invadir	eindringen	κατακλύζω
enveloppe (n. f.)	sobre	envelope	envelope	Umschlag	φάκελος ταχυδρομικός
envoyer (v.)	enviar	to send	enviar	senden	αποστέλλω
épeler (v.)	deletrear	to spell	soletrar	buchstabieren	υπαγορεύω γράμμα-γράμμα
erreur (n. f.)	error	mistake	erro	Fehler	λάθος
espérer (v.)	esperar	to hope	esperar	hoffen	ελπίζω
esplanade (n. f.)	explanada	esplanade	esplanada	Esplanade, grosser Platz	αποβάθρα
essayer (v.)	probarse	to try	experimentar	probieren	δοκιμάζω
essence (n. f.)	gasolina	petrol	gasolina	Benzin	βενζίνη
état civil (n. m.)	estado civil	civil status	estado civil	Standesamt	στοιχεία ταυτότητας
état d'un compte (n. m.)	estado de una cuenta	position of an account	situação de uma conta	Auszug	κατάσταση λογαριασμού
étranger (n. m.) l'~	extranjero	abroad, overseas	estrangeiro	Fremde, Ausländer	εξωτερικό
études (n. f. pl.)	estudios	studies	estudos	Studium	σπουδές
événement (n. m.)	acontecimiento	event	evento, acontecimento	Ereignis	γεγονός
exagérer (v.)	exagerar	to exaggerate	exagerar	übertreiben	υπερβάλλω
examiner (v.)	examinar	to examine	examinar	prüfen	εξετάζω
exceptionnel(le)	excepcional	exceptional	excepcional	aussergewöhnlich	εξαιρετικός-ή
exclusif (adj.)	exclusivo	exclusive	exclusivo	exklusiv	αποκλειστικός
exemplaire (n. m.)	ejemplar	copy	exemplar	Exemplar	αντίτυπο
expéditeur (n. m.)	remitente	sender	remetente	Absender	αποστολέας
expérience (n. f.)	experiencia	experience	experiência	Erfahrung	εμπειρία
expliquer (v.)	explicar	to explain	expllcar	erklären	εξηγώ
export (n. m.)	exportación	export	exportação	Export	εξαγωγές
exportation (n. f.)	exportación	export	exportação	Export	εξαγωγή
exporter (v.)	exportar	to export	exportar	exportieren	εξάγω
exprimer (v.)	expresar	to express	exprimir	ausdrücken	εκφράζω

F

fabriquer (v.)	fabricar	to manufacture	fabricar	herstellen	κατασκευάζω

facture (n. f.)	factura	bill, invoice	factura	Rechnung	λογαριασμός
faculté (n. f.)	facultad	faculty	faculdade	Universität	πανεπιστημιακή σχολή
faim (n. f.)	hambre	hunger	fome	Hunger	πείνα
faire (v.)	hacer	to make	fazer (aqui: conhecer)	machen	κάνω
faire-part (n. m.)	esquela	announcement	aviso, participação	Anzeige	αγγελτήριο
faute (n. f.)	culpa	fault	culpa	Fehler	λάθος
fax (n. m.)	fax	fax	fax	Telefax	φαξ
fermentation (n. f.)	fermentación	fermentation	fermentação	Gärung	ζύμωση
fermeture (n. f.)	cierre	closing time	encerramento	Schliessung	κλείσιμο
festival (n. m.)	festival	festival	festival	Festival	φεστιβάλ
fête nationale (n. f.)	fiesta nacional	national holiday	feriado nacional	Nationalfeiertag	εθνική εορτή
fêter (v.)	festejar	to celebrate	festejar, comemorar	feiern	γιορτάζω
feu rouge (n. m.)	semáforo	red traffic light	semáforo vermelho	Ampel	κόκκινο φανάρι
fiable (adj.)	de confianza	reliable	fiável	zuverlässig	αξιόπιστος
fichier (n. m.)	fichero	file	ficheiro	Kartei	ευρετήριο δελτίων
filière (n. f.)	sección de estudios	subject, path	área de especialização	Studiengang	καριέρα
film (n. m.)	película	film	filme	Film	ταινία
financement (n. m.)	financiamiento	financing	financiamento	Finanzierung	χρηματοδότηση
fixer (v.)	darse	to fix, arrange	fixar	festlegen	ορίζω
fonctionner (v.)	funcionar	to work, function	funcionar	funktionnieren	λειτουργώ
force de vente (n. f.)	capacidad de venta	sales force	força de venda	Verkaufsstärke	αριθμός πωλητών
forfait (n. m.)	todo comprendido	all-inclusive price	taxa fixa	Pauschale	κατ'αποκοπή
formation (n. f.)	formación	education	formação	Ausbildung	επιμόρφωση
forme (n. f.) être en ~	forma, estar en	fitness, good physical shape	(plena) forma	Form	φόρμα (είμαι σε)
formel(le) (adj.)	formal	formal	formal	formell	επίσημος-η
former (se) (v.)	formarse	to be trained	formar-se	bilden	μορφώνομαι
formulaire (n. m.)	formulario	form	formulário	Formular	έντυπο
formule (n. f.)	fórmula	formula, way	fórmula	Formel	λύση
fournitures (n. f. pl.)	suministros	supplies	material	Bedarf	αναλώσιμα
francs (argent) (n. m. pl.)	francos	Francs	francos	Francs	φράγκα
frapper (v.)	llamar	to knock	bater	bemerken, schlagen	χτυπάω
freiner (v.)	frenar	to brake	travar	bremsen	φρενάρω
fromage (n. m.)	queso	cheese	queijo	Käse	τυρί
fusion (n. f.)	fusión	merger	fusão	Fusion	συγχώνευση

G

gamme de produits (n. f.)	gama de productos	product range	gama de produtos	Produktpalette	γκάμα προϊόντων
garage (n. m.)	taller mecánico	garage	oficina mecânica	Werkstatt	γκαράζ
garanti(e) (adj.)	garantizado,a	guaranteed	garantido(a)	garantiert	εγγυημένος-η
garder (v.)	quedarse con	to keep	guardar, ficar com	behalten	φυλάω
gêner (v.)	molestar	to bother, disturb	incomodar	hindern	ενοχλώ
gestion (n. f.)	gestión	business administration	gestão	Verwaltung	διαχείρηση
goûter (v.)	probar	to taste	provar	kosten	δοκιμάζω (γεύση)
grande école (n. f.)	gran escuela francesa	prestigious school of university level with competitive entrance examination	escola superior	höhere Schule (nach Abi)	ανωτάτη σχολή
graphique (n. m.)	gráfico	graph	gráfico	Zeichnung	γραφικό σχήμα
grève (n. f.)	huelga	strike	greve	Streik	απεργία
grossiste (n. m.)	mayorista	wholesaler	grossista	Grosshändler	χοντρέμπορος
groupe (musique) (n. m.)	conjunto musical	group	grupo (musical)	Gruppe	γκρουπ μουσικό
guichet (n. m.)	ventanilla	counter	guiché	Schalter	θυρίδα
guide (livret) (n. m.)	guía	guide(book)	guia	Führer	οδηγός (έντυπο)

H

H.T. (hors taxe)	sin tasas	before tax	sem IVA	ohne MWSt	χωρίς το φόρο
habiter (v.)	vivir	to live	morar	wohnen	κατοικώ
habitude (n. f.)	costumbre	custom, habit	hábito	Gewohnheit	συνήθεια
hésiter (v.)	vacilar	to hesitate	hesitar	zögern	διστάζω
homme d'affaires (n. m.)	hombre de negocios	businessman	homem de negócios	Geschäftsmann	επιχειρηματίας
horaires (n. m. pl.)	horarios	working hours	horários	Arbeitszeiten	ωράρια
hypermarché (n. m.)	hipermercado	hypermarket, superstore	hipermercado	Hypermarkt	υπεραγορά

I

identité (n. f.)	identidad	identity	identidade	Identität	ταυτότητα
illimité(e) (adj.)	ilimitado,a	unlimited	ilimitado(a)	unbegrenzt	απεριόριστος-η
imaginer (v.)	imaginar	to imagine	imaginar, supor	vorstellen	φαντάζομαι
immeuble (n. m.)	edificio	building	prédio	Wohnhaus	πολυκατοικία
impression (n. f.) avoir l'~	impresión, tener la	impression	impressão	Eindruck haben	εντύπωση
imprimante (n. f.)	impresora	printer	impressora	Drucker	εκτυπωτής
inauguration (n. f.)	inauguración	inauguration	inauguração	Einweihung	εγκαίνια
inciter (v.)	incitar	to encourage	incitar	anstacheln	παροτρύνω
inclure (v.)	incluir	to include	incluir	einschliessen	περιλαμβάνω
indemnité (n. f.)	indemnización	allowance	indemnização, abono	Entschädigung	αποζημίωση
indiquer (v.)	indicar	to indicate	indicar	anzeigen	δείχνω
information (n. f.)	información	information	informação	Information	πληροφόρηση
informatique (adj.)	informática	computer	informática	Informatik-	πληροφορική
infraction (n. f.)	infracción	offence	infracção	Verstoss	παράβαση
inquiéter (s') (v.)	inquietarse	to worry	preocupar-se	beunruhigen	ανησυχώ
Inscription (n. f.)	inscripción	enrolment	inscrição	Einschreibung	εγγραφή
inscrire (s') (v.)	inscibirse	to enrol	inscrever-se	einschreiben	γράφομαι
installer (s') (v.)	instalarse	to move, set up home	instalar-se	installieren	εγκαθίσταμαι
instruction (n. f.)	indicación	instruction	instrução	Anweisung	οδηγία
interculturel (n. m.)	intercultural	cross-cultural communications	intercultural	mehrere Kulturen betreffend	διαπολιτιστικό
intéresser (v.)	interesar	to interest	interessar	interessieren	ενδιαφέρω
international(e) (adj.)	internacional	international	internacional	international	διεθνής
interne (adj.)	interno,a	internal	interno(a)	intern	εσωτερικό
intoxication (n. f.)	intoxicación	food poisoning	intoxicação	Vergiftung	δηλητηρίαση
introduire (v.)	introducir	to introduce, insert	introduzir	schieben in	εισάγω
investissement (n. m.)	inversión	investment	investimento	Anlage	επένδυση
inviter (v.)	invitar	to invite	convidar	einladen	προσκαλώ
itinéraire (n. m.)	itinerario	route	itinerário	Strecke	διαδρομή

J

joindre (v.)	adjuntar	to attach	anexar	beifügen	εσωκλείω
jour (n. m.)	día	day	dia	Tag	ημέρα
jour de congé (n. m.)	día de asueto	day off	dia de folga	freier Tag	άδεια
jour de repos (n. m.)	día de descanso	day off	dia de folga	Ruhetag	ρεπό
jour férié (n. m.)	día feriado	public holiday	feriado	Feiertag	αργία
jour ouvrable (n. m.)	día hábil	working day	dia útil	Werktag	εργάσιμη ημέρα
journal (n. m.)	periódico	newspaper	jornal	Zeitung	εφημερίδα
journée (n. f.)	día	day	dia	Tag	ημέρα

L

laboratoire (n. m.)	laboratorio	laboratory	laboratório	Labor	εργαστήριο
laisser (v.)	dejar	to leave	deixar	lassen	αφήνω
lait (n. m.)	leche	milk, lotion	leite	Milch	γάλα
lancer (un produit) (v.)	lanzar (un producto)	to launch (a product)	lançar	auf den Markt bringen	λανσάρω (προϊόν)
lettre (n. f.)	carta	letter	carta	Brief	γράμμα
libellé (n. m.)	extendido	made out	redigido	Wortlaut, Fassung	συντεταγμένο
licence (n. f.)	licenciatura	bachelor's degree	Licenciatura	Lizenz	πτυχίο
licenciement (n. m.)	despido	redundancy	despedimento	Entlassung	απόλυση
lier (v.)	relacionar	to link	associar	verbinden	συνδυάζω
ligne (n. f.) (métro)	línea	line	linha	Linie	γραμμή (μετρό)
ligne de production (n. f.)	línea de producción	production line	linha de produção	Produktlinie	ενότητα παραγωγής
ligne directe (téléphone) (n. f.)	línea directa	direct line	número de telefone directo	direkte Linie	απ'ευθείας γραμμή
livraison (n. f.)	entrega	delivery	entrega	Lieferung	διανομή, παράδοση
livrer (v.)	entregar	to deliver	entregar	liefern	παραδίδω
local(e) (adj.)	local	local	local	lokal	τοπικός-ή
location (n. f.)	alquiler	rental	aluguer	Miet(angebot)	ενοικίαση

M

magasin (n. m.)	almacén	shop, store	loja	Geschäft	μαγαζί
maintenance (n. f.)	mantenimiento	maintenance	manutenção	Wartung	συντήρηση
maintenir (se) (v.)	mantenerse	to keep (oneself)	manter-se	halten	συντηρούμαι
maîtrise (n. f.)	maestría	master's degree	mestrado	Magister	πτυχίο
mal (n. m.)	dolor	pain	dor	Weh	πόνος
manifester (v.)	manifestar	to demonstrate	manifestar	demonstrieren	εκδηλώνω
marchand (adj.)	comprador	commercial, on-line shopping	comercial	Verkaufs-	εμπορικός
marché (n. m.)	mercado	market	mercado	Markt	αγορά
marcher (fonctionner) (v.)	andar	to work	funcionar	gehen, klappen	δουλεύω, λειτουργώ
mariage (n. m.)	boda	marriage	casamento	Hochzeit	γάμος
marque (n. f.)	marca	brand	marca	Marke	μάρκα
matériel(le) (adj.)	material	material	material	materiell	υλικός-ή
matin (n. m.)	mañana	morning	manhã	Morgen	πρωί
matinée (n. f.)	mañana	morning	manhã	Vormittag	πρωινό
médiatique (adj.)	de los medios de comunicación	media	mediático(a)	mediatisiert	προϊόν των ΜΜΕ
méfier (se) (v.)	desconfiar	to be careful	prestar atenção	misstrauen	δυσπιστώ
membre (n. m.)	miembro	member	membro	Mitglied	μέλος
menu (n. m.)	menú	menu	menu	Menü	μενού
message (n. m.)	recado	message	recado	Nachricht	μήνυμα
métro (n. m.)	metro	underground	metro	Metro	μετρό
mettre (v.)	poner	to put	pôr, colocar	stellen, legen	βάζω
mi-temps (n. m.)	tiempo parcial	part-time	em part-time	halbtags	μερική απασχόληση
minitel (n. m.)	sistema telefónico francés con pantalla de información y comunicación	home terminal of the French telecommunications system	rede francesa de videotexto	Minitel	γαλλικό είδος ίντερνετ
mission (n. f.)	tarea	mission, assignment	missão	Auftrag	αποστολή
modèle (n. m.)	modelo	model	modelo	Modell	μοντέλο
monde (foule) (n. m.)	gente	people (lit.: world)	gente	Menge	κόσμος, πλήθος
monde (planète) (n. m.)	mundo	world	mundo	Welt	κόσμος, γη
monnaie (n. f.)	vuelto	(loose) change	troco	Währung	ψιλά, ρέστα
montant (n. m.)	monto	amount	montante	Höhe	ποσόν
monter (v.)	subir	to get in	entrar (num veículo)	belaufen	ανεβαίνω
montrer (se) (v.)	mostrarse	to show oneself	mostrar-se	zeigen sich	δείχνομαι
montrer (v.)	enseñar	to show	mostrar	zeigen	δείχνω
moyens d'accès (n. m. pl.)	medios para llegar	how to get somewhere	meios de acesso	Zugangsmöglichkeiten	μέσα πρόσβασης
multiculturel(le) (adj.)	multicultural	multi-cultural	multicultural	multikulturell	πολυ-πολιτισμικός-ή
musée (n. m.)	museo	museum	museu	Museum	μουσείο

N

nécessaire (n. m.)	necesario (lo)	what is necessary	necessário(a)	Notwendige	απαραίτητο
négocier (v.)	negociar	to negotiate	negociar	verhandeln	διαπραγματεύομαι
net (Internet) (n. m.)	Internet	the Internet	Internet	Netz	διαδίκτυο
noter (v.)	anotar	to note (down)	anotar	notieren	σημειώνω
numéro (n. m.)	número	number	número	Nummer	αριθμός

O

obtention (n. f.)	logro	obtaining	obtenção	Erhalt	απονομή
occasion (n. f.)	oportunidad	opportunity	oportunidade	Gelegenheit	ευκαιρία
occupé(e) (adj.)	ocupado,a	busy	ocupado	beschäftigt	απασχολημένος-η
occuper (s') (v.)	ocuparse	to take care	encarregar-se	beschäftigen	ασχολούμαι
offrir (v.)	ofrecer	to offer	oferecer	bieten	προσφέρω
opérateur (n. m.)	operador	operator	telefonista	Bedienungspersonal	χειριστής
opération (marketing) (n. f.)	operación	operation	campanha	Operation	επιχειρηματική πράξη
ordinateur (n. m.)	ordenador	computer	computador	Rechner	ηλεκτρονικός υπολογιστής
ordre (chèque) (n. m.)	orden	(cheque) payable to	ordem (à ordem de)	Order	εις διαταγή, με παραλήπτη
organisation (n. f.)	organización	organization	organização	Organisation	οργάνωση
organiser (v.)	organizar	to organize	organizar	organisieren	οργανώνω
oublier (v.)	olvidarse	to forget	esquecer	vergessen	ξεχνώ
ouvrir (v.)	abrir	to open	abrir	öffnen	ανοίγω

P

paiement (n. m.)	pago	payment	pagamento	Bezahlung	πληρωμή
papiers (d'identité) (n. m. pl.)	documentos	papers	documentos	Ausweis	χαρτιά (ταυτότητας)

paquet (n. m.)	paquete	packet	maço	Paket	πακέτο
parc des expositions (n. m.)	espacio de ferias	exhibition centre	centro de exposições	Ausstellungspark	εκθεσιακός χώρος
parcourir (v.)	recorrer	to cover, travel	percorrer	durchlaufen	διασχίζω
parfum (n. m.)	perfume	perfume	perfume	Parfüm	άρωμα
parfumerie (n. f.)	perfumería	perfume shop, perfumery department	perfumaria	Parfümerie	αρωματοπωλείο
parler (v.)	hablar	to speak	falar	sprechen	μιλάω
part (n. f.) de la~	parte, de	part (here: from)	quem fala	von jemandem	μέρος (εκ μέρους)
part de marché (n. f.)	parte de mercado	market share	quota de mercado	Marktteil	μέρος της αγοράς
partir (v.)	salir	to go, leave	partir	weggehen	φεύγω
parution (n. f.)	salida - aparición	publication (lit.: appearance)	publicação	Erscheinen	έκδοση
passager (d'avion) (n. m.)	pasajero	passenger	passageiro	Passagier	επιβάτης
passeport (n. m.)	pasaporte	passport	passaporte	Pass	διαβατήριο
passer (un fax) (v.)	mandar	to send	enviar	schicken	στέλνω
pause (n. f.)	pausa	break	pausa	Pause	παύση, διακοπή
payer (v.)	pagar	to pay	pagar	bezahlen	πληρών
peintre (artiste) (n. m.)	pintor	painter	pintor	Maler	ζωγράφος
penser (v.)	pensar	to think	pensar	denken	σκέπτομαι
perdre (se) (v.)	perderse	to get lost	perder-se	nicht (zurecht)finden	χάνομαι
perfectionner (se) (v.)	perfeccionarse	to improve	aperfeiçoar-se	verbessern	τελειοποιούμαι
permis de conduire (n. m.)	permiso de conducir	driving licence	carta de condução	Führerschein	δίπλωμα οδήγησης
personnalisé(e) (adj.)	personal	personal	personalizado(a)	personnalisiert	προσωποποιημένος-η
persuader (v.) être ~ de	persuadir (estar persuadido de)	to persuade (to be convinced)	convencer (estar convencido de que)	überzeugen	πείθομαι
petit-déjeuner (n. m.)	desayuno	breakfast	pequeno almoço	Frühstück	πρωινό (γεύμα)
pharmacie (n. f.)	farmacia	chemist's shop	farmácia	Apotheke	φαρμακείο
phénomène (n. m.)	fenómeno	phenomenon	fenómeno	Phenomen	φαινόμενο
pièce (d'appartement) (n. f.)	pieza	room	assoalhada	Zimmer	δωμάτιο
place (n. f.)	plaza	square	praça	Platz	πλατεία
plaire (v.)	gustar	to please	agradar	gefallen	αρέσω
plaisanter (v.)	bromear	to joke	brincar	spassen	αστειεύομαι
plan (n. m.)	plano	map, plan	plano	Plan	σχεδιάγραμμα, χάρτης
plateau-repas (n. m.)	comida en bandeja	meal on a tray	refeição servida num tabuleiro	Fertigessen auf Tablett	δίσκος φαγητού
plein temps (n. m.)	tiempo completo	full-time	a tempo inteiro	Vollzeit, ganztags	πλήρης απασχόληση
pli (n. m.)	sobre	fold (here: envelope)	envelope	Umschlag	διπλωμένο γράμμα
point (n. m.) faire le ~	balance (hacer el)	to take stock (of a situation)	fazer um apanhado (de uma situação)	zusammenfassen	σταθμίζω κατάσταση
pointer (au travail) (v.)	fichar	to check in	marcar o ponto	stechen	χτυπάω καρτέλα παρουσίας
police d'assurance (n. f.)	póliza de seguros	insurance policy	apólice de seguros	Police	ασφαλιστήριο
policier (n. m.)	policía	policeman	polícia (um agente)	Polizist	αστυνομικός
portable (téléphone) (n. m.)	portátil	mobile telephone	telemóvel	Handy	κινητό
poser (v.)	poner	to put, place	colocar	stellen, legen	τοποθετώ
position (n. f.) (dans l'espace)	posición	position	posição	Position	θέση (στο χώρο)
position (n. f.) (point de vue)	posición	position	ponto de vista	Position	θέση, άποψη
postal(e) (adj.)	postal	postal	postal	Post-	ταχυδρομικός-ή
poste (n. f.) (la Poste)	Correos	post	correios	Post	ταχυδρομείο
poste (n. m.)	puesto	post, position	posto	Platz	θέση εργασίας
potentiel(le) (adj.)	potencial	potential	potencial	potentiell	εν δυνάμει
pourboire (n. m.)	propina	tip	gorjeta	Trinkgeld	φιλοδώρημα
pouvoir (v.)	poder	to be able	poder (v.)	können	μπορώ
pratique (adj.)	práctico,a	practical	prático(a)	praktisch	πρακτική
précipitation (vitesse) (n. f.)	precipitación	haste	precipitação	Überstürzung	βιασύνη
préciser (v.)	precisar	to specify	explicar, indicar	genau angeben	διευκρινίζω
préfecture (n. f.)	prefectura	prefecture (police headquarters)	prefeitura	Präfektur	νομαρχία
préférer (v.)	preferir	to prefer	preferir	vorziehen	προτιμώ
prendre (v.)	tomar	to take	tomar	nehmen	παίρνω
préparer (v.)	preparar	to prepare	preparar	vorbereiten	ετοιμάζω
présenter (v.)	presentar	to introduce	apresentar	vorstellen	παρουσιάζω
presse (écrite) (n. f.)	prensa	press	imprensa	Presse	τύπος (εφημερίδες)
pressé(e) (adj.)	de prisa	in a hurry	apressado(a), com pressa	eilig	βιαστικός
prêt (n. m.)	préstamo	loan	empréstimo	Kredit	δάνειο
prévenir (v.)	avisar	to warn	prevenir, avisar	gleich sagen	προειδοποιώ
prévoir (v.)	prever	to plan, allow for	prever	vorsehen	προβλέπω
prime (n. f.)	sobresueldo	premium	prémio	Prämie	ασφάλιστρα
prison (n. f.)	cárcel	prison	prisão	Gefängnis	φυλακή
prix (n. m.)	precio	price	preço	Preis	τιμή
prix littéraires (n. m. pl.)	premios literarios	literary prizes	prémio literário	Litteraturpreise	βραβεία λογοτεχνικά
producteur (n. m.)	productor	producer	produtor	Hersteller	παραγωγός
production (n. f.)	producción	production	produção	Produktion	παραγωγή
produits de qualité (n. m. pl.)	productos de calidad	quality products	produtos de qualidade	Qualitätsprodukt	προϊόντα ποιότητας
produits de toilette (n. m. pl.)	productos de tocador	toiletries	produtos de beleza	Toilettenartikel	καλυντικά
professionnel(le) (adj.)	profesional	professional	profissional	professionnell	επαγγελματικός-ή
profil (n. m.)	perfil	profile	perfil	Profil	βιογραφία
profiter (v.)	aprovechar	to take advantage	aproveitar	profitieren	επωφελούμαι
programme (n. m.)	programa	programme	programa	Programm	πρόγραμμα
promotion (n. f.) faire la ~ de	promoción (hacer la)	promotion	promoção	Werbung machen für	προβολή
promotion (réduction sur un article) (n.f.)	oferta	special offer	promoção, desconto	Sonderangebot	προσφορά
proposer (v.)	proponer	to offer	propor	vorschlagen	προτείνω
proposition (n. f.)	propuesta	proposal, suggestion	proposta	Vorschlag	πρόταση
prospectus (n. m.)	prospecto	leaflet	prospecto	Prospekt	έντυπο
protester (v.)	protestar	to protest	protestar	protestieren	διαμαρτύρομαι
provoquer (v.)	provocar	to cause	provocar	hervorrufen	προκαλώ
public (gens) (n. m.)	público	public	público	Öffentlichkeit	κοινό
publicitaire (n. m.)	publicitario	advertising	publicitário(a)	Werbefachmann	διαφημιστής
publipostage (n. m.)	publicidad postal	mass mailing	mailing	Wurfsendung	μαζική ταχυδρόμηση

Q

| quai (n. m.) | andén | platform | cais | Bahnsteig | προκυμαία |
| question (n.f.) être ~ de | ni hablar de | question | na forma negativa: nem pensar! | Frage | ζήτημα, θέμα |

quitter (v.)	dejar	to leave	deixar, sair	verlassen	φεύγω από
quotidiens (journaux) (n. m. pl.)	periódicos	daily (newspaper)	diários	Tageszeitungen	ημερήσιος τύπος

R

radio (n. f.)	radio	radio	rádio	Radio	ραδιόφωνο
rappeler (v.)	volver a llamar	to call back	ligar de volta	zurückrufen	υπενθυμίζω
rapporter (v.)	traer	to bring back	devolver, trazer de volta	bringen	αναφέρω
rassurer (v.)	tranquilizar	to reassure	tranquilizar	beruhigen	καθησυχάζω
rater (v.)	perder	to miss	deixar de reparar	übersehen	χάνω
rayon (n. m.)	sección	department, counter	secção	Abteilung	τμήμα
réaction (n.f.)	reacción	reaction	reacção	Reaktion	αντίδραση
réception (n.f.)	recibimiento - ingreso	reception desk	recepção	Empfang	δεξίωση
recevoir (v.)	recibir	to see, receive	receber	erhalten	δέχομαι
recherche (n.f.)	investigación	search	busca, procura	Suche	έρευνα
réclamation (n.f.)	reclamo	complaint	reclamação	Reklamation	διαμαρτυρία
recommander (v.)	recomendar	to recommend	recomendar	empfehlen	συστείνω
reconnaître (v.)	reconocer	to admit	reconhecer	erkennen	αναγνωρίζω
récupérer (v.)	recuperar	to pick up	retirar, pegar	wiederverwenden	παραλαμβάνω
rédiger (v.)	redactar	to write	redigir	schreiben, verfassen	συντάσσω
réduction (n. f.)	descuento	reduction	redução	Ermässigung	έκπτωση
réfléchir (v.)	reflexionar	to think	reflectir	überlegen	σκέπτομαι
refuser (v.)	rechazar	to refuse	recusar	verweigern	αρνούμαι
règlement (paiement) (n. m.)	pago	payment, settlement	pagamento	Zahlung	πληρωμή
régler (un achat) (v.)	pagar	to pay, settle	pagar	begleichen	πληρώνω
rejoindre (v.)	reunirse con	to meet	ir ter com	wiederkommen	συναντώ, βρίσκω
relancer (un produit) (v.)	dar un nuevo impulso (a un producto)	to boost, revitalize	reactivar	ankurbeln	προωθώ
relations publiques (n.f. pl.)	relaciones públicas	public relations	relações públicas	PR (Public Relations)	δημόσιες σχέσεις
relevé de compte (n. m.)	extracto de cuentas	bank statement	extracto bancário	Kontoauszug	ενημερωτικό λογαριασμού
remarquer (v.)	fijarse	to notice (here: mind you!)	reparar, notar	bemerken	παρατηρώ,σημειώνω
remercier (v.)	agradecer	to thank	agradecer	bedanken	ευχαριστώ
remise (n. f.)	descuento	discount	desconto	Skonto	έκπτωση
remplir (v.)	rellenar	to fill out	preencher	ausfüllen	γεμίζω
rencontrer (v.)	encontrarse con	to meet	encontrar	treffen	συναντώ
rendez-vous (n. m.)	cita	appointment	encontro	Termin	ραντεβού
rendre (se) (v.)	acudir	to go	ir	begeben	πηγαίνω
renommé(e) (connue) (adj.)	fama	famous	famoso(a)	bekannt	ξακουστή
renouvellement (n. m.)	renovación	renewal	renovação	Erneuerung	ανανέωση
renseignement (n. m.)	información	directory inquiries	informação	Auskunft	πληροφορία
renseigner (v.)	informar	to help, give information	informar	erkundigen	πληροφορώ
repas d'affaires (n. m.)	comida de negocios	business meal	almoço / jantar de negócios	Geschäftsessen	επαγγελματικό γεύμα
repas gastronomique (n. m.)	comida de nivel - de gran nivel	gourmet meal	refeição gastronómica	Feinschmeckermenü	γαστρονομικό γεύμα
repasser (passer à nouveau) (v.)	volver a pasar	to come back	voltar	wieder vorbeikommen	ξαναπεράω
répondeur (n. m.)	contestador	answering machine	atendedor de chamadas	Anrufbeantworter	τηλεφωνητής
répondre (v.)	responder	to answer	responder, atender	antworten	απαντώ
représentant (n. m.)	representante	representative	representante	Vertreter	αντιπροσωπος
réservation (n. f.)	reserva	booking	reserva	Reservierung	κράτηση
réserver (v.)	reservar	to book, reserve	reservar	reservieren	κρατώ
responsable des ventes (n. m./f.)	encargado de ventas	sales manager	gerente de vendas	Verkaufsleiter	υπεύθυνος πωλήσεων
restaurant (n. m.)	restaurante	restaurant	restaurante	Restaurant	εστιατόριο
restituer (v.)	restituir	to return	restituir	zurückgeben	δίνω πίσω
retirer (v.)	sacar	to collect, pick up	pegar, apanhar	abholen	αποσύρω
retour (n. m.)	vuelta	return journey	volta	Rückflug	επιστροφή
retrouver (se) (v.)	encontrarse	to meet	encontrar-se	treffen	συναντιέμαι
réunion (n.f.)	reunión	meeting	reunião	Besprechung	σύσκεψη
réunir (v.)	reunir	to bring together	reunir	versammeln	συγκεντρώνω
revenir (v.)	volver	to come back	voltar	zurückkommen	ξαναέρχομαι
rêver (v.)	soñar	to dream	sonhar	träumen	ονειρεύομαι
rond-point (n. m.)	glorieta	roundabout	rotunda	Kreisverkehr	στρογγυλό διασταύρωσης
rouler (v.)	circular	to flow (traffic)	circular	fahren	κυκλοφορώ
rue (n. f.)	calle	road, street	rua	Strasse	οδός, δρόμος

S

salaire (n. m.)	salario	salary	salário	Gehalt	μισθός
salle à manger (n. f.)	comedor	dining room	sala de jantar	Esszimmer	τραπεζαρία
salle de bains (n. f.)	baño	bathroom	casa de banho	Badezimmer	μπάνιο
salon (n. m.)	salón	exhibition, trade fair	salão, feira	Ausstellung	σαλόνι, έκθεση
savoir (v.)	saber	to know	saber	wissen	ξέρω, γνωρίζω
secteur (n. m.)	sector	industry, sector	sector	Sektor	τομέας
séduire (v.)	seducir	to appeal to, seduce	seduzir	verführen	γοητεύω
séjour (n. m.)	sala de estar	lounge	sala de estar	Wohnzimmer	σαλόνι, λίβινγκ
sembler (v.)	parecer	to seem	parecer	scheinen	φαίνεται
sentir (v.)	sentir	to feel	pressentir	fühlen	αισθάνομαι
sérieux (grave) (adj.)	serio	serious	sério	schwer	σοβαρό
serveur (garçon) (n. m.)	camarero	waiter	empregado de mesa, garçon	Ober	σερβιτόρος
service (n. m.) à votre ~	órdenes, a sus	service, at your	às suas ordens	Diensten, zu ihren	εξυπηρέτηση
service export (n. m.)	servicio de exportación	export department	serviço de exportações	Exportabteilung	τμήμα εξαγωγών
servir (v.)	servir	to serve	servir	bedienen	σερβίρω
signaler (v.)	indicar	to point out	assinalar, indicar	ausschildern	εφιστώ τη προσοχή
site (Internet) (n. m.)	sitio	site	sítio (Internet)	Site	ιστοσελίδα
slogan (n. m.)	lema publicitario	slogan	slogan	Slogan	σλόγκαν
SMIC (salaire minimum interprofessionnel de croissance) (n. m.)	salario mínimo interprofesional de crecimiento	guaranteed minimum wage	salário mínimo	SMIC (Mindestlohn)	ελάχιστος διεπαγγελματικός μισθός ανάπτυξης
société (n. f.)	empresa - firma	company	empresa, sociedade	Gesellschaft	εταιρεία
soif (n. f.)	sed	thirst	sede	Durst	δίψα
soir (n. m.)	noche	evening	noite	Abend	βράδυ
soirée (n. f.)	velada	evening	noite	Abend	βραδυά

Lexique

solde (d'un compte) (n. m.)	saldo	balance	saldo	Saldo	υπόλοιπο (λογαριασμού)
soldes (n. m. pl.)	ofertas	sales, reduced prices	saldos	Sonderangebot	εκπτώσεις
sonner (v.)	sonar	to ring	tocar	läuten	χτυπά το κουδούνι
sortir (v.)	salir	to take out	tirar	abfahren	βγαίνω
souhaiter (v.)	desear	to wish (here: I would like)	desejar	wünschen	εύχομαι
souvenir (se) (v.)	acordarse	to remember	lembrar-se	erinnern	θυμάμαι
spécialisation (n. f.)	especialización	specialization	especialização	Spezialisierung	ειδίκευση
stage (n. m.)	cursillo	training course	estágio	Praktikum	πρακτική εξάσκηση
stagiaire (n. m.)	cursillista	trainee	estagiário	Praktikant	εκπαιδευόμενος
stand (n. m.)	stand	stand	stand	Stand	σταντ, περίπτερο
station (n. f.)	estación	station	estação	Station	σταθμός
station de sports d'hiver (n. f.)	estación de deportes de invierno	winter ski resort	estação de desportos de Inverno	Wintersportort	κέντρο χειμερινών σπορ
station-service (n. f.)	gasolinera	petrol station	posto de gasolina	Tankstelle	βενζινάδικο
stock (n. m.)	existencias	stock	stock	Lager	στοκ, αποθηκευμένο υλικό
suite (chambre) (n. f.)	apartamento	suite	suite (quarto de hotel com vários cómodos)	Suite	σουίτα
suivre (v.)	seguir	to follow	seguir, acompanhar	folgen	ακολουθώ
supposer (v.)	suponer	to suppose	supor	vermuten	υποθέτω
suspension de permis (n. f.)	suspensión del permiso	suspension of a driving licence	suspensão da carta de condução	Führerscheinentzug	απόσυρση διπλώματος οδήγησης
syndicat (n. m.)	sindicato	trade union	sindicato	Gewerkschaft	συνδικάτο
système (n. m.)	sistema	system	sistema	System	σύστημα

T

T.T.C. (toutes taxes comprises)	tasas incluidas	inclusive of tax	com IVA	mit MWSt	φόρων συμπεριλαμβανομένων
table (n. f.)	mesa	table	mesa	Tisch	τραπέζι
tableau (d'affichage) (n. m.)	cartelera	notice board	quadro (de avisos)	schwarzes Brett	πίνακας (αγγελιών)
tâche (n. f.)	tarea	task, job	tarefa	Arbeit, Fleck	εργασία
tarif (n. m.)	tarifa	rate, tariff	preço, tarifa	Tarif	τιμή
taux d'intérêt (n. m.)	tasa de interés	interest rate	juros	Zinssatz	επιτόκιο
taxe (n. f.)	tasa	tax	imposto	Steuer	φόρος
télécopie (n. f.)	telecopia	fax	fax	Telekopie	φαξ
téléphoner (v.)	telefonear	to telephone	telefonar	telephonieren	τηλεφωνώ
téléviseur (n. m.) /télévision (n. f.)	televisor, televisión	TV set, television	televisão	Fernseher, Fernsehen	συσκευή τηλεόρασης /τηλεόραση
télex (n. m.)	télex	telex	telex	Telex	τέλεξ
terminer (v.)	terminar	to complete	terminar	beenden	τελειώνω
TGV (train à grande vitesse) (n. m.)	tren de gran velocidad	high-speed train	comboio de alta velocidade	TGV (Höchstgeschwindigkeitszug)	τρένο μεγάλης ταχύτητας
ticket (n. m.)	billete de metro	ticket	bilhete	Karte	εισιτήριο
timbre (n. m.)	sello	stamp	selo	Briefmarke	γραμματόσημο
tirer (v.)	sacar	to extract	tirar, extrair	ziehen	τραβώ
total (n. m.)	total	total	total	Total	σύνολο
tourner (v.)	girar	to turn	virar	drehen, abbiegen	γυρίζω
tract (n. m.)	manifiesto	leaflet, handout	panfleto	Flugblatt, Flyer	τρακτ
traditionnel(le) (adj.)	tradicional	traditional	tradicional	traditionnell	παραδοσιακός-ή
traiter (v.)	hacer	to deal with	atender, responder	(be)handeln	επεξεργάζομαι
transmettre (v.)	transmitir	to pass on, transmit	transmitir	weiterleiten	μεταβιβάζω
transporter (v.)	transportar	to transport	transportar	transportieren	μεταφέρω
transports (n. m. pl.) ~ en commun	transportes (colectivos)	(public) transport	transportes (públicos)	Verkehrsmittel	μέσα μεταφοράς
travail (n. m.)	trabajo	work	trabalho	Arbeit	εργασία
traverser (v.)	atravesar	to drive through, cross	atravessar	durchfahren	διασχίζω
tromper (se) (v.)	equivocarse	to make a mistake	enganar-se	täuschen	κάνω λάθος
trouver (se) (v.)	encontrarse	to be (situated)	estar situado	befinden	βρίσκομαι
trouver (v.)	encontrar	to find	achar, encontrar	finden	βρίσκω

U

une (la une d'un journal) (n. f.)	primera plana	front-page news	manchete	Schlagzeile	πρωτοσέλιδο
université (n. f.)	universidad	university	universidade	Universität	πανεπιστήμιο

V

vacances (n. f. pl.)	vacaciones	holidays	férias	Ferien	διακοπές
vacciner (v.)	vacunar	to vaccinate	vacinar	impfen	εμβολιάζω
vendeur (n. m.)/ vendeuse (n. f.)	dependiente,a	sales assistant	vendedor/vendedora	Verkäufer/in	πωλητής-ήτρια
vendre (v.)	vender	to sell	vender	verkaufen	πουλάω
venir (v.)	venir	to come	vir	kommen	έρχομαι
vente (n. f.)	venta	sale	venda	Verkauf	πώληση
vernissage (n. m.)	inauguración	preview	inauguração, vernissage	Vernissage	εγκαίνια (έκθεσης)
versement (n. m.)	pago - depósito	payment	pagamento, depósito	Zahlung	κατάθεση χρημάτων
verser (v.)	echar	to pour	despejar	bezahlen	χύνω
vin (n. m.)	vino	wine	vinho	Wein	κρασί
vin d'honneur (n. m.)	vino de honor	reception	Porto de honra	Ehrentrunk	γιορτή προς τιμήν
virement (bancaire) (n. m.)	giro	transfer	transferência (depósito em conta bancária)	Überweisung	τραπεζικό έμβασμα
visage (n. m.)	cara	face	rosto	Gesicht	πρόσωπο
voir (v.)	ver	to see	certificar-se, ver	sehen	βλέπω
vol (aérien) (n. m.)	vuelo	flight	voo	Flug	πτήση
vol (délit) (n. m.)	robo	theft, burglary	roubo	Diebstahl	κλοπή
vouloir (v.)	querer	to want	querer	wollen	θέληση
voyage d'affaires (n. m.)	viaje de negocios	business trip	viagem de negócios	Geschäftsreise	επαγγελματικό ταξίδι
voyager (v.)	viajar	to travel	viajar	reisen	ταξιδεύω
voyagiste (n. m.)	agencia de viajes	tour operator, travel agent	agência de viagens	Reisender	ταξιδιωτικός πράγων

Z

zone (fumeur/ non fumeur) (n. f.)	área fumador - no fumador	(no smoking) area	zona (fumadores/ não fumadores)	Zone	ζώνη (καπνιστών-μή)

Imprimé en France par I.M.E. - 25110 Baume-les-Dames
Dépôt légal : 6120-09/2000 - Collection n° 27 - Edition n° 03 - 15/5144/9